Renée Léveillé

D0307658

RÉGIMES
ARRÊTONS LES INEPTIES !

SUSAN POWTER

RÉGIMES ARRÊTONS LES INEPTIES !

Traduit de l'américain par Anne Lavédrine

MICHEL LAFON

Titre original :
Stop the Insanity !
Publié par Simon & Schuster, New York

© 1993 by Susan Powter Corporation.
© Éditions Michel Lafon, 1995, pour la traduction française.

Ce livre est dédié
à Damien et à Kiel.

INTRODUCTION

Les hommes ont des sautes d'humeur,
les femmes, des sautes d'hormones.

Je ne suis pas en colère, je suis passionnée. Passionnée par le message que je veux transmettre à toutes les femmes du monde : arrêtons les inepties !

Je ne veux plus voir mes consœurs s'affamer, se priver et sacrifier leur ego sur l'autel de la minceur. Je m'élève de toutes mes forces contre les idioties qui ont empoisonné et parfois détruit la vie de millions de femmes.

Qui ne s'indignerait devant le cas de Betty, hospitalisée avec l'émail de ses dents abîmé et une hernie hiatale pour s'être trop souvent fait vomir ? Parlons aussi de Julie, née avec un problème métabolique. Trente ans et plusieurs opérations plus tard, je l'ai vue arriver dans mon centre, pesant 115 kilos, dont un pourcentage de graisses faramineux. Elle était dans cet état pour avoir essayé, sans succès, tous les régimes possibles et imaginables.

Je pense aussi à Teresa. Un médecin irresponsable lui avait fait perdre 57 kilos grâce à un régime à base d'aliments liquides. Elle avait maigri si vite que sa peau était marquée de plis affreux. Que lui a-t-on conseillé ? De recourir à la chirurgie esthétique avec, à la clé, de grandes cicatrices sous les bras et sur la face interne des cuisses. À l'époque où je l'ai rencontrée, elle recommençait à grossir, comme 98 % d'entre nous après ce genre de régime choc. Son médecin avait oublié de lui parler des conséquences désastreuses d'une reprise de poids sur ses cicatrices...

Si je réagis à ces drames avec une telle passion (teintée d'un brin de colère), c'est parce que je suis moi-même « passée par là ». J'ai été une femme de 118 kilos, qui se sentait laide, inutile et faible, qui souffrait sur le plan physique et sur le plan émotionnel, et qui, tout comme Julie, essayait régime après régime, avec les mêmes résultats qu'elle. Abandonnée par mon mari, j'élevais seule mes enfants, je ne parvenais pas à contrôler mon propre corps et j'assistais, impuissante, à la faillite de mon existence.

Je me rappelle qu'au milieu de cette descente aux enfers quelqu'un m'a affirmé qu'on sortait grandi de telles épreuves et qu'après la pluie venait le beau temps. Dire que ces propos empreints de sagesse orientale ne m'ont pas impressionnée serait un doux euphémisme. À l'époque, mon credo se résumait plutôt à : « Je sais que les épreuves trempent le caractère, mais pour l'instant je souffre mille morts, alors donnez-moi quelque chose qui endorme la douleur. Peu importe qu'il s'agisse de chocolat ou d'aspirine : apportez-le-moi ! »

Maintenant, où que j'aille, des inconnus m'abordent (je ne suis pas exactement difficile à reconnaître) et me demandent : « C'est bien vous qui parlez aux gros ? » Ils se méprennent car je m'adresse à toutes les personnes incapables de gravir un escalier sans se retrouver à bout de souffle, quel que soit leur tour de taille, autrement dit à tout être humain en mauvaise condition physique. Et, à mon sens, sont dans ce cas toute personne qui manque de muscles, toute personne affligée d'un pourcentage trop élevé de graisse par rapport à son poids (qu'il soit supérieur de 10 % ou de 50 % à l'idéal) et toute personne dénuée de souplesse.

Mes propos ne s'adressent pas aux « gros », mais à tous ceux qui aspirent à prendre meilleur soin de leur corps, à se sentir mieux et à adopter une meilleure hygiène de vie.

Je ne suis ni médecin ni diététicienne, ni nutritionniste ni experte en régimes ou en gymnastique. Je suis une femme comme les autres qui a trouvé le truc... et brisé le système !

Longtemps, je me suis laissé aveugler par les spécialistes et les autorités médicales qui s'employaient à me convaincre qu'il fallait au moins un doctorat pour comprendre les principes de la nutrition, que tout cela était bien trop compliqué pour mon petit cerveau, que je ne parviendrais à rien sans leur aide... et qui me répétaient que je manquais de la volonté, de la discipline et de la motivation indispensables au succès d'un régime. Messieurs, vous n'auriez pas dû me faire cela !

Je pesais 118 kilos, prenais des antidépresseurs et détestais en bloc mon corps et ma vie. Percluse de douleurs liées à mon obésité, je ne pouvais même plus rester assise plus de quelques minutes car aucune position n'était confortable ni indolore. Je ne pouvais plus vivre dans ces conditions, à attendre sans rien faire qu'une crise cardiaque m'emporte, ou que l'hypertension ou l'ostéoporose détruisent mon corps peu à peu. Deux solutions s'offraient à moi : attendre que cela s'aggrave ou changer de mode de vie. L'ampleur de mon désespoir m'a donné la motivation nécessaire pour choisir la seconde.

Il en faut, pour ne pas tourner casaque à la vue des solutions proposées par notre société : aliments fades, compliqués et tristes, milk-shakes hypocaloriques, pilules et poudres diverses, un peu plus drôles, certes, mais auxquelles il faut adjoindre d'atroces séances de gym qui vous laissent les mollets tétanisés et d'où vous sortez persuadée de n'être qu'une grosse limace.

Quand je vois les méthodes qu'on nous suggère, je comprends que certains d'entre vous s'insurgent :

« Renoncer aux steaks ? La vie ne vaudra plus la peine d'être vécue », « pas question de me nourrir pendant le restant de mes jours comme un lapin » ou bien encore « je n'ai pas de temps à perdre en simagrées de ce genre ». Rien d'étonnant à ce que vous preniez la fuite si l'on vous invite à vous nourrir d'insipides mixtures instantanées ou de plats cuisinés surgelés diététiques et « bons pour vous ».

Chacune de mes tentatives de régime s'est soldée par un échec et chacun de mes échecs me poussait vers une nouvelle tentative tout aussi infructueuse. J'ai tout essayé : les aliments liquides, les pilules, les milk-shakes, les barres diététiques... tout. Aveuglée par mon désir désespéré de mincir, je voyais dans chaque nouveau régime et dans chaque nouveau produit une panacée. Pour la même raison, des millions de personnes gâchent des années entières de leur vie à s'affamer de manières diverses et variées. J'aurais donné n'importe quoi (vraiment n'importe quoi) pour maigrir et acquérir la silhouette de mes rêves. Si on m'avait dit que me couper le bras droit m'assurerait une minceur éternelle, je crois que je l'aurais sacrifié séance tenante, et sans anesthésie.

S'il existait au monde un seul régime efficace, je l'aurais forcément découvert, et vous aussi, puisque nous avons toutes effectué les mêmes expériences. Et il ne resterait plus un seul obèse sur terre. Si vous vous croyez seule dans votre cas, détrompez-vous. Nos efforts répétés pour essayer, je dis bien « essayer » de perdre du poids nous coûtent globalement chaque année cinq milliards de dollars par an (il semble que nous disposions tous d'argent à jeter par les fenêtres). Et 98 % de ceux d'entre nous qui perdent du poids le reprennent. En clair, il s'agit d'un investissement déplorable.

Cependant, ne vous découragez pas, car vous tenez la solution à votre problème entre vos mains. Il vous suffit de continuer votre lecture...

L'industrie de l'aérobic m'a humiliée, celle de la minceur m'a affamée et la médecine m'a assommée de tranquillisants ! Alors, je me suis rebellée. Je raconte dans ce livre comment j'ai échappé au système ; comment j'ai trouvé la solution à mon problème, à notre problème, et commencé à en parler. J'ai une histoire à raconter, tout comme des milliers d'autres femmes qui en ce moment même travaillent à remodeler leur corps et à recouvrer le bien-être. Parfois, nos récits sont drôles ; trop souvent, ils sont pitoyables. Mais les partager nous a fait comprendre que, quelque effort qu'il nous faille fournir pour réagir et changer de vie, il paraîtra minime en regard de l'argent, du temps et de l'énergie dépensés par le passé en régimes et en produits miracles.

S'attacher à changer de corps et de vie en foulant aux pieds les idées reçues est autant un processus émotionnel qu'un processus physique. Je ne l'ai pas toujours bien vécu. Douleur, colère et frustration jalonnent le chemin parcouru.

J'ai mis mon expérience par écrit exactement telle que je l'ai vécue. Si parfois il vous semble que ma colère va s'échapper du texte pour vous sauter au visage, ne vous inquiétez pas : beaucoup de mes plaies ont guéri et l'objet de ce livre est de le relater.

Arrêtons les inepties apporte la réponse, la solution au problème que tant d'entre nous vivent au quotidien : un corps qui nous déplaît et aucun moyen efficace pour y remédier. Je dédie ce livre (écrit pour elles) aux milliers de femmes qui ont chassé les inepties de leur vie, en espérant qu'il vous aidera à les chasser de la vôtre. Il vous apprendra comment cesser de suivre des régimes et pourquoi c'est nécessaire, comment devenir mince, vigoureuse et saine, comment vous réconcilier avec votre corps et recouvrer le bien-être, comment vous assurer une réussite définitive.

On m'a répété cent fois : « Susan, personne ne t'écoutera. Primo, tu es une femme, secundo, tu es intelligente, tertio, tu manques de diplomatie, quarto, tu te bats contre un système et, quinto, tu es *chauve* ! » Je me réjouis tous les jours de ne pas avoir écouté.

Au cours de mes séminaires, je ne vitupère pas, je ne pourfends pas la gent masculine et je n'encourage pas les femmes à brûler leur soutien-gorge. Tel n'est pas mon propos. Je viens partager mon expérience avec mes auditrices et les aider à résoudre leurs problèmes. Je dis bien résoudre leurs problèmes et pas uniquement en traiter les symptômes.

Je leur parle de femme à femme, parce que je suis une femme. Qui peut mieux comprendre ce que ressent une femme obèse qu'une femme qui l'a été ? J'ai porté du 56, acheté du talc au kilo pour calmer les irritations de mes cuisses et de mes aisselles, et souffert de ne pouvoir mener une vie normale : jouer au ballon, nager (la honte de mon corps m'a retenue d'essayer ; pourtant je flottais sûrement beaucoup mieux que les autres mamans), faire toutes les choses que mes fils rêvaient de me voir faire avec eux.

Changer de mode de vie et améliorer ma forme physique m'ont permis de reprendre le contrôle de mon destin. Je vous raconterai comment et je vous parlerai de quelques autres femmes qui, comme moi, sont revenues du royaume des morts.

Je vous montrerai comment tonifier votre cœur sans en passer par d'épouvantables séances d'exercices, comment raffermir votre corps et gagner en vigueur, même si vous n'avez plus sollicité aucun de vos muscles depuis des années, comment vous débarrasser de votre graisse corporelle excédentaire, même si cela implique de fondre de moitié, comment retrouver une bonne santé. Vous découvrirez aussi l'art de vivre en mangeant plus que vous ne l'avez jamais fait et celui d'oublier jusqu'au sens du mot régime car c'est fini, F-I-N-I, plus jamais vous ne vous affamerez ni ne vous priverez. Je sais pourquoi le fait de comptabiliser les calories, de peser chaque aliment et de se peser ne sert à rien, et pourquoi les milk-shakes et les poudres ne valent pas mieux. Après avoir lu mon livre, vous le saurez aussi.

Quant aux cours de gym, j'ai assisté aux « meilleurs » et je m'étonne qu'on n'y dénombre pas cent morts par jour. Un singe ne donnerait pas un plus mauvais enseignement que la plupart des professeurs d'aérobic : mouvements dangereux, ne tenant nullement compte de la condition physique des élèves, sauts et bonds en tous sens jusqu'à l'épuisement. Je n'appelle pas cela de la forme mais de la stupidité.

Chasser les inepties de sa vie relève d'un processus facile à assimiler et à mettre en pratique. Très vite, vous comprendrez l'importance de ces trois verbes : *manger* (la nourriture est le carburant de l'organisme), *respirer* (sans oxygène, on meurt) et *bouger*. Je ne conseille pas de s'agiter comme une possédée sur une musique tonitruante et selon une chorégraphie complexe. Il s'agit de pratiquer une activité physique compatible avec son propre niveau de forme, et à son propre rythme.

Je n'ai pas perdu 60 kilos pour faciliter la tâche de mon cœur mais parce que je voulais devenir plus attirante que la petite amie de mon ex-mari. Et aujourd'hui j'entretiens ma forme pour conserver l'aspect physique et le bien-être que je désire. L'amélioration de ma santé n'a représenté pour moi qu'un effet secondaire du processus.

Vous n'êtes peut-être pas aussi superficielle que moi, mais si vous l'êtes, n'ayez pas honte de l'admettre. Nous sommes nombreuses. Alors, au lieu de changer de vie pour retrouver la santé, faites-le pour aimer votre corps et vous sentir bien. Faites-le pour vos cuisses, pour devenir séduisante et sexy, ou pour rabattre le caquet de tous ceux qui vous en croient incapable.

Nous entamons un passionnant voyage ensemble. Ce livre destiné à vous donner les moyens de renaître à la vie et à soutenir votre motivation ne se présente pas comme un simple mode d'emploi étape par étape. C'est aussi un récit, une ordonnance et parfois même un journal intime. Je m'adresse à votre cœur et à votre esprit. En le lisant, vous ressentirez peut-être de la colère, de la tristesse, de l'espoir ou même de la crainte. Travailler sur mon corps a fait resurgir des sentiments que je n'avais jamais réussi à exprimer. Peut-être cela vous arrivera-t-il aussi.

Je compte sur votre aide et sur votre patience. Restez avec moi, lisez mon récit jusqu'au bout. Vous retrouverez sans doute un peu de votre histoire dans la mienne.

En temps utile, je vous donnerai des réponses (tel est le but de mon livre). Et comme savoir n'équivaut pas à pouvoir, je vous apprendrai à les appliquer à votre vie quotidienne. Alors, vous pourrez changer d'existence.

Lisez plutôt...

85 % de toutes les pathologies résultent directement du mode de vie. Même si votre santé ne constitue pas votre préoccupation première, cela mérite d'être signalé. Rien, mis à part votre héritage génétique, n'agit autant sur la durée et la qualité de votre existence que la manière dont vous la vivez. Sauf peut-être la fatalité : quand un trente-huit tonnes fonce sur vous, peu importent vos prédispo-

sitions génétiques ou votre alimentation. À ce détail près, nous possédons une influence sur notre santé bien plus grande que la plupart d'entre nous ne l'imaginent.

Votre mode de vie dépend de votre alimentation et de votre activité physique. N'en pratiquez-vous plus aucune depuis dix ans ? Depuis combien de temps n'avez-vous pas oxygéné votre corps ? Et comment vous sentez-vous ?

L'objet de ce livre n'est pas de vous motiver ou de vous effrayer à l'aide de statistiques médicales, encore moins de vous culpabiliser. Je ne suis pas une illuminée et je ne prétends pas que le fait de remodeler votre corps résoudra tous vos problèmes quotidiens. Votre vie ne va pas se transformer d'un coup de baguette magique, mais il vous deviendra beaucoup plus facile d'en affronter les aléas.

J'ai chassé les inepties de ma vie et acquis un bien-être que je travaille à conserver. Je ne prononce plus jamais les mots « maigre » et « régime ». Vous pouvez vous aussi échapper à leur emprise. Chasser les idioties implique d'oublier tout ce qu'on vous a inculqué pour réapprendre à manger, à respirer et à bouger. Vous pouvez le faire et vous le ferez.

Jamais autrefois je n'aurais imaginé mener un jour ma vie actuelle : l'autre jour, mes fils m'ont demandé de venir faire de la bicyclette avec eux (vous devriez voir ma tête avec un casque de cycliste). Nous pédalions à toute allure depuis une dizaine de minutes quand un de mes fils, le plus beau petit garçon que l'on puisse imaginer (j'admettrais à la rigueur que vous répondiez que le vôtre est encore plus beau, mais je me vexerais si vous évoquiez quelque lointain cousin), s'est retourné pour crier : « Maman, c'est formidable de faire du vélo avec toi ! Maman, je t'aime ! » Et ladite mère a versé des larmes d'émotion sous son casque.

CHAPITRE 1

Images corporelles

Le corps est un vêtement sacré. C'est notre premier et notre dernier vêtement ; nous venons au monde avec lui pour tout habit. C'est pourquoi nous devons le traiter avec respect.

***Martha** GRAHAM*

UN EXCÉDENT DE POIDS DE 5 KILOS NE DIFFÈRE EN RIEN D'UN EXCÉDENT DE POIDS DE 50 KILOS

Cette affirmation doit vous surprendre, venant d'une femme qui a pesé jusqu'à 118 kilos et qui a dû remodeler entièrement un corps en friche, et non se contenter de perdre quelques kilos inesthétiques. Pourtant, sur le plan émotionnel, perdre 5 ou 50 kilos relève exactement de la même démarche.

Voici quelques années, j'ai vu arriver dans mon centre de remise en forme une ravissante jeune femme, grande et mince. Comme si de rien n'était, elle s'est glissée parmi mes élèves. Je dois admettre que ma première pensée a été : que diable fabrique-t-elle ici ? Tout le monde pensait la même chose, et mes élèves et moi nous félicitions en nous-mêmes de la grandeur d'âme avec laquelle nous acceptions de laisser cette fille exposer son corps quasi parfait à côté des nôtres. Et j'attendais avec impatience la fin de la séance pour découvrir ce qu'elle venait faire chez nous avec un tel physique.

Eh bien, Cindy était mannequin. Je ne plaisante pas. Elle avait pris 5 kilos superflus qui handicapaient sa carrière. Heureusement que je n'ai jamais été mannequin : imaginez-vous ce que 60 kilos excédentaires auraient fait de ma carrière !

La « prise de poids » de Cindy affectait aussi sa vie privée : son mari avait épousé un mannequin au corps de rêve et jugeait ces 5 kilos disgracieux.

Peu de choses m'exaspèrent autant qu'un homme qui exige de sa femme la perfection corporelle... surtout quand il ressemble au mari de Cindy. Certes il possédait un beau visage et de superbes cheveux bruns, longs et épais. En revanche, son corps laissait beaucoup à désirer. Je pense que j'ai dû l'offenser en lui demandant si, nu, il pouvait aussi se targuer d'un physique parfait. J'ai aggravé mon cas en lui suggérant de perdre un peu de poids, mais surtout pas au niveau du cerveau, car celui-ci était à l'évidence déjà trop léger. D'ordinaire, j'évite d'agresser les maris de mes clientes mais, là, il m'avait provoquée.

Pour devenir mince, musclée et en pleine forme, Cindy a suivi exactement le même processus que moi, une mère de deux enfants de 118 kilos qui n'a jamais été et ne sera jamais mannequin.

Cindy manquait d'endurance et de force, et devait perdre de la graisse corporelle, ce qui impliquait qu'elle réduise sa consommation de graisses alimentaires.

Or, étant de ces gens détestables qui peuvent manger ce qu'ils veulent quand ils le veulent sans jamais prendre un gramme, elle n'avait jusqu'alors jamais surveillé son alimentation. Cet aspect du programme lui a donc demandé beaucoup plus d'efforts qu'à moi.

Cindy n'avait jamais non plus fait de sport puisque la nature l'avait dotée dès son plus jeune âge d'un corps parfait sans qu'elle doive accomplir le moindre effort pour le mériter. S'entraîner s'est révélé beaucoup plus difficile pour elle que pour le commun des mortels, car elle manquait totalement de coordination. Elle ne parvenait pas à bouger en rythme ses bras minces et ses longues jambes. Quand on ressemble à Cindy, on n'éprouve sans doute nul besoin d'apprendre à se mouvoir avec grâce. Avec une abnégation qui m'émeut moi-même, je me suis pourtant retenue de commenter devant mes autres élèves son problème de coordination. J'ai même modifié certains mouvements pour ne pas la décourager.

Pour changer son corps, Cindy a dû apprendre à manger, respirer et bouger, tout comme moi, et tout comme vous devrez le faire, quelle que soit votre forme physique et quel que soit votre but. Bien sûr, le processus a été beaucoup plus long pour moi car j'avais plus de graisse à brûler, des muscles plus faibles (depuis longtemps, mon activité physique se limitait à ramasser les jouets de mes fils et à faire le ménage), et encore moins d'endurance.

Sur le plan moral, Cindy souffrait tout autant de ses 5 kilos excédentaires que moi de mes 60. Cela me coûte beaucoup de l'admettre, car je continue à penser que celles d'entre nous qui changent totalement de corps méritent plus d'éloges que celles qui perdent 5 petits kilos. Pourtant, en vérité, 5 ou 10 kilos superflus peuvent mettre autant à mal l'ego et la perception qu'on a de son propre corps qu'une surcharge pondérale de 30 ou 40 kilos. Pourquoi cela ? La réponse est simple : tous les magazines et toutes les émissions de télévision nous expliquent à quoi nous devons ressembler.

On peut adopter diverses attitudes face à cette réalité. Première solution, se répandre en récriminations contre les médias, les médecins et les fabricants de produits diététiques, responsables de l'image négative que l'on a de son corps. Seconde solution, acheter ce qu'ils cherchent à vous vendre et continuer à se gâcher la vie en essayant d'atteindre une perfection inaccessible. Enfin, troisième solution, éteindre la télévision, fermer son magazine, ou, mieux encore, ne pas l'acheter et décider d'oublier les modèles impossibles à égaler.

Il est temps d'oublier le stéréotype de la poupée Barbie qui nous empoisonne l'existence depuis si longtemps. J'ai vu trop de ravages commis en son nom. Il suffit d'examiner cette chère Barbie de la tête aux pieds.

Poitrine parfaite : certaines femmes ont endommagé leur système immunitaire pour atteindre cet idéal.

Taille de guêpe : j'ai vu une femme se faire ôter deux côtes pour affiner la sienne.

Tour de hanches = tour de poitrine : combien de haine de soi une femme déverse-t-elle en moyenne sur ses hanches et ses fesses au cours d'une vie ?

Longs cheveux soyeux : eh bien, Barbie, c'est là que je t'arrête. Je suis capable d'affamer mon corps jusqu'à la fin des temps, de le faire liposucer, découper, remodeler, mais il est une étape que je ne pourrai jamais atteindre... non, deux : avoir les cheveux longs et faire l'amour avec Ken.

Alors je m'insurge : Barbie, mêle-toi de tes affaires ! Trouve-toi un travail, un nouveau petit ami, change de personnalité, que sais-je, mais, par pitié, *cesse de me dire à quoi je devrais ressembler !*

Cet esclavage que nous vivons toutes au quotidien n'est pas une fatalité. Nous pouvons nous reprogrammer, nous rééduquer, pour enfin nous sentir bien.

Commençons par notre perception de notre corps. Pour ce faire, ôtez vos vêtements. Oui, vous qui me lisez en avion, à votre bureau ou dans la salle d'attente de votre médecin, allez-y. Levez-vous et ôtez tous vos vêtements. Vous êtes fière de ne pas ressembler à Barbie. Si vous le préférez, attendez d'être rentrée chez vous, mais il faut que vous le fassiez.

DÉSHABILLEZ-VOUS ET REGARDEZ VOTRE CORPS

Pour une fois, considérez-le d'un œil objectif, au lieu de le dénigrer. Nous sommes entre nous.

Ne croyez pas que j'ignore la difficulté de ce geste, mais rappelez-vous que, cette fois, le but de l'opération n'est pas de critiquer ce que vous voyez ni de gémir à l'idée des mois de privations qui vous attendent. Je vous demande de regarder votre corps. Au passage, admirez l'effet évident de tous vos régimes et de tout l'argent dépensé en produits amincissants... Cela saute aux yeux, n'est-ce pas ?

Regardez votre corps et décidez de ce que vous allez en faire. C'est simple. Avez-vous de la graisse à perdre (je ne parle pas de deux malheureux petits centimètres sur vos hanches, mais de vraie graisse) ? Combien pensez-vous devoir perdre pour être belle et vous sentir bien ? Aimeriez-vous revoir les os de vos hanches ? Et, pourquoi pas, vos clavicules ? Vos côtes ?

À présent, parlons de vos muscles. Où se cachent-ils ? Avez-vous du mal à vous déplacer ? Souffrez-vous de douleurs diffuses, comme moi autrefois ? Vous sentez-vous fatiguée ? Si oui, il va falloir redonner du tonus à votre muscle cardiaque et à votre corps, leur apporter force et énergie, et les réoxygéner. Si le fait de monter une volée de marches équivaut pour vous à courir le marathon de New York, il faut agir.

Vous vous tenez donc nue devant votre miroir. Non, ne courez pas ouvrir le Frigidaire et vous empiffrer parce que ce spectacle vous déprime. Écoutez-moi : vous possédez en vous la solution à tous vos problèmes. Nous allons travailler ensemble à échapper au système que nous subissons depuis si longtemps.

Votre corps peut devenir aussi mince, sain et vigoureux que vous le souhaitez. Au lieu de vous conformer aux modèles proposés par les médias, vous allez désormais vous fier à votre propre jugement, étudier votre corps, fixer l'objectif à atteindre et faire en sorte d'y parvenir. Vous verrez comme c'est facile.

L'industrie de l'amincissement voudrait nous faire croire que nous devrions toutes ressembler à des top models. Facile... Ma mère aurait adoré que je ressemble aux filles des magazines et possède leur corps parfait et leur sex-appeal.

Qui faut-il fustiger ? Ceux qui utilisent ces images idéales ou nous qui entrons dans leur jeu ? Pour ma part, j'opte pour la seconde solution. Chaque fois que j'ai essayé de me conformer aux canons de beauté officiels, j'ai échoué. Et chaque fois que j'échouais, je mangeais. Je sais que ce genre de réaction éveille un écho familier chez beaucoup d'entre vous. Il m'a fallu des années et un million d'échecs pour comprendre que le problème venait de moi et de mon incapacité à accepter et à maîtriser mon corps.

Revenons à Cindy. Sa forme physique s'est améliorée, tout comme la mienne ; elle a perdu sa graisse excédentaire, comme moi, et elle a atteint son but. Et elle est toujours plus belle que moi et la plupart des femmes. Dieu bénisse les Cindy de ce monde.

> *Tant que je restais assise devant ma télévision (et non devant un miroir), je parvenais à me persuader que je n'étais pas si grosse que cela.*
>
> ***Une cliente***

L'image que vous renvoie votre miroir ne vous plaît sans doute pas. Or, quand on veut changer son corps, à quoi pense-t-on aussitôt ? À se mettre au régime.

L'obsession de la minceur atteint de telles proportions, dans ce pays, que j'entends parler de fillettes de cinq ou six ans qui s'inquiètent déjà de leur tour de taille. (Par un fait étrange, il s'agit toujours de filles. Je suppose que, même à cet âge tendre, les petits garçons savent déjà qu'on en attendra moins d'eux sur ce plan.)

Les adolescentes subissent quant à elles des pressions si violentes qu'elles sont prêtes à tout pour avoir un corps « parfait ». D'après des études récentes, 63 % des lycéennes suivent un régime, et certaines d'entre elles, ces épouvantables régimes à 500 ou 600 calories par jour extrêmement malsains pour un organisme en pleine croissance et en plein bouleversement hormonal. Je donne beaucoup de conférences dans des lycées et des universités. En discutant avec les élèves, j'ai découvert qu'elles faisaient exactement les mêmes choses que vous et moi pour devenir ou rester filiformes : se priver, ne se nourrir que de salades et de fruits, voire, dans des cas plus dramatiques, se faire vomir. Et tout cela pour quoi ? Pour plaire aux garçons et se conformer à un idéal de minceur.

Voulez-vous que vos filles connaissent cela ? Non, bien sûr. Alors, arrêtons-les tout de suite, avant qu'elles ne deviennent comme nous !

Je ne sais pas pour vous, mais, moi, je ne revivrais pour rien au monde mes quinze-seize ans, et mes parents sûrement pas plus. À l'époque, je passais d'un régime farfelu à un autre. Je me suis ainsi nourrie de pamplemousses (dérangements intestinaux gratuits), puis de laminaires (une sorte d'algue), de capsules de lécithine...

J'ai aussi suivi un régime qui imposait de boire du vinaigre de cidre, à propos duquel je vais vous raconter une anecdote. J'ai un frère de onze ans mon cadet qui, dès sa naissance, est devenu « mon » bébé. Tout ce qu'il faisait me ravissait et je le jugeais beaucoup plus doué et plus beau que les enfants de son âge. Un jour, alors qu'il avait deux ans et commençait à parler, il a fasciné toute la famille en prononçant quelque chose qui ressemblait à « chaussettes sales ». Il fronçait son adorable petit nez et disait : « Pouh, ssaussettes sales. »

Toute la famille s'extasiait, sans se préoccuper du fait que personne ne comprenait ce qu'il disait : cet enfant était un génie, point. Au bout de deux ou trois jours, mes parents ont découvert que l'exceptionnelle précocité de mon frère ne se manifestait qu'en ma présence. Parce que je l'inspirais ? Rien de si gratifiant : comme je pratiquais à l'époque un régime lécithine-laminaire-vinaigre de cidre, je sentais le vinaigre de cidre à plein nez... autrement dit, vous l'aurez compris, les chaussettes sales.

J'avais treize ans, à l'époque, et déjà le doigt dans l'engrenage infernal.

Suivant les périodes de ma vie, il m'est arrivé d'être très grosse et très, très maigre (à la suite de jeûnes impitoyables). Avant d'avoir des enfants, je portais des soutiens-gorge à bonnets DD (allaiter deux enfants a vite changé cela !) et j'avais de l'estomac. D'aussi loin qu'il m'en souvienne, j'ai toujours porté des T-shirts informes pour cacher ma grosse poitrine et mon ventre rond. Je ne me suis jamais sentie fine ou mignonne. J'étais « bien en chair » et en permanence affligée d'un excédent pondéral de l'ordre de 15 kilos. Jamais je n'ai aimé mon corps, mais j'ai touché le fond le jour où ma balance a accusé 118 kilos.

> *J'ai entamé mon premier régime à l'âge de huit ans. Cinquante ans plus tard, je fais toujours des régimes, sans succès.*
>
> ***Une cliente***

Vous savez tout sur l'amincissement, vous avez testé tous les régimes possibles et imaginables, vous pensez que plus rien ne pourra vous surprendre. Je le pensais aussi.

Laissez-moi pourtant vous rappeler quelques faits essentiels : non seulement nous nous affamons volontairement, mais nous dépensons des sommes folles pour qu'on nous aide à le faire. Si vous pouviez évaluer ce que votre combat contre les kilos vous a vraiment coûté, cela vous couperait sans doute l'appétit.

Réfléchissons au processus ! Vous donnez l'argent gagné à la sueur de votre front pour qu'on vous dise en échange quel type de famine vous allez subir : famine extrême, c'est-à-dire 300, 400, 500, 600 calories par jour (nombre de gens pratiquent ce genre de diète), famine moyenne, soit un peu plus de 600 calories, ou famine « saine » avec 1 200 à 1 400 calories par jour. Après quoi, vous dépensez des fortunes en plats diététiques surgelés qu'il vous faudrait, pour bien faire, consommer jusqu'à la fin de vos jours...

Peut-être vous réunissez-vous chaque semaine avec d'autres affamées pour vous faire applaudir si vous avez perdu quelques centaines de grammes ou, dans le cas contraire, discuter des raisons métaboliques qui freinent votre perte de poids. Les résultats, s'il y en a, ne dureront pas. Et bientôt vous recommencerez un nouveau régime, même système et résultat identique.

Un calcul élémentaire révèle que si je paie pour obtenir une solution temporaire et douloureuse (car tout régime est une souffrance) à mon problème, que cette solution porte en elle le germe de mon échec futur, et qu'il me faut recommencer le processus dans quelques mois, je ne fais pas un bon investissement.

En d'autres termes, et pour s'exprimer clairement, les régimes coûtent très cher, sont pénibles au point de transformer la vie en enfer, ne fonctionnent pas et induisent un cycle infernal régime-amincissement-reprise de poids-régime. Quand vous aurez compris cela, vous pourrez enfin échapper au système. Il existe une solution à vos problèmes, à nos problèmes, mais elle ne passe pas par un régime.

Un magazine féminin à fort tirage a récemment publié un sondage réalisé sur un échantillon de trente-trois mille femmes qui révèle que :

- **50 % des femmes utilisent parfois ou souvent des coupe-faim,**
- **27 % pratiquent des régimes à base d'aliments liquides,**
- **18 % prennent des diurétiques,**
- **45 % s'affament,**
- **18 % prennent des laxatifs,**
- **15 % se font régulièrement vomir.**

D'après mes statistiques personnelles, bien plus de 27 % des femmes ont pratiqué à un moment ou à un autre un régime n'autorisant pour l'essentiel que des aliments liquides. D'ailleurs, je ne ferai pas de ces régimes une catégorie distincte car, quelle que soit la méthode employée, il s'agit toujours de s'affamer.

Parlons à présent de celles qui se font vomir. Certaines de mes clientes connaissent une centaine de procédés différents pour y parvenir. Ainsi, Jan dévore un excellent repas dans un grand restaurant, puis s'excuse un instant pour aller tout vomir dans les toilettes, se remet du rouge à lèvres et revient à table pour le dessert. Je n'ai pour ma part jamais pratiqué cette « méthode » car il est peu de choses au monde que je déteste plus que vomir. Cela me terrifie.

Le service de défense des consommateurs de la mairie de New York a déclaré en juin 1991 que neuf régimes sur dix, parmi ceux qu'on pratique couramment, présentent des dangers pour l'organisme ignorés des consommateurs.

Imaginez un diététicien qui vous dirait avant d'encaisser votre chèque : « La plupart des gens reprennent le poids qu'ils perdent » (s'il était honnête, il vous dirait 98 % d'entre eux), « vous risquez de perdre dans la bataille un organe ou deux, votre vésicule biliaire, par exemple » (voilà un slogan publicitaire percutant : buvez ceci, vous perdrez votre vésicule et quelques kilos !) ou encore « au cours d'un régime, on perd principalement de l'eau et des muscles ».

Or on ne « reprend » jamais du muscle ; il faut le reconstituer. Autrement dit, quand vous reprenez du poids, vous reprenez de la graisse. Quand je perdais 20 kilos et n'en reprenais « que » une quinzaine, il me semblait pourtant être encore plus grasse qu'auparavant, encore moins ferme. Je pensais qu'il s'agissait d'un effet de mon imagination puisque je n'avais pas « tout » repris. En fait, je perdais des muscles et reprenais de la graisse.

Donc, à moins de faire partie des 2 % de veinardes qui demeureront minces, les régimes vous affaibliront et vous feront « engraisser ». (À ce propos, je tiens à signaler que malgré mes nombreux voyages, je n'ai encore jamais rencontré personne qui appartienne à ces fameux 2 % !)

Autre non-sens : avec tous les nouveaux régimes sur le marché, on s'attendrait à trouver l'Américain moyen plus mince que par le passé ; or il n'en est rien. Au contraire, depuis vingt ans, le pourcentage de personnes en surpoids ne cesse d'augmenter. Même les experts en amaigrissement le reconnaissent, ce qui surprend de la part de gens qui passent leur vie à apprendre aux autres comment mincir.

Cela m'inspire les réflexions suivantes : peut-être nous enseignent-ils de mauvais principes ; peut-être nous vendent-ils du vent. Dans ce cas, nous pouvons continuer indéfiniment à essayer de mincir et à payer des experts pour nous y aider. Leur slogan : « Achetez mon produit car il ne sert à rien, ce qui vous obligera à en acheter d'autres. »

Je sais, on vous a déjà dit tout ça. Vous connaissez les dangers des régimes et l'inutilité de la plupart d'entre eux. Nous savons qu'il n'existe pas de régime miracle. Pourtant, nous cherchons toujours la solution à nos problèmes de poids.

Après un de mes passages à la télévision, une femme m'a écrit un petit mot très touchant. Au sommet de sa lettre figuraient son nom, son adresse, la date et l'heure à laquelle elle m'écrivait : 2 heures du matin. J'ai compris ce qu'elle ressentait avant même de la lire : pour moi aussi, cette heure était la plus difficile. Tard le soir ou tôt le matin, les enfants couchés et les tâches quotidiennes accomplies (ou non), je pouvais laisser libre cours à mon mal de vivre et à ma haine de mon corps.

Les seules choses que je pouvais faire à ce moment de la nuit, à l'époque (sur ce point, j'ai bien changé et j'effectue une foule de choses à 2 heures du matin), c'était de regarder la télévision et de manger.

Les vendeurs de minceur, qui le savent bien, bombardent les téléspectateurs nocturnes d'écrans publicitaires vantant les mérites de tel régime ou de telles pilules. Et des millions de personnes décrochent leur téléphone pour commander le produit magique dont elles viennent d'apprendre l'existence. Ils vous attaquent au moment où vous vous sentez le plus vulnérable.

Combien de « gros » voit-on dans les cours d'aérobic ?

Aucun !

Pourquoi ?

Réfléchissons.

L'industrie de la forme est tout aussi fautive à mon sens que celle de l'amincissement.

Je parle de cela en connaissance de cause puisque je possède un centre de remise en forme et assiste aux colloques, séminaires et conférences des organisations qui régissent ce secteur d'activité.

Mon centre est reconnu par lesdites organisations et certains de mes instructeurs formés par elles, mais cette estampille ne signifie rien à mes yeux. Jamais elles n'ont envoyé personne inspecter mon centre, ce qui fait que leurs instances ignorent tout de mon enseignement et de mes méthodes.

L'industrie de la forme s'adresse à 10 % de la population et ignore superbement les autres 90 %. La plupart des centres appliquent la recette suivante : chorégraphie la plus compliquée possible avec des mouvements défiant le bon sens, sur la musique la plus rapide possible. Moyennant quoi, si vous n'êtes pas une apprentie danseuse ultra-souple, ultra-musclée et vêtue de fluo, vous pouvez aller au diable. Et Dieu vous garde si vous vous avisez de tenter un ou deux mouvements sans avoir suivi dix ans de cours de danse : vous vous retrouverez hors jeu en quelques minutes.

Si, comme la plupart d'entre nous, vous manquez de coordination ou de forme, êtes trop gros ou moins jeune, relevez d'un accident ou d'une maladie, ou êtes un homme (avez-vous jamais vu un homme s'essayer à l'aérobic ?), et que les justaucorps de couleur fluo ne vous avantagent pas, impossible d'assister aux cours. Sauf, bien sûr, si cela ne vous dérange pas qu'on vous ignore, qu'on vous bouscule, qu'on vous fasse sentir que vous tenez plus de la baleine que de l'être humain, qu'on vous torture et qu'il vous reste la perspective de ne plus pouvoir bouger pendant une semaine. Un programme exquis, non ? Il arrive qu'en cours de séminaire on indique des mouvements de gym. Je m'enquiers toujours des modifications possibles pour les élèves moins en forme ou souffrant, par exemple, des genoux. Chaque fois, je m'attire un regard vide et une réponse du style :

– Vous voulez dire : si un élève ne peut faire ceci ? Eh bien, je ne sais pas...

– Et que fait-on lorsque l'élève est trop gros pour faire ce « saut, demi-tour en l'air et atterrissage sur un pied » ?

– Euh... trop gros pour faire de l'aérobic ? Eh bien, je ne sais pas...

La plupart des professeurs d'aérobic ne s'intéressent pas à de telles questions car rares sont les personnes trop grosses ou en mauvaise condition physique qui approchent à moins de dix kilomètres d'une salle d'aérobic. Ce qui paraît illogique si l'on songe que ce sont elles qui en auraient le plus besoin.

L'industrie de la forme entretient le mythe de « Barbie femme idéale » par son incapacité à nous proposer autre chose que l'aérobic, à part des vidéocassettes « spéciales femmes fortes » plutôt déprimantes. Avec l'aérobic, ou vous suivez le rythme ou vous sortez. Une personne qui n'entre pas dans le moule s'expose à des humiliations sans fin. Il faut être en forme ou proche de l'être avant de franchir le seuil d'une salle de sport. Cela me fait penser aux femmes qui passent l'aspirateur avant l'arrivée de leur femme de ménage.

Je me rappelle un film publicitaire pour un fabricant de chaussures bien connu qui illustrait ce paradoxe. Un groupe composé de dix personnes ordinaires et d'un couple superbe et très élégant visite des ruines aztèques. Pour admirer les ruines sous leur meilleur angle, il faut escalader une pyramide. Les dix « normaux » doivent rester au pied de la pyramide, faute de chaussures d'endurance, tandis que le couple superbe gravit d'un pas léger plusieurs centaines de marches jusqu'au sommet, d'où eux, et eux seuls, bénéficient du panorama. Ce privilège semble d'autant plus injuste qu'ils sont à l'évidence incapables d'apprécier une autre beauté que la leur.

Nous gravirons ensemble cette pyramide, même si nous ne pouvons pas le faire en courant. Cela prendra sans doute du temps, mais si vous me suivez, vous y arriverez, et ce avant même d'avoir atteint votre forme optimale.

À l'époque où je pesais 118 kilos, je serais restée en bas, avec le reste des touristes, incapable d'admirer les ruines que j'aurais, tout comme eux, tant voulu visiter. À ce moment-là, nul ne m'a proposé de commencer par gravir quelques marches tout doucement, puis un peu plus, pour atteindre un jour le sommet. Il fallait courir ou rester en bas.

Aujourd'hui, grâce à une forme que je ne dois ni aux marchands de minceur ni aux gourous du sport, je dépasserais en courant ces si jolis jeunes gens, non sans leur dire au passage ce que je pense d'eux (au nom de tous les laissés-pour-compte de la forme, conduits au désespoir par des gens comme eux). Et j'adorerais cela !

Il n'y a que le premier pas qui coûte.

CHAPITRE 2

Être gros

L'habitude est une seconde nature.
ARISTOTE

POURQUOI SOMMES-NOUS TOUS SI GRAS ? COMMENT CELA SE FAIT-IL ? DE QUAND DATE LE DÉRAPAGE ?

J'ignore comment les choses se sont passées pour vous, mais moi, pendant les dix premières années de ma vie, on m'a achetée, manipulée et récompensée avec de la nourriture. Céréales au petit déjeuner, arrosées de lait entier... Tous les matins, on nous livrait une bouteille de lait et celui qui allait la chercher sur le pas de la porte gagnait pour récompense la crème du lait.

On me gavait d'agneau, de steaks et de côtes de porc, pour alimenter ma croissance. Et je m'apitoyais sur le sort des pauvres petits Chinois dont me parlaient les sœurs, à l'école. Je leur aurais volontiers offert mes légumes, si j'avais su comment les leur faire parvenir.

L'aberration en matière alimentaire commence

dès notre naissance. J'en ai eu la révélation quand j'allaitais mon fils aîné. Mon bébé se nourrissait quand il avait faim : quoi de plus logique ? Certains jours, je lui donnais le sein toutes les heures ; d'autres, il attendait plusieurs heures entre chaque tétée. Quand son petit organisme exigeait plus de carburant, il lui en donnait plus. Un nourrisson ne considère pas encore la nourriture comme un plaisir défendu ou un ennemi (nous le leur apprenons bien vite), mais comme un simple carburant indispensable à son développement.

Donc, les bébés mangent quand ils en ressentent le besoin, sauf, bien entendu, si leur mère se plie aux diktats des pédiatres qui imposent un intervalle de quatre heures entre chaque tétée. Qui a décidé que les bébés n'avaient pas besoin de repas plus fréquents ? Les médecins croient-ils que tous les enfants se développent au même rythme ? Que tous les corps ont les mêmes besoins ? Ils croient en savoir plus long que Dieu, notre créateur. S'il ne fallait vraiment nourrir les enfants que toutes les quatre heures, nos seins ne produiraient pas de lait en permanence. Comme ces conseils me paraissaient absurdes, devinez ce que j'ai fait. Je ne les ai pas suivis et je suis devenue le cauchemar de tout médecin : une mère qui écoute son instinct plutôt que les conseils.

J'ai remarqué que chaque fois que mon fils traversait une période d'alimentation quasi permanente, il grandissait comme une petite plante. Cela me paraissait logique et naturel.

Le même phénomène s'applique aux corps adultes. Maintenant que je suis en pleine forme, il m'arrive, certains jours, de manger toute la journée.

Je viens de commencer des cours d'autodéfense (non, je ne suis plus une victime). Essayez donc de frapper un adversaire de vos poings et de vos pieds : vous verrez combien d'énergie on dépense... et vous découvrirez, grâce à vos courbatures, des muscles dont vous ignoriez jusqu'à l'existence. Comme je trouvais mon direct du droit un peu faible, je travaille aussi un peu avec des haltères. Toutes ces activités brûlent énormément d'énergie. Si vous ajoutez à cela vivre ma vie et diriger mon entreprise, vous comprendrez que certains jours je m'arrête presque toutes les cinq minutes pour manger.

Mon corps se développe comme jamais. En période de croissance musculaire, ou peut-être, tout simplement, de régénération cérébrale, je passe mes journées à manger, sans me poser de question. Savez-vous que votre cerveau utilise 20 % des calories nécessaires à votre métabolisme, même si vous ne faites rien ? Alors, imaginez ce qui se passe lorsqu'on écrit un livre, qu'on réfléchit, qu'on rassemble des souvenirs en s'efforçant de donner une certaine cohérence à l'ensemble ! Grâce à ce livre, mon crâne s'est transformé en chaudière. Inutile de faire de l'exercice, il me suffira d'en écrire un second pour augmenter ma dépense énergétique.

Je ne module plus mon alimentation en fonction de ce que tel ou tel médecin, diététicien ou gourou, me conseille. Je mange quand j'ai faim, et tout comme mon bébé autrefois, je me développe.

Surmonter les mauvaises habitudes prises depuis l'enfance et oublier tous les principes alimentaires idiots acquis au fil du temps, cela demande beaucoup de persévérance. Parfois, je m'étonne d'avoir survécu à tant d'années d'hygiène de vie déplorable. Ce que nous mangeons, ce que nous ne mangeons pas, le manque d'exercice (courir après les enfants fait certes remuer, mais il ne s'agit pas d'exercice au sens véritable du terme) et la mauvaise oxygénation que nous vivons au quotidien suffisent à expliquer notre délabrement physique. Inutile d'invoquer une hypothétique paresse. Dans la plupart des cas, notre excédent pondéral reflète juste tous les mauvais conseils reçus depuis l'enfance, et non une défaillance d'ordre personnel.

Nos problèmes résultent aussi de notre mode de vie sédentaire. Le progrès est une chose excellente mais génère des effets pervers, notamment la disparition de toute nécessité de bouger. On peut désormais allumer sa télévision, son lecteur de disques laser ou sa cafetière sans se lever de son lit.

Je suis devenue grosse parce que je mangeais des tonnes de nourriture à haute teneur en lipides, ne bougeais plus du tout et, en règle générale, ignorais les besoins de mon corps. Ces mêmes causes expliquent 99,9 % des excédents pondéraux. Même l'Association médicale américaine admet que moins de 3 % des obésités sont d'origine génétique.

Comme moi, vous êtes devenue grosse. Voici venu le moment de régler ce problème. Il est temps de cesser de blâmer votre mère, les céréales de votre enfance ou, comme moi, celui que je surnomme le « prince », mon ex-mari. Toute personne qui se nourrit mal et abandonne l'exercice physique devient grosse.

Je ne voulais pas être une mère célibataire de 118 kilos. Je ne voulais pas de la vie qui était la mienne. J'étais déprimée (à juste titre). Je ne voulais pas demeurer grosse. Voilà ce que furent mes motivations.

Faites-moi plaisir et pardonnez à votre mère ou à toute autre personne à laquelle vous imputez votre état, mais écoutez mon récit, celui d'un rêve réduit en miettes, qui laisse son héroïne (moi) seule, désespérée, déboussolée et pesant 118 kilos.

Un jour, comme dans les contes de fées, j'ai rencontré le prince Charmant (que j'appellerai dorénavant « mon prince »).

Nous sommes tombés fous amoureux l'un de l'autre. Il appartenait à une famille d'origine mexicaine, aussi nombreuse qu'unie. Moi, je venais d'une famille de taille réduite, au sein de laquelle on cultivait l'indépendance, et j'avais été élevée à l'autre bout du monde, dans un couvent de dominicaines de Sydney (Australie). Tout nous séparait... mais nous nous aimions et rien d'autre ne nous importait.

Très vite, nous nous sommes mariés. Notre château (car c'est sous ce jour que notre maison m'apparaissait) possédait un étage, une véranda et un petit jardin. Nous habitions Garland, dans le Texas, que je voyais à l'époque comme le paradis terrestre. Je meublais mon château, aussi heureuse que Cendrillon jeune mariée... Nous vivions un rêve.

Aujourd'hui encore, malgré les années écoulées, je fais des détours pour éviter Garland. Que mes ex-concitoyens me le pardonnent, mais j'y ai trop souffert.

Six semaines après notre mariage (une fête grandiose), je me suis rendue seule à New York, pour le mariage d'une amie (j'adorais ces cérémonies, en ce temps-là). Mon prince me manquait tant que je vomissais tous les matins. Oui, ma naïveté était si grande que j'attribuais vraiment mes nausées à son absence et cela me confortait dans l'idée que notre amour excédait en intensité les plus célèbres passions.

Il ne m'est jamais venu à l'idée que mes malaises pouvaient avoir une autre origine. Comme mes symptômes perduraient, mon prince m'a envoyée chez un médecin qui, après un bref examen, m'a appris qu'au bout de six semaines de mariage j'étais déjà enceine de quatre semaines, performance qui me conféra aussitôt un statut d'héroïne au sein de ma belle-famille latino-américaine.

Quand j'ai rejoint mon prince dans la salle d'attente pour lui annoncer la nouvelle, tout le monde nous a applaudis. Je vous jure que je n'invente rien. Mon prince et moi sommes repartis, les larmes aux yeux, ravis de voir nos rêves se réaliser encore plus vite que nous ne l'escomptions.

Notre retour à la maison, ce jour-là, demeure un de mes plus merveilleux souvenirs. Un enfant allait venir couronner notre amour sans égal et nous nagions dans le bonheur.

Ma grossesse se déroula sans anicroche. Mon prince et moi discutions des heures durant de nos rôles respectifs dans l'éducation de notre futur rejeton. Un comportement typique des années 80, non ? En parfait couple moderne, nous parlions égalité des rôles et des responsabilités. Ainsi soutenue, et forte de ma confiance en mon prince, je me suis consacrée à devenir l'archétype de la jeune épouse-future maman, pendant que mon prince effectuait des heures supplémentaires en prévision de ses nouvelles charges familiales.

Puis notre fils est né. L'aîné des petits-fils de ma belle-mère mexicaine. J'ai bien dit petit-*fils*. Dans une famille latino-américaine, le distinguo importe. Ma position en son sein s'en affermit d'autant.

Notre vie paraissait parfaite. Par malheur, notre adorable petit garçon souffrait de graves allergies qui le maintenaient éveillé des nuits entières. Pendant des semaines, il n'a cessé de pleurer. Moi, je consacrais toute mon énergie à tenter de découvrir l'origine de son mal et m'efforcer de le soulager. Mon prince continuait à effectuer des heures supplémentaires et faisait son possible pour m'aider, ce qui signifiait bien souvent, à son retour du travail, bercer pendant deux heures un nourrisson qui s'époumonait, pour me permettre de prendre un peu de repos.

Imaginez ce qu'était devenu notre mariage tout neuf : mon mari travaillait tard et je ne vivais que pour ce petit être fragile qui ne dormait pas et ne réagissait à aucun traitement. Inévitablement, ma relation avec mon prince s'en ressentait.

Je me rappelle ma première fête des Mères, un mois après la naissance de mon fils. Il nous a fallu habiller le nouveau petit-fils (ma mère désapprouvait le laisser-aller vestimentaire), puis revêtir nos plus beaux atours pour nous rendre dans un restaurant bondé et surchauffé avec un bébé qui pleurait sans discontinuer. Quels premiers pas dans le monde de la maternité...

Quelques jours plus tard, j'ai confié mon fils à ma mère pour aller dîner avec mon prince et quelque quatre-vingt-dix-huit de ses cousins.

Soucieuse de ne pas laisser mon nouveau rôle de mère occulter ma féminité, je me suis mise sur mon trente et un (chose plutôt ardue un mois après un accouchement et en pleine période d'allaitement) et installée à l'arrière de la motocyclette de mon prince. Je déconseille avec la dernière fermeté ce genre d'exercice à une jeune maman.

Pendant le dîner, je me suis montrée aussi charmante et sexy que mon état de fatigue, mon corps malmené par le trajet à moto et ma robe trop serrée me le permettaient. J'ai bavardé avec les cousins et feint un intérêt que j'étais loin d'éprouver pour leur conversation. Puis nous sommes rentrés à la maison, où mon prince me manifesta l'approbation que lui inspirait mon regain de féminité... si bien quc nous conçûmes notre second fils.

Quand nous avons invité mes parents à déjeuner (prenant soin d'habiller élégamment leur premier petit-fils) pour leur annoncer la bonne nouvelle, ma mère n'a fait qu'un commentaire : « Oh, il se trouve encore des gens pour penser qu'on ne peut concevoir pendant qu'on allaite ? »

Comme je l'ai déjà dit, mon prince et moi venions de deux mondes différents : dans sa famille, concevoir des enfants en rafales dénote un attachement de bon aloi aux préceptes catholiques, alors que dans la mienne cela révèle juste un regrettable manque de prévoyance, doublé d'une stupidité certaine. Mon père s'est donc contenté de toiser mon prince d'un œil un brin dégoûté et, par la suite, ne l'a plus appelé que la « tortue fertile » (je n'ai jamais compris pourquoi). Pour ma part, je n'ai eu droit qu'à un regard consterné.

Pour sa famille et ses amis, ma grossesse reflétait la virilité de mon prince (moi, à ce qu'il semblait, je n'y étais pas pour grand-chose). Les plaisanteries fusaient pendant que je vomissais, exténuée comme jamais auparavant. Toutes les mères comprendront l'épuisement et la terreur que suscitait en moi cette seconde grossesse si tôt après la précédente.

Je me demandais avec horreur si mon destin me vouait à procréer ainsi sans relâche, jusqu'à la ménopause. Chacun semblait penser que seule la maternité pouvait m'apporter l'épanouissement. Nul, en revanche, ne se préoccupait de tout ce à quoi je devais par force renoncer : *ma* sexualité, *ma* liberté, *mon* couple, *mon* énergie, *ma* vie, en somme. Quand il m'arrivait d'évoquer ces sujets, on me regardait comme si je proférais une énormité. Pourtant, j'attendais avec impatience la naissance de mon second enfant. Et, dans l'ensemble, mon mariage me satisfaisait.

J'ignorais qu'il prenait l'eau de toutes parts... Un choc m'attendait.

Vous vous gaussez de ma naïveté? Vous auriez fait mieux, à ma place? Laissez-moi tout de même vous indiquer un signal d'alerte rouge « mariage en péril ».

Un jour, mes parents et moi avons emmené mon fils malade consulter un spécialiste dans le sud du Texas. Après avoir roulé pendant des heures pour entendre un homme en blouse blanche nous annoncer que mon fils était très malade mais qu'il ignorait la nature exacte de son mal, puis des heures encore pour rentrer chez nous, j'ai trouvé mon prince occupé à repeindre le salon en compagnie d'une longue rousse filiforme, en qui je reconnus la réceptionniste du restaurant pour lequel il travaillait.

Voici mon conseil : si jamais pareille mésaventure

vous arrive, ne faites pas comme moi. Obéissez à votre instinct et cassez-leur la figure à tous les deux sur-le-champ !

Moi, j'ai réagi en femme adulte et moderne, lectrice de *Cosmopolitan*, en cherchant une explication logique à la présence de cette intruse dans mon salon. Dans l'absolu, rien n'interdisait à mon prince de choisir une jolie rousse plutôt qu'un grand brun pour l'aider à repeindre le salon. Peut-être venait-elle seulement lui remonter le moral. Après tout, la maladie de notre fils devait l'inquiéter autant que moi. Peut-être était-elle venue lui donner un avis qualifié sur les couleurs ; peut-être exerçait-elle la profession de peintre...

Ma mère, bien plus directe que moi, s'est exclamée : « Qui est cette traînée rousse qui se pavane chez toi ? C'est répugnant ! Il faut que tu réagisses immédiatement ! » Je lui ai calmement expliqué que nous appartenions à deux générations différentes, que, de nos jours, un mariage reposait sur la confiance, le dialogue et l'amour, et que je tenais à régler ce problème à ma manière.

Comme prévu, mon prince m'a fourni une explication (vous voyez !) : ils peignaient. La jeune réceptionniste venait de se séparer de son petit ami et se sentait très seule. Pour lui changer les idées, il avait eu l'idée de l'embaucher pour repeindre le salon.

Quel homme exceptionnel que mon prince, capable de mêler bricolage et conseil conjugal... Rassérénée et un peu honteuse de mes soupçons, j'ai couché mon bébé malade et, pour une fois, endormi, avant de m'écrouler sur mon lit pour sombrer dans un profond sommeil parfumé d'odeurs de peinture.

Si incroyable que cela puisse paraître, j'ai gobé sans broncher l'explication fournie par mon prince. La vie a repris son cours habituel, à peine ponctuée de quelques paroles acerbes de part et d'autre, de quelques nuits passées à l'hôtel par mon prince et de quelques disputes. Mais quel couple échappe aux querelles ?

À ce stade de mon récit, vous vous demandez sans doute comment j'ose prétendre vous donner le moindre conseil sur quelque sujet que ce soit. Comment une femme aussi stupide pourrait-elle vous aider à changer de corps et de vie ?

Tout autre que moi aurait compris aux premiers effluves de peinture fraîche que notre mariage battait de l'aile ; il m'a fallu plus longtemps.

Sur ces entrefaites, notre deuxième fils est venu au monde, en pleine santé. Épuisée par les tétées, les nuits blanches et les lessives, je dormais debout 98 % du temps. Pendant ce temps, mon prince recueillait les félicitations de son entourage, auprès de qui il faisait figure de « supermâle » (moi, je n'étais qu'une simple couveuse) : deux fils en si peu de temps, quel succès !

Notre vie conjugale allait quant à elle de mal en pis. Il nous arrivait de passer plusieurs semaines sans nous parler, sauf pour nous dire « bonjour » ou « bonsoir ». Nous vivions ensemble, mais en parallèle et sans jamais nous croiser. Ainsi, nous ne nous occupions jamais de concert de nos enfants. Je profitais de la présence de mon mari à la maison pour faire une sieste, repasser ou prendre une longue douche (luxe rare, pour moi, à l'époque).

Notre vie sexuelle, sans égale au début de notre relation, avait suivi la même pente que notre mariage. (J'espère que vous ne vous choquerez pas de me voir aborder ce sujet. Le sexe m'a toujours paru une chose naturelle.) Depuis la naissance de nos enfants, nous ne faisions plus l'amour qu'une fois par mois, voire moins, et il s'agissait d'ébats planifiés. Les rendre romantiques relevait de la gageure dans la mesure où l'un des deux protagonistes tenait plus du zombie que de la femme.

Rien que de très normal chez de jeunes parents, me direz-vous. Je dévorais tous les livres traitant des problèmes des couples dotés d'enfants en bas âge. Tous évoquaient les conséquences désastreuses, sur le plan intime, de naissances trop rapprochées. Par malheur, mon prince, qui ne lisait pas ces ouvrages, ignorait qu'il s'agissait d'une situation normale...

Je n'ai vraiment ressenti le premier signe de malaise (puisque la séance de peinture dans le salon n'avait pas suffi à m'ouvrir les yeux) que quand mon prince m'a annoncé un beau soir qu'il souhaitait me parler. Il paraissait triste. Alors, après avoir couché les enfants et rangé la cuisine, je l'ai rejoint dans le salon.

Je me rappelle encore son entrée en matière : « Il faut que je te parle. C'est important. Je ne sais pas par où commencer. » Puis il a dit : « J'ai eu une aventure et je pense que nous devons en parler. »

À ma grande honte, je dois avouer que, dans mon abrutissement, j'ai d'abord pensé à une aventure au sens d'un événement inattendu ou incroyable, et demandé : « Que t'est-il arrivé ? » Mon prince a donc dû expliquer en détail à son zombie d'épouse qu'il parlait d'une aventure avec une autre femme. Une aventure... Comme nous ne faisions plus l'amour, il l'avait fait avec une autre. Logique, non ?

En fait, j'étais presque responsable de son écart de conduite. Bien entendu, nul, surtout mon prince, ne se souciait de mes désirs à moi.

Alors, plus lectrice de *Cosmo* que jamais, je l'ai remercié de son honnêteté. Oui, vous avez bien lu, je l'ai remercié ! Nous avons résolu de travailler à surmonter cette crise. Malgré mon intense curiosité, je n'ai pas demandé le nom de l'autre protagoniste de son aventure (je devinais qu'il s'agissait de l'apprentie peintre rousse). Ce soir-là, nous nous sommes couchés persuadés d'être redevenus le couple moderne idéal.

Mon prince éprouvait un remords sincère. Alors, en bon catholique, il a fait pénitence, en se montrant plus loquace, plus affectueux (peu de sexe, mais beaucoup de baisers et de câlins). Comme c'était la morte-saison, il passait aussi plus de temps à la maison et j'ai cru à l'aube d'une nouvelle et merveilleuse relation.

Je me suis mise à dévorer tous les ouvrages traitant de l'art de retenir un époux tenté par les aventures extra-conjugales. Suivant leurs conseils, je me suis efforcée de consacrer le plus de temps possible à mon prince, de préparer ses plats favoris et de l'interroger sur sa journée de travail.

Mon prince rêvait de travailler pour son propre compte. Se trouver sous l'autorité d'autrui portait atteinte à sa virilité. Tous mes livres consacraient un chapitre au besoin qu'a l'homme d'accomplir des choses par lui-même, de se sentir important. Par un fait étrange, aucun des auteurs ne s'intéressait aux états d'âme des femmes. Une fois de plus, j'ai accepté sans l'ombre d'une discussion de passer au second plan.

La nature, ou plutôt la société, m'assignait pour mission, outre l'éducation de mes deux fils, de conforter mon prince dans le sentiment de son importance. Je l'ai ainsi aidé à concevoir et à financer son propre restaurant, dont nous devions nous occuper ensemble, dans l'espoir de consolider notre couple.

Le secret d'une vie heureuse repose sur quelques principes universels. L'un d'eux est de ne jamais ouvrir un restaurant. Un restaurant sur deux fait faillite, en tenir un est un travail épuisant qui accapare tout votre temps et génère un stress considérable, et, en plus, ces endroits regorgent de ravissantes sylphides accoudées au bar et enclines aux conversations d'après-fermeture.

Mais à l'époque, j'ignorais tout cela... Aurais-je dû le deviner ?

Nous avons changé de château pour nous rapprocher du travail de mon prince, afin de nous voir plus. Il nous fallait mettre au point notre future entreprise.

De mon côté, je m'employais sans relâche à tenter de sauver mon mariage. Un des éléments de mon plan consistait à prendre des cours de gymnastique pour devenir aussi mince et sexy que les femmes qui fréquentaient le restaurant de mon prince. (Vous connaissez ce genre de filles : grandes, ravissantes, idiotes et pas plus grasses qu'un sac d'os.)

J'ai donc choisi la seule salle de gym qui existait alors à Irving, Texas (les clubs sportifs m'intimidaient trop), dirigée par une ancienne « pom-pom girl » de l'équipe de football de Dallas.

Je ne crois pas avoir jamais rencontré personne plus déprimante que cette jeune femme. Elle faisait pourtant de son mieux, mais ignorait vraiment que faire d'une femme au foyer plus que rondelette qui cherchait à reconquérir son mari. Comme on pouvait s'y attendre, les cours ressemblaient à s'y méprendre à des séances d'entraînement pour pom-pom girls (c'est-à-dire pour gymnastes confirmées). Je m'y sentais si incapable et si peu à ma place que j'ai très vite cessé d'y assister.

Toujours obsédée par l'idée de mincir, je me suis alors mise à pratiquer la marche à pied. Accoutumée depuis l'adolescence à voir dans mon poids la cause de tous mes problèmes, je pensais que si je parvenais à perdre quelques kilos, mon prince ferait plus attention à moi, passerait plus de temps auprès de moi, me demanderait mon opinion, serait fier de moi, me ferait l'amour... Il me suffisait de mincir pour que tout s'arrange et qu'un nouvel avenir s'ouvre devant nous, avec notre restaurant. Adieu querelles quotidiennes et récriminations ; j'essaierais d'oublier le passé, les autres femmes et mes espoirs déçus. À nouveau corps, nouvelle vie.

Quelques mois plus tard, nous inaugurâmes en grande pompe notre restaurant. Enfin, le monde allait reconnaître en mon prince l'homme doué et indépendant qu'il savait être. Famille et amis se sont mis en quatre pour qu'aucun détail ne vienne gâcher son triomphe. Il méritait bien cela, avec le mal qu'il se donnait pour faire vivre sa femme et ses deux fils... Pour ma part, après des semaines de privations et de marche à pied intensive, j'arborais une robe à fleurs de taille « normale » (46). Je voulais paraître à mon avantage pour former avec mon jeune et séduisant restaurateur de mari un couple enviable... En fait, je me sentais affreusement boudinée, et la fermeture Éclair de ma robe laisserait sans doute des cicatrices indélébiles sur mon flanc gauche. Peu m'importait : d'après mes livres, il fallait que je me pomponne pour mon homme.

À présent, mon prince possédait son propre restaurant, une bonne dose de fierté et de confiance en lui-même, et un avenir. Ma propre vie continuait comme par le passé, à quelques détails près : la cicatrice sur mon flanc gauche, l'adaptation à une nouvelle ville, et une nouvelle maison à installer à peu de frais car mon prince réinvestissait chaque centime gagné. Les enfants grandissaient et j'accumulais les livres traitant de l'art et de la manière de retenir son époux. Car maintenant que je l'avais reconquis, du moins le croyais-je, il fallait faire en sorte de le garder.

Mon prince et moi exercions tous deux une activité qui accaparait le plus clair de notre temps et nous laissait épuisés. La sienne consistait à diriger le restaurant mexicain quatre étoiles que nous avions créé ensemble, ce qui lui valait de porter des vêtements élégants et de s'entendre répéter à longueur de journée qu'il accomplissait un travail formidable. Il rentrait donc à la maison satisfait de son œuvre... à l'inverse de moi. Personne ne me félicitait jamais pour les journées passées à laver les couches de mes fils, à nettoyer les murs et le sol sur lesquels ils projetaient leur repas, *et* à m'efforcer de retrouver une silhouette normale après deux grossesses coup sur coup.

Je ne pouvais certes par rivaliser avec les filles de dix-huit ans qui venaient au restaurant boire une margarita (ou plusieurs) et flirter avec mon prince. Malgré tous mes efforts, notre mariage se désagrégeait inexorablement. Après la naissance de notre second fils, nous avons alterné discussions, larmes, tentatives de réconciliation, dont un voyage en amoureux à San Francisco, nouvelles phases de pénitence, nouvelles aventures, colère et douleur. En fait notre rupture était déjà consommée.

Si vous attendez qu'une bonne fée vous frappe l'épaule de sa baguette magique en disant : « Tu vas changer de vie, recouvrer la santé, et cela va t'arriver maintenant, tout de suite », vous rêvez. Avez-vous déjà vu une fée surgir quand vous avez oublié de payer votre loyer ? La réponse est non, car les bonnes fées n'existent pas !

Une de mes clientes est originaire d'Irving. Je lui ai demandé si elle connaissait le restaurant de mon ex-mari. Elle a paru stupéfaite d'apprendre qu'il avait été marié... Comme quoi la principale intéressée est toujours la dernière informée.

J'aimerais pouvoir évoquer mon comportement plein de sagesse et de maturité lorsqu'il m'a enfin fallu admettre l'échec de mon mariage, et vous dire que je me suis prise par la main pour assumer mon nouveau statut de femme seule.

Pensez-vous ! Je n'ai rien fait de tel. Au lieu de cela, je me suis jetée sur les nourritures les plus malsaines que j'ai pu trouver et j'ai cessé tout exercice physique. Finie la marche à pied destinée à remodeler mon corps pour plaire à mon prince. Je me sentais seule, furieuse, effrayée par l'avenir, et je passais mes journées à manger et à imaginer que j'assassinais mon prince et sa princesse. Oui, je l'avoue, je passais ma vie à chercher un moyen de gâcher la leur. Peut-on vraiment m'en tenir rigueur ?

Comme toujours, les règles du jeu n'étaient pas les mêmes pour lui et pour moi. Venir voir ses fils deux fois par mois suffisait à faire de mon prince un héros, alors que tout le monde jugeait normal que je passe nuit blanche sur nuit blanche, puisque c'était là mon rôle de mère. La nature l'a voulu ainsi, qui a donné aux femmes un utérus...

> *Mon mari m'a quittée, voilà cinq ans, me laissant deux bébés et une immense colère. Depuis mon enfance, la nourriture est pour moi un réconfort et une amie; ma drogue de prédilection, en fait. Cette fois encore, je me suis tournée vers elle. Pourtant, je devrais connaître l'étendue de mon erreur, puisque je suis médecin. Je me sens vraiment hypocrite.*
>
> ***Une cliente***

Figurez-vous que, quand mon prince est parti, sa famille et ses amis lui apportaient à manger ! Nul ne semblait partager mon opinion, selon laquelle, s'il pouvait coucher avec des filles de dix-huit ans, il pouvait aussi se préparer à manger. Pendant ce temps-là, ma vie à moi virait au trou noir.

Enfin, un jour, je me suis éveillée du coma graisseux dans lequel je m'abîmais depuis son départ, et je me suis vue. J'étais énorme. Le moindre effort m'épuisait. Chaque centimètre carré de mon corps me faisait souffrir. Je ne possédais plus une once de confiance en moi. Je détestais mon aspect physique et la vie que je menais. Je pesais 118 kilos et je croyais ma vie fichue.

Alors je me suis demandé comment j'en étais arrivée là. Puis, comment j'allais en sortir. Par qui me faire aider ? Comment canaliser les flots de colère et de haine qui m'habitaient ? Toutes ces questions sans réponse tourbillonnaient dans ma tête au point de me rendre à demi folle.

Prendre du poids et perdre la santé, c'est une spirale infernale qui détruit le psychisme. On en vient à souffrir de crises d'angoisse. Certains jours, arrivée à la caisse du supermarché, je prenais mes enfants sous le bras et m'enfuyais, saisie de panique, en abandonnant mon chariot plein. Puis je me terrais dans la voiture, sans bouger, terrifiée, et incapable de savoir pourquoi. Tout le monde me terrorisait à cette époque : les livreurs, les autres clients dans les magasins, les voitures dans la rue, les bruits...

Craignant de perdre la raison, j'ai résolu de consulter un médecin. Là, dans son cabinet, j'ai mesuré la gravité de mon problème quand je me suis vue sangloter devant un étranger indifférent, en lui expliquant que je ne me sentais pas la force de supporter un jour de plus la vie que je menais.

Sans s'émouvoir de cette déclaration, il m'a prescrit une cure de lithium et m'a dit de revenir le voir dans six semaines. Six semaines... J'ignorais comment survivre jusqu'au lendemain, et cet homme me donnait un viatique pour les six semaines à venir ! J'ai foncé chez le pharmacien et aussitôt commencé le traitement.

Vingt ans plus tôt, un autre médecin avait fourni à ma mère la même solution miracle, sauf qu'il s'agissait de Valium, qu'on distribuait en ce temps-là comme des bonbons aux femmes au foyer angoissées. Pour plus de sécurité, le cher homme lui avait conseillé d'absorber ses comprimés avec un verre de vin. La vie à la maison était incontestablement devenue beaucoup plus calme. Aucune anxiété ne résiste à un cocktail sédatifs-alcool !

Bourrée de lithium, je suis moi aussi devenue très tranquille, voire hébétée. Les zombies ignorent l'angoisse... Cela dit, tous mes problèmes persistaient : mon poids, comme ma mauvaise forme physique et ma mauvaise santé. De même, je détestais toujours autant mon prince, quoique au ralenti. L'éducation et le bien-être de mes fils reposaient toujours à 100 % sur moi (sauf lors des deux visites mensuelles du prince). Idem pour ma solitude, ma colère, mes craintes et même ma faim (car je continuais à expérimenter sans relâche régime sur régime), même si tout cela était plus flou dans mon esprit. Je continuais à grossir ; plus je grossissais, plus je me détestais et, plus je me détestais, plus je mangeais.

Un jour, ma mère m'a prise à part pour me dire : « Regarde-toi ! Peut-être que si tu perdais un peu de poids et reprenais tes esprits, il te reviendrait. » Elle parlait de mon prince, pas de mon tonus.

Dans l'espoir d'y gagner quelque sérénité, je me suis inscrite à un groupe de lecture de la Bible. Nous nous réunissions à quatre ou cinq femmes chez une de mes amies. Comme nous comptions à nous toutes une quinzaine d'enfants en bas âge, notre concentration s'en ressentait. Je ne pense pas que Gandhi procédait ainsi pour atteindre l'illumination ; pour ma part, je ne me sentais guère éclairée. En revanche, j'étais toujours grosse.

Mes amies et moi nous efforcions de nous convaincre mutuellement qu'à présent que nous étions mères notre apparence physique comptait beaucoup moins. Toutes les autres femmes du groupe semblant d'accord sur ce point, je me voyais mal m'exclure du seul cercle que je fréquentais encore en évoquant tout à trac ma révolte et ma frustration sexuelle. De toute façon, le lithium m'ôtait toute combativité. Alors je me suis tue, ce qui a renforcé mon sentiment de solitude et mon impression que mes besoins étaient égoïstes, mauvais et n'intéressaient personne.

Par exemple, elles croyaient que je souhaitais

reconquérir mon mari, alors que la seule personne que je voulais reconquérir, c'était moi.

Pourtant, même si je le cachais, je ne supportais pas d'imaginer mon prince et sa princesse au lit ensemble, en train de faire l'amour. L'idée que lui avait quelqu'un, cette jeune femme, pour lui dire qu'il était merveilleux, intelligent, séduisant et large d'épaules... pendant que moi, je devais me contenter pour tout réconfort d'un sachet de M & M's et des rediffusions en nocturne de *La Croisière s'amuse*, me rendait malade. Allongée seule dans mon lit, je me torturais à me demander s'il lui disait les mêmes choses qu'à moi, s'il poussait les mêmes gémissements, s'il lui chuchotait les mêmes mots d'amour... Puis ces images ont perdu de leur pouvoir blessant.

En revanche, je ne m'accoutumais pas à l'injustice de nos situations respectives et passais des heures à me demander ce qui motivait cette différence de traitement. Le fait que mon prince possédait un pénis ? Pourquoi personne ne trouvait-il anormal qu'il continue à vivre sa vie en dépit de son statut d'homme marié ? D'après mon avocat, si j'avais eu autant d'aventures extra-conjugales que lui, on m'aurait retiré mes enfants sans l'ombre d'une hésitation. Et, toujours d'après lui, je devais m'estimer heureuse du peu que mon prince était disposé à m'allouer car, l'État du Texas n'imposant pas le versement d'une pension alimentaire, la plupart des femmes divorcées se retrouvaient sans le sou.

Mettons les choses au point : je n'ai jamais cherché à soutirer de l'argent à mon ex-mari. Seulement, nous avions deux bébés issus, sauf erreur de ma part, pour moitié d'un mien ovule et, pour l'autre moitié, de son sperme. Nous les avions conçus ensemble. Vous vous souvenez sans doute de nos interminables discussions très « années 80 » sur leur éducation et nos rôles respectifs. Nous avions décidé ensemble qu'ils seraient élevés à la maison et par moi. Le fait que mon prince éprouve le besoin d'entendre une autre femme vanter la largeur de ses épaules ne remettait pas en cause nos choix éducatifs ni nos responsabilités envers nos fils.

Obtenir un soutien financier m'a coûté fort cher et valu une grêle de commentaires désagréables du style : « Les femmes cherchent toujours à "baiser" les hommes sur le plan financier. » Pour ma part, je n'étais guère en position de « baiser » quiconque, avec mes kilos plus nombreux de jour en jour et mes angoisses existentielles. C'était mon svelte prince qui s'affairait à cela !

Lorsque l'avocat de mon mari m'a proposé la somme, généreuse à son sens, de mille dollars par mois, j'ai rétorqué : « Comment suis-je supposée assurer la subsistance de deux bébés avec mille dollars par mois ? »

Savez-vous ce que cet homme d'aspect respectable, sûrement marié et père de famille (et qui entretenait sans doute une petite amie en ville), m'a répondu ? « Trouvez-vous un papa gâteau, ma chère. » Je me suis demandé si j'hallucinais pour entendre dans un cabinet d'avocat de Dallas, Texas, une phrase tout droit sortie d'un film de série B. Pour toute réponse, j'ai levé au ciel des yeux consternés. Soudain, constatant que nul, à part moi, ne semblait se formaliser de ce « conseil », j'ai enfin vu la situation avec leurs yeux. À l'inverse de moi, mon prince possédait de l'argent et exerçait un travail qui lui conférait un certain statut, ainsi que la capacité d'emprunter de l'argent s'il en manquait. En revanche, la tâche, pourtant noble, que j'accomplissais en élevant mes deux fils n'attirait guère la considération dans notre société.

Après des mois de bagarre, et d'emprunts pour la financer, j'ai obtenu mille quatre cents dollars par mois. Comme le remboursement de l'hypothèque prise sur notre château s'élevait à cinq cents dollars par mois, nul ne pouvait m'accuser de vivre sur un grand pied. En fait, après les dépenses indispensables, la nourriture (dont je consommais de grandes quantités), la voiture, etc., je vivais en dessous du seuil de pauvreté. Sans savoir comment, j'étais devenue une statistique.

Par chance, je possédais un toit et une voiture. La perspective d'une panne me glaçait d'effroi car mes moyens m'interdisaient d'envisager la moindre réparation.

Je sais à présent que mille quatre cents dollars représentent une véritable fortune pour des millions de mères seules de ce pays. Nombre de familles vivent avec la moitié de ce revenu, ce que nos gouvernants semblent ignorer.

Imaginez ce qu'aurait pu devenir notre situation avec un peu de malchance (ou plutôt, encore plus de malchance) si, par exemple, j'étais tombée malade. Je n'étais certes pas en bonne santé, ni sur le plan physique ni sur le plan mental, mais je tenais le coup. Que serait-il advenu de nous si, pour une raison quelconque, il avait fallu m'hospitaliser ?

J'ai tout essayé pour améliorer notre train de vie : j'ai donné des leçons de cuisine, gardé des enfants... tout pour gagner quelques sous, car, en tout cas, les papas gâteau ne se bousculaient pas à ma porte.

J'aurais dû me sentir bien dans ma peau, puisque j'accomplissais ma tâche. Le prince et moi avions planifié ensemble les premières années de nos fils. Je n'avais rien changé à ce programme. Seulement, lui, si, ce qui m'obligeait à en supporter tous les aléas. J'en concevais un profond sentiment d'injustice : pourquoi étais-je punie alors que je n'avais rien fait de mal ?

Mon prince vivait de mieux en mieux et moi de plus en plus mal, et je ne le supportais pas. Alors, pour ne pas sombrer dans la folie, je me suis juré de réussir au moins dans mon rôle de mère. Je m'imaginais quelques années plus tard : « Quelle importance que nos moyens ne nous permettent pas d'acheter des livres, les garçons, puisque nous pouvons en emprunter à la bibliothèque publique? Ne vous inquiétez pas, nous nous débrouillerons pour payer les frais d'inscription. Nous formons une famille formidable. Faites confiance à maman et tout ira bien.»

Mon optimisme ne survécut pas à la première visite bimensuelle (rythme socialement acceptable et accepté) du prince.

Laissez-moi vous décrire la scène : le prince gare sa voiture devant notre porte. Une femme l'accompagne. Tous deux sont élégants, bronzés et minces. Ils rient (oui, je l'admets, je les épiais, accroupie derrière la fenêtre, exercice difficile pour qui pèse plus de 100 kilos). Il me semble voir une séquence filmée au ralenti : leurs beaux visages hâlés, leurs sourires, leur rire. Lentement, très lentement, ils renversent la tête vers l'arrière. Ils se regardent avec amour et tendresse. Vous vous demandez sans doute comment j'ai vu ce détail. D'accord, une paire de jumelles traînait sur le rebord de la fenêtre. Vous n'auriez tout de même pas voulu que je m'abstienne de les utiliser?

Puis le prince descend de voiture. Il jette un dernier regard à sa bien-aimée avant les trois minutes (sûrement interminables pour tous deux) de séparation qui les attendent, et sonne à la porte. Moi, je me tiens toujours près de la fenêtre, coincée entre une chaise et le mur. Les enfants dansent devant la porte, tout excités à l'idée de voir enfin quelqu'un d'autre que la folle tapie derrière sa fenêtre qui leur tient lieu de mère.

Dites-moi comment j'étais supposée trouver la force d'ouvrir cette porte dans ces conditions... À moins de pouvoir, comme l'héroïne de *Ma Sorcière bien-aimée*, transformer mon apparence physique d'un simple froncement de nez, je me voyais mal confrontant mon corps déformé à celui de la minette de la voiture. Alors je ne l'ai pas fait. Je suis restée immobile... Les enfants attendaient derrière la porte et, au-dehors, le prince se demandait si l'excès de graisse m'avait obstrué les tympans. À cet instant, j'ai compris que je ne pourrais jamais me contenter de n'être qu'une maman. J'étais aussi Susan, une personne. Et Susan était en train de mourir.

Mon mari ne cesse de se moquer de moi et de me dire des choses cruelles et blessantes. Il aime se sentir fort à mes dépens.

Mary Jane, une cliente

Un fusible a grillé dans mon cerveau le jour où mon prince a annulé sa deuxième visite consécutive à nos fils pour cause d'excès de travail. Tout mon entourage me répétait à l'envi que mon viril ex-époux n'était pas maître de son temps car il travaillait. Vous savez... travailler. Je me demandais à quoi j'occupais mes journées !

Moi, j'exerçais sans relâche ni vacances un travail qui m'autorisait fort peu de sommeil, m'obligeait à me baisser pour ramasser des objets tombés à terre, à faire une foule de courses et ne comportait ni contacts ni temps de repos. Le prince et sa princesse, eux, disposaient de loisirs ; ils avaient ainsi passé le précédent lundi à faire du ski nautique. Moi, nul ne me soutenait, ne m'encourageait, encore moins ne m'emmenait faire du ski nautique. Tout le monde jugeait normal que, parce que Dieu m'avait dotée d'un utérus, je m'occupe des enfants, m'efforce d'être une bonne mère et abandonne sans regret tout rêve et toute aspiration propres.

La première fois que mon prince s'est décommandé, j'ai expliqué aux enfants que leur père les aimait beaucoup, mais que son travail l'accaparait et que nous devions le comprendre (tout en le maudissant intérieurement).

La seconde fois a incarné pour moi la proverbiale goutte d'eau excédentaire. Quand il a appelé pour se décommander, je lui ai dit qu'il fallait qu'il vienne sur-le-champ, qu'il s'agissait en quelque sorte d'une urgence, car je n'en pouvais plus. Jamais de ma vie je n'ai approché d'aussi près la crise de folie furieuse.

Il est venu. Je lui ai dit qu'il fallait qu'il prenne les enfants au moins pendant quelques heures, à quoi il a répondu qu'il devait retourner travailler et ne pouvait faire « ça » que jusqu'à 17 heures. (Il était 15 heures.)

Je l'ai regardé partir avec mes bébés, puis j'ai empoigné la valise qui attendait sur mon lit, posé mes clés, mon chéquier et un mot sur la cheminée expliquant que je m'en allais... comme Meryl Streep dans *Kramer contre Kramer*. Puis je suis montée dans ma voiture et ai roulé jusqu'à l'aéroport.

De toute ma vie, aucun acte ne m'a tant coûté que ce départ. J'adore mes enfants et je voulais vraiment être une bonne mère pour eux... mais, si je continuais, je devenais folle. Alors, j'ai pris le premier avion pour la Californie.

Ma pire humiliation publique date du jour où je n'ai pas pu boucler la ceinture de sécurité de mon siège d'avion parce qu'elle n'était pas assez longue. J'ai dû appeler l'hôtesse et lui demander une rallonge.

Catherine, Arizona

Une de mes meilleures amies vivait à l'époque sur l'île de Balboa, en Californie, un endroit très à la mode, du moins dans les années 80. Elle habitait un merveilleux appartement au bord de la mer. En arrivant, ma première pensée a été de m'immerger tout entière dans l'eau régénérante de la mer, dans l'espoir de me sentir mieux...

Peu après, les coups de téléphone ont commencé. Parents, amis, et même des gens que je considérais comme des étrangers m'appelaient pour m'exprimer leur déception ou leur mépris. À cette occasion, j'ai découvert que les hommes « quittent » leur famille, alors que les femmes « abandonnent » leurs enfants. Intéressant, non ? Mon prince n'avait pas vu ses enfants depuis près d'un mois, mais personne ne l'avait appelé pour lui dire qu'il les délaissait, bien entendu.

Faute de pouvoir m'aider à y voir clair dans mes problèmes, mon amie m'emmena sur la plage pour profiter du soleil, cette autre force bienfaisante de la nature. On conseille toujours aux dépressifs d'aller à la plage. Air frais et soleil... Chose plus étonnante, j'ai accepté d'y aller. En regardant les garçons bronzés qui jouaient au volley-ball sur le sable, j'imaginais mes fils dans une vingtaine d'années... à condition que l'escapade de leur mère indigne en Californie n'ait pas irrémédiablement fait d'eux des cas sociaux.

Nous nous trouvions donc côte à côte sur la plage, la baleine échouée (moi) et la sirène (mon amie, vous l'aurez deviné). Ai-je précisé que ladite amie possède les jambes les plus longues et les plus fines que je connaisse ? Comme je n'osais pas marcher jusqu'à l'eau, j'ai pris d'affreux coups de soleil. Comme je n'osais pas marcher jusqu'aux toilettes, j'ai cru exploser. Je n'osais pas non plus ouvrir la bouche, de peur de fondre en larmes. En fait, je n'osais rien faire du tout.

Alors je suis restée au soleil sans bouger, persuadée qu'aucune douleur n'égalerait jamais celle que je ressentais sur le plan moral. J'avais compté sans les coups de soleil.

Mon amie, en vraie amie, essayait de me consoler. Et moi, je m'efforçais de lui expliquer les myriades de pensées, de questions et d'angoisses qui tourbillonnaient dans mon cerveau enfiévré. Je ne parvenais plus à dormir ; je ne parvenais même plus à manger, sauf des M & M's, et je ne savais plus que faire.

Emmener les enfants et commencer une nouvelle vie loin du Texas ? C'était faire bon marché de leur droit de voir leur père régulièrement. Revenir à Irving, inscrire mes fils à la crèche, trouver un emploi et cesser d'être une mère à plein temps ? Rester, continuer à rejouer *Kramer contre Kramer* et à affirmer mes droits ? Me replonger dans mes livres et « essayer de reconquérir mon mari » (perspective qui me donnait envie de vomir) ? Jour et nuit, mon esprit passait sans relâche ces diverses possibilités en revue.

Au bout de trois jours, j'ai couru retrouver mes enfants, consciente que je ne pourrais jamais, au grand jamais, vivre sans eux. Quoi que je sois obligée de faire et de quelque façon que je le fasse, je le ferais avec mes fils.

Mon escapade avait presque fait de mon prince un roi aux yeux de son entourage. « Rien d'étonnant à ce qu'il l'ait quittée, disaient les mauvaises langues. Quel saint homme : dire qu'en plus de son travail il s'est occupé de ses enfants pendant ces trois jours... »

Rassemblez les hérauts, avancez le carrosse et les chevaux : *le prince doit retourner travailler !*

> *La dépression est mon lot quotidien. Je hais mon aspect physique. Je me sens en permanence épuisée et découragée. Ce calvaire ne prendra-t-il donc jamais fin ?*
>
> ***Mary Jane, une cliente***

Mon existence a repris exactement comme par le passé. Profession : maman. Conséquences : très peu de sommeil, solitude et aucun loisir.

Enfin, un jour, je me suis réveillée. Ce jour-là, je devais me rendre à la poste de Dallas pour expédier une lettre. Il faisait, je crois, 39°. L'été, Dallas est un des endroits les plus chauds du monde, à l'exception peut-être de l'Arizona. Et quand on pèse 118 kilos, 39° en paraissent 300.

Charger dans la voiture les deux sièges pour bébés, les deux sacs à couches, mes deux fils, et moi, m'a exténuée. Incapable de démarrer, je suis restée assise dans la voiture, immobile. J'imaginais les gros titres : *Deux enfants et leur mère meurent de chaud dans leur voiture...* et j'ai éclaté en sanglots sous les yeux inquiets de mes bébés. Ma lettre n'est pas partie ce jour-là.

Le soir même, rassemblant le peu de courage, de détermination et de motivation dont je disposais encore, j'ai résolu de changer de vie.

> *J'ai assisté à une réunion des Boulimiques anonymes. Nous étions trois. La fille qui dirigeait la réunion souffrait d'anorexie. Je n'y suis jamais retournée.*
>
> ***Andra, une cliente***

J'ai donc fait ce que nous faisons toutes en pareil cas : je me suis tournée vers l'industrie de la minceur et j'ai entamé un régime sous surveillance médicale, à base de sachets-repas et de pilules amaigrissantes. Imaginez un peu l'effet que peuvent produire de telles pilules sur une femme obèse, déprimée, affamée et à demi folle : j'étais une véritable bombe à retardement. Et la survie de deux bébés dépendait de moi.

Ai-je bien précisé que ce régime s'effectuait sous surveillance médicale ? Il s'agissait d'un programme à 800 calories par jour. Agitez le petit shaker, remplacez deux repas sur trois par ce délicieux breuvage et débrouillez-vous pour faire « un vrai repas, sain, le soir ». Croyez-vous que si je connaissais la teneur d'un « repas sain », je me trouverais en ce moment dans votre cabinet, docteur ?

Mais qui étais-je pour me plaindre ? Juste une femme au foyer, obèse, qui avait grand besoin d'aide. Alors j'ai agité mon petit shaker et bu ce qu'il contenait, et, oui, j'ai perdu du poids, en vertu du principe immuable selon lequel, quand on cesse de manger, on maigrit à coup sûr.

Génial, non ? Ce conseil vous coûtera 3 500 dollars !

J'ai perdu 9 kilos et en ai repris 7. On perd 15 kilos, on en reprend 13, puis on en reperd 30 et on en reprend 38... vous connaissez le mécanisme. Les kilos reviennent aussi vite qu'ils sont partis et boum ! vous voilà de nouveau grosse. Quand un régime ne fonctionnait pas (ou plutôt, selon mon point de vue de l'époque, lorsque j'échouais), j'en essayais un autre.

Aujourd'hui, on trouve ces petits shakers dans tous les supermachés. Accessibles à tous, et pourtant si néfastes...

Je me moquais des dommages physiques induits par les kilos yo-yo. Peu m'importait d'abîmer mon corps, voire quelques organes vitaux, pourvu que je maigrisse. En revanche, je supportais beaucoup plus mal le contrecoup psychologique de mes échecs répétés. Chaque fois que je regrossissais, je vivais cela comme un échec personnel, jamais comme le symptôme de l'inefficacité d'un régime. Je déplorais mon incapacité à suivre un régime assez longtemps pour retrouver ma silhouette d'avant toutes ces péripéties.

Chacun sait que les personnes trop grosses manquent de volonté. Pourtant, à mon sens, toute personne ayant suivi un régime pendant plus de cinq minutes mérite une médaille dans ce domaine. La plupart des femmes que je connais s'affament périodiquement depuis leur plus jeune âge. Quant à celles qui parviennent à se tenir aux régimes à base d'aliments liquides, elles méritent carrément un prix Nobel !

Je ne manquais pas de volonté (et vous non plus !), mais, sans bien savoir comment, je me retrouvais toujours devant mon réfrigérateur, à engloutir des tonnes de nourriture. À l'époque, je me croyais la seule femme incapable de tenir les kilos à distance et je pensais que le problème venait de moi .

Alors j'ai essayé de me persuader que je souffrais d'un dérèglement du métabolisme, que la naissance de mes enfants et la faillite de mon mariage avaient mis à mal mes rythmes biologiques... J'ignorais alors ce que j'ai appris depuis, ce chiffre parlant : *après un régime, quel qu'il soit, 98 % des patients reprennent les kilos perdus.*

Je pensais seulement que j'échouais dans mes tentatives d'amincissement et je me croyais seule dans cette situation. Je ne maigrissais pas ; jamais je ne retrouverais une silhouette « normale » ; tout était fini. Les petites amies de mon prince, elles, parvenaient à suivre leurs régimes et à demeurer impeccablement minces. Moi pas.

J'ai donc décidé de laisser tomber les régimes. De toute façon, je les avais tous essayés sans succès. C'est alors que j'ai entrevu une lueur d'espoir : chacun sait que l'exercice physique aide à se sentir mieux dans son corps et à le remodeler. Ainsi, devant l'échec des régimes, je me suis tournée vers l'industrie de la forme.

Le lendemain de cette prise de conscience, je me suis rendue dès 8 heures du matin à la salle d'aérobic la plus proche. Je trouvais que le simple fait de me déplacer à une heure si matinale méritait une récompense : un compliment, une médaille, une statue... Quelque chose de tout à fait différent m'attendait.

Après avoir déposé mes deux fils (propres et bien habillés) à la garderie, je suis allée m'inscrire. La réceptionniste ressemblait comme deux gouttes d'eau à la petite amie de mon prince : âge entre seize et dix-huit ans, longs, très longs cheveux blonds, bête comme une oie... vous connaissez la suite. Elle faisait semblant de lire (je suis sûre qu'en réalité elle ne savait pas lire).

Je me suis approchée de son bureau et lui ai dit : « Bonjour, je viens m'inscrire pour le cours de 8 heures et quart. » Elle a levé les yeux et porté la main à sa bouche en s'exclamant : « Oh, mon Dieu ! »

Comment cela : « Oh, mon Dieu ! » Refrénant ma première impulsion, qui consistait à projeter mes 118 kilos sur le bureau et à étouffer la péronnelle entre mes énormes seins (regarde ce que 118 kilos peuvent faire !), j'ai jeté un coup d'œil circulaire autour de moi : pas un seul gros dans les parages ! Et les bijoux de certaines des élèves auraient suffi à rembourser en totalité l'hypothèque grevant notre château (d'accord, cette sordide petite maison sise à Garland, que je voyais enfin sous son jour véritable). En plus, les éclairages au néon ne laissaient pas la plus petite zone d'ombre.

> *Je me sentais comme le vilain petit canard dans mon survêtement trop large (bleu marine ou noir, sans le moindre motif ou dessin susceptible d'attirer l'attention sur moi). Toutes les autres participantes au cours paraissaient en excellente forme. J'étais toujours la seule essoufflée et en nage, et cela m'embarrassait.*
>
> ***Une cliente***

À ce stade, trois possibilités s'ouvraient à moi : récupérer mes enfants et m'enfuir ; impossible, car mon poids m'interdisait de courir. Deuxième solution : étouffer la réceptionniste. Perspective bien alléchante. Troisième solution : suivre le cours envers et contre tout. Pour mon malheur, j'ai choisi la troisième solution. Grave erreur, mais dont je suis sûre aujourd'hui qu'elle m'a été profitable. (Aperçu de sagesse métaphysique.)

Pénétrer dans la salle de cours m'a demandé un gros effort car le professeur ressemblait elle aussi comme une sœur à la petite amie de mon prince. Toutes ses élèves aussi, d'ailleurs.

Elle admirait son reflet dans une glace en attendant que ses élèves prennent place et ne parut pas se formaliser de la présence incongrue d'une femme de 118 kilos dans la salle.

J'en ai déduit qu'elle était soit :

a) myope,

b) idiote,

c) complètement aveugle.

Puis j'ai opté pour la solution c), tant il me paraissait impossible qu'on ne remarque pas ma silhouette au milieu d'une assemblée de sylphides.

Bambi a allumé son magnétophone, saisi son micro et commencé son cours, au son d'une musique assourdissante. (Il y avait quarante-cinq personnes dans la pièce ; dans mon état, il me semblait en voir cent quarante-cinq.) Elle sautait sur place comme une possédée en nous demandant à grand renfort de hurlements de faire des choses qui me paraissaient impossibles, « et on respire ! ».

Respirer ? me disais-je. Et sautiller en même temps ? Voyons, Bambi, comment veux-tu que j'y arrive ? Ne vois-tu pas (oh, j'oubliais que tu étais aveugle) que je suis au bord de la syncope ?

« Souriez ! » ordonna alors notre tortionnaire. Attends un instant, tu veux que je saute, respire et sourie ? Pourquoi, Bambi, pourquoi ? Est-ce que le sourire me rendra mince ? Si oui, je sourirai comme tu n'as jamais vu personne sourire. Est-ce que le sourire amoindrira ma souffrance actuelle ? Si oui, je le ferai tout de suite. Est-ce que le sourire diminuera la peine et l'humiliation que je ressens en cet instant... ?

À l'évidence, si votre forme physique n'égalait pas celle de Bambi et des autres élèves, tant pis pour vous. Elle ne proposait aucune modification à aucun mouvement. Faites comme moi ou retournez chez vous !

« Rentrez les abdos ! » hurlait à présent Bambi. Cette petite phrase m'a fait oublier un instant mon ressentiment à son égard et je me suis blâmée de n'avoir su reconnaître son génie. Bambi allait m'apprendre comment rentrer le ventre, à moi dont l'abdomen retombait en tablier sur mes cuisses. À quoi sert la chirurgie esthétique, me disais-je, si l'on peut suivre l'enseignement de Bambi ?

J'envisageais déjà de me précipiter dans un confessionnal, bien que je n'en fréquente plus depuis longtemps, quand j'ai compris que nous n'aborderions pas le chapitre « comment ». Bambi ne m'a pas plus expliqué comment rentrer le ventre que comment respirer tout en sautillant, ni pourquoi je devais sourire ce faisant. Elle en était bien incapable.

Je n'ai jamais remis les pieds dans cette salle. N'oubliez pas que les gros manquent de volonté : c'est pour cela qu'ils abandonnent leurs programmes de gym. Vous l'ignoriez ? Tous leurs problèmes résultent de leur absence de volonté et de discipline. Cela n'a bien entendu aucun rapport avec le fait qu'à l'exception des insultants « cours pour gros » rien n'est prévu pour les personnes affligées d'un excédent pondéral. On ne prévoit aucune modification des mouvements à leur intention.

Si, pour une raison ou pour une autre, vous ne parvenez pas à suivre, tant pis pour vous. Si vous perdez le souffle, eh bien... Si vous ne souhaitez pas égaler Baryshnikov, allez voir ailleurs. Idem si vous souffrez de problèmes physiques. Nul n'hésitera à vous piétiner au passage.

Cette expérience sportive m'a laissée si humiliée, si courbatue et si honteuse de mon corps que j'ai longtemps sangloté dans ma voiture avant de pouvoir démarrer.

La colère est un signal qu'on devrait écouter.

Harriet Lerner, 1985

CHAPITRE 3

J'abandonne !

Je n'ai pas échoué dix mille fois,
J'ai découvert dix mille voies sans issue.

Thomas EDISON

Notre société ne juge pas du tout de la même manière une femme grosse et un homme gros. Je sais que je n'apprends rien à la plupart d'entre vous, ni à aucune femme qui souffre ou a souffert d'un excédent pondéral. Un homme gros est un homme « fort » qui devait jouer dans l'équipe de rugby de son lycée, un roc puissant qui force le respect. Une femme trop grosse est une loque paresseuse et dépourvue de volonté.

Lorsqu'on dépasse un certain poids, tout change, des choix quotidiens aux libertés fondamentales. Ainsi, dès qu'on dépose un aliment hypercalorique dans son chariot au supermarché (et pour ma part, j'en achetais beaucoup, car on n'atteint pas 118 kilos en ne consommant que des légumes verts), les autres clients murmurent. Je sais qu'à l'époque je frisais la dépression nerveuse, mais n'en déduisez pas que, saisie de délire paranoïaque, je m'imaginais que les gens chuchotaient sur mon passage. Ils le faisaient vraiment, tout en me jetant des coups d'œil emplis de commisération : « Pauvre femme, elle ne parvient pas à contrôler son appétit... – Si nous déposions subrepticement un dépliant sur les dérèglements alimentaires dans son chariot ? » Cela partait d'un bon sentiment, mais je rageais quand je découvrais ce genre de dépliant posé sur mes boîtes de crème glacée...

Tout le monde regarde ce qu'une femme obèse achète et en déduit que son tour de taille résulte de son incapacité à se plier à une quelconque discipline alimentaire. En revanche, un homme « fort » a « besoin » de toute cette nourriture. « Il doit avoir un solide coup de fourchette », entend-on, ou « quel costaud ! » ou « il doit disputer un match de rugby, cet après-midi, il lui faut prendre des forces ».

Ma stratégie consistait à cacher les petits en-cas que je finissais par dévorer sur le parking (bonbons, petits gâteaux, biscuits d'apéritif...) sous le reste de mes achats. Cela m'évitait au moins quelques regards condescendants. Et je disposais artistement tous les aliments sains ou allégés sur le dessus, ce qui me valait de lire dans le regard des autres, pour changer : « La pauvre, elle se donne tant de mal pour mincir et rien ne se passe. »

Vous vous demandez sans doute comment je sais ce que tous ces gens pensaient. Eh bien, d'abord, tous ces coups d'œil chargés de sens s'adressaient à moi et ensuite, depuis que je ne suis plus grosse, avec le métier que j'exerce, tout le monde se croit obligé de me faire remarquer chaque obèse présent et la nature de ses achats alimentaires.

« Regardez sur votre gauche, Susan, me dit-on. Voilà quelqu'un qui a grand besoin de vos conseils. Vous devriez aller lui parler. Et là, entre les saucisses et les glaces, regardez cette femme. Je me demande comment elle arrive à marcher. Faites quelque chose pour elle. Parlez-lui, laissez-lui votre carte. »

Vous n'imaginez pas le nombre de spécialistes de la nutrition que ce pays abrite et les romans que certains parviennent à bâtir à partir du seul contenu du chariot de supermarché de leur voisin : toute l'histoire d'une vie rassemblée dans un Caddy.

Maintenant, quand je vais au supermarché, je remplis le mien à ras bord sous l'œil fasciné des autres clients qui, à présent, s'extasient sur la qualité de mon métabolisme ou déplorent la nature injuste qui me permet de conserver une telle silhouette, malgré « toute cette nourriture ». À vrai dire, j'entends aussi assez souvent : « Qu'est-il arrivé à ses cheveux ? »

La discrimination à l'encontre des gros ne n'arrête pas aux portes des supermarchés.

> *La nourriture m'a tenu lieu de mère quand la mienne s'est désintéressée de moi. D'amie, aussi. Quand ma faim s'apaise, je ne parviens pas pour autant à m'arrêter de manger. Ingurgiter deux boîtes de glace Haägen-Dazs ne m'effraie pas.*
>
> ***Ann, une cliente***

Comment se cacher lorsqu'on pèse 118 kilos ? Que faire lorsque vous croisez quelqu'un qui vous a connue « avant » et que la perspective de voir une trop familière expression horrifiée s'inscrire sur son visage vous écœure d'avance ?

Tout le monde connaît la douleur physique, celle qu'on éprouve en se cognant un orteil contre le pied de son lit ou en se retournant un ongle, ou encore en mettant au monde un bébé. À côté de cela, il existe la douleur psychique. Et, croyez-moi, je préférerais mille fois me cogner tous les orteils en me retournant tous les ongles et en accouchant simultanément de trois bébés, plutôt que de devoir revivre ma rencontre inopinée avec mes amis Harry et Vicki.

Harry et Vicki me connaissaient bien avant que je n'épouse mon prince. Bien sûr, ils m'avaient vue osciller entre rondelette et maigrissime (car qui jeûne maigrit toujours momentanément), mais rien ne les préparait à la vision qui les assaillit ce soir-là chez le glacier : une Susan de 118 kilos qui portait sur ses traits son état dépressif. Pour ne rien arranger, mon bébé avait vomi sur mon épaule et je n'avais pas trouvé le courage de me changer. Ma belle-sœur (grande, ravissante, et mannequin de son état), qui m'aimait et m'acceptait sans me juger, ne remarquait plus vraiment mon déplorable état physique et émotionnel. En revanche, nul ne pourrait tenir rigueur à Harry et Vicki, qui ne m'avaient pas revue depuis « avant », de leur évidente surprise.

Tout à la dégustation de mon triple cornet chocolat-marshmallow, je n'ai remarqué la présence de Harry que lorsqu'il m'a abordée en me disant :

– Susan, quelle coïncidence de nous croiser ici... Tu sembles en pleine forme.

J'ai levé les yeux de ma glace, horrifiée.

– Harry, ai-je répondu, ne te moque pas de moi. Je pèse 118 kilos et je suis en train de me goinfrer de glace au chocolat, alors ne me dis pas que tu me trouves resplendissante.

Comme le pauvre garçon ne savait que répondre à cette remarque brutale, sa charmante épouse a pris le relais et détourné la conversation vers des sentiers moins épineux. Les femmes excellent à ce genre d'exercice. En deux temps trois mouvements, elle a rattrapé la bévue de son mari. Aujourd'hui, Harry et moi nous tordons de rire au souvenir de cet incident. Je dois cependant avouer que, sur le moment, mon légendaire sens de l'humour m'avait fait défaut... même si je cachais mon humiliation sous un sourire de commande.

Après nous être promis de déjeuner ensemble un jour prochain, nous nous sommes séparés. Harry et Vicki sont remontés en voiture, retournant à leur vie saine et productive; et moi, j'ai cru périr de honte et d'embarras. Et, comme toujours en pareil cas, les mois suivants m'ont vue plonger dans une orgie de nourriture émaillée de quelques régimes «jockey» pour faire bonne mesure, histoire de me punir au maximum. Nombre d'entre vous connaissent ce processus infernal.

> *Ma pire humiliation publique remonte au jour où j'ai croisé mon premier flirt dans un magasin. Nous ne nous étions pas revus depuis neuf ans et j'avais pris plus de vingt kilos. Je ne voulais pas qu'il me voie ainsi; je voulais qu'il conserve le souvenir de la jeune fille avec laquelle il était sorti. Je vivais mon obésité comme une certaine forme d'échec de ma vie.*
>
> ***Lisa,* WASHINGTON**

Vicki et Harry possèdent un magasin de vêtements. Désormais, lorsque mon mari et moi sortons (car le reste du temps, je vis en confortables caleçons, jeans ou shorts, suivant la saison et mon inclination), je passe chez eux.

Je ne mange plus de glaces. On me demande souvent si cela me manque, si je me montre toujours raisonnable et si je ne «triche» jamais. J'entends aussi souvent : «Allons, une boule de glace à la vanille ne va pas te tuer!» Laissez-moi vous parler un peu des glaces. Primo, il existe à mon sens une foule de desserts tout aussi délicieux et bien plus sains. Secundo, si j'éprouve l'envie de déguster une glace accompagnée de petits biscuits pour me consoler d'une dispute avec mon mari, je la mange.

Si quelque chose de crémeux et de sucré me tente, je m'accorde sans hésiter ce petit plaisir.

En revanche, vous ne me verrez jamais absorber un aliment dont je sais qu'il va me faire grossir, contribuer au durcissement de mes artères et, à terme, me faire redevenir grosse et incapable de me mouvoir. Aucun parfum de glace ne me tentera jamais au point de me faire prendre le risque de revivre un jour les instants de honte vécus chez le glacier. Aucun.

Mes meilleurs souvenirs d'enfance ont pour cadre les vacances et les autres occasions où ma famille se réunissait pour des repas de fête. Dans mon esprit, l'atmosphère réconfortante qui baigne ces souvenirs est indissociable de la nourriture. Alors, je mange pour retrouver cette sensation de réconfort et d'amour.

***Lisa*, WASHINGTON**

Puisque nous évoquons les situations embarrassantes, parlons donc un peu des repas au restaurant. Quand j'étais obèse, je n'osais jamais commander ce que je voulais. Regardez autour de vous : la quantité de nourriture dans l'assiette d'une femme est inversement proportionnelle à son tour de taille. Vous ne verrez jamais une femme grosse devant un repas plantureux. Leurs homologues masculins le font, mais n'oubliez pas qu'ils doivent prendre des forces pour jouer au rugby cet après-midi.

L'autre jour, je déjeunais avec mon adjointe dans un restaurant mexicain et si je vous dis qu'on a dû nous apporter une seconde table en guise de desserte, vous comprendrez que la nôtre croulait vraiment sous les victuailles. (Si un jour j'écris un guide des repas d'affaires, je citerai notre menu en exemple).

Une femme assise à trois tables de nous me donnait envie de pleurer. Engoncée dans un tailleur strict avec un chemisier à col lavallière, elle picorait d'un air coupable deux petites enchiladas et un peu de salade. La totalité de ce repas ne représentait pas un apport calorique suffisant pour alimenter son corps jusqu'au dîner et, pourtant, sa composition expliquait son obésité.

J'aurais voulu inviter cette femme à notre table, lui dire de prendre un après-midi de congé, lui donner des vêtements larges et confortables, une bière, et discuter avec elle de ce qui distinguait mon repas du sien. Vous ne croyez pas qu'elle aurait préféré notre pause déjeuner à la sienne ? Et en tout cas, elle serait au moins repartie sustentée jusqu'au soir.

J'ai vécu ma pire expérience sur le plan vestimentaire le jour où je n'ai pu entrer dans du 52.

Peggy, une cliente

Et pourtant, si pénibles qu'aient pû être les repas au restaurant, ils demeuraient à mes yeux loin derrière l'épreuve consistant à vêtir un corps de 118 kilos. Acheter des vêtements quand on est trop gros est une expérience atroce.

Dès qu'on dépasse la taille 50, on cesse d'être « normal » pour relever des magasins spécialisés. Je ne sais combien de fois je me suis entendu répondre : « Désolée, madame, nous ne vendons pas de grandes tailles. » Sans les magasins spécialisés, les gros en seraient sans doute réduits à se promener tout nus...

Je me rappelle le cauchemar des essayages. Je rêvais de porter un jour du 40 et j'aurais vendu mon âme pour entrer dans du 42-44 ou même du 46. Après avoir essayé sans succès du 48 et du 50, je tremblais à l'idée d'essuyer le même échec avec la taille au-dessus, la dernière des tailles « normales ». Qu'adviendrait-il de moi lorsque même le 52 ne m'irait plus ?

Un jour, je me suis retrouvée bloquée dans une cabine d'essayage de Dallas, incapable d'avouer à la vendeuse que le 50-52 était trop petit pour moi. Chaque fois que je lui rendais un vêtement sous un prétexte quelconque, elle proposait de m'apporter autre chose. En moi-même, je rétorquais : « Oui, amenez-moi donc un pistolet chargé, un peu de Valium, ou alors un vêtement susceptible de me laisser rêver que je suis juste un peu enveloppée et ressortir la tête haute de cette maudite cabine. »

Cela va peut-être vous étonner, mais si grande était mon aliénation que cela me stupéfiait de ne plus entrer dans des tailles « normales ». Trop occupée à faire le ménage, à surveiller mes fils et à détester mon prince, je n'avais pas pris conscience que je ne portais plus que mes vêtements de femme enceinte, indice qui aurait pourtant dû m'inquiéter, d'autant que certains me serraient...

Depuis la naissance de mes fils, je ne me préoccupais plus guère de mon apparence physique. À mes yeux, une bonne mère était au-dessus de telles considérations, car des tâches beaucoup plus importantes, comme celle d'élever ses enfants, lui incombaient. Il est plus facile de se bercer de ce genre de fausses raisons que de regarder la vérité en face.

Ce jour-là, dans la cabine d'essayage, la vérité m'a rattrapée. Pétrifiée d'horreur, je me suis demandé que faire. Je pouvais rentrer à la maison et continuer à me voiler la face jusqu'au jour où je trouverais le courage de pousser la porte d'un magasin de vêtements pour femmes fortes... ou m'y rendre tout de suite.

J'adore les enseignes de ces magasins : *Belles Dames, Rondes et Belles...* tous les euphémismes qu'on utilise pour déguiser le fait qu'on est *gros*.

En marchant vers l'antenne locale d'une célèbre marque spécialisée dans les habits pour femmes fortes, il me semblait porter sur mon dos un panneau : « Je suis obèse. »

La vendeuse, aussi enjouée qu'un employé des pompes funèbres, m'a suggéré quelques petites choses ravissantes (selon elle) et escortée jusqu'à la cabine d'essayage. Là, l'horreur a recommencé. Qui avait eu l'idée saugrenue de couper une robe d'une telle taille dans un tissu rayé ? Dedans, je ressemblais à une montgolfière. Quel styliste sadique avait pensé que lorsqu'on dépassait la taille 52, on souhaitait en informer le monde entier en s'accoutrant de couleurs criardes ? Sûrement un homme qui détestait les femmes grosses (tout comme l'inventeur des gaines). Amenez-le-moi, que je l'étrangle.

Malgré tout, chaque fois que la vendeuse m'apportait un nouveau vêtement, un espoir insensé m'envahissait. Chaque robe, chemise, ou pantalon me paraissait susceptible de me rendre un aspect normal et de faire coïncider mon apparence physique avec l'image mentale que j'en conservais : un peu trop grosse, certes (je me rendais tout de même compte que j'avais pris du poids), mais rien de comparable avec l'obèse vêtue de vêtements pour obèses qui me faisait face dans la glace de la cabine.

Les choses se sont peut-être améliorées au cours des dernières années, mais, à cette époque, les vêtements pour femmes fortes semblaient confectionnés à partir de chutes de tapis. On les coupait invariablement dans des tissus extensibles imprimés de couleurs vives, en les dotant d'une taille élastique et de découpes spéciales. Et, paradoxalement, alors qu'il s'agissait de vêtements spécifiques conçus pour des grosses, moi, je rêvais à chaque nouvel essayage que l'un d'entre eux allait miraculeusement me faire ressembler à autre chose qu'une grosse...

Dans le même temps, une terreur sans nom m'envahissait. Je me demandais où le processus s'arrêterait et si l'on pouvait devenir trop grosse pour s'habiller même dans les magasins spécialisés. Si je pouvais atteindre le 52, pourquoi pas le 100 ? Je me demandais s'il existait une taille 100.

Nouvelles interrogations, nouvelles peurs : autant de raisons supplémentaires pour manger et pour haïr mon prince.

> *J'usais toujours la face interne des cuisses de mes pantalons avant le reste.*
>
> ***Andra, une cliente***

La torture suprême, au-delà de l'horreur, demeure l'achat d'un maillot de bain, vêtement qui semble n'exister que pour rappeler aux femmes, chaque année, à quel point leur corps est imparfait.

Nous occupons la première moitié de chaque année à appréhender l'épreuve du maillot, à nous affamer préventivement et à espérer que, cette fois, nous nous tirerons de l'épreuve sans trop de dommages.

Je me rappelle un maillot bleu et blanc acheté en Californie durant ma période *Kramer contre Kramer* qui m'a valu des instants d'épouvantable embarras, avant même notre apparition commune sur la plage. L'amie chez qui je m'étais réfugiée refusait de laisser mon état d'obésité et de dépression entamer notre vieille habitude de faire nos courses ensemble. Feignant d'être accoutumée à voir des femmes de 118 kilos en maillot de bain, elle m'a entraînée en acheter un afin que je profite de l'effet bienfaisant du soleil et de la mer. Et, pendant que j'essayais ce fameux modèle bleu et blanc, elle bavardait de choses diverses.

Que vouliez-vous qu'elle fasse d'autre ? Qu'elle me dise : « ce maillot te va à ravir », « ce bleu te sied » (et il détourne de surcroît l'attention de la cellulite blanchâtre qui couvre tes cuisses), ou « cette coupe t'affine » (même les magazines de mode cessent de parler de ce genre de chose au-delà d'une certaine taille)? Vous ne verrez jamais une journaliste affirmer que « les jupes droites à mi-mollet affinent la silhouette d'une femme de 140 kilos, qui, ainsi, n'en paraîtra plus que 115 ».

Plus mon amie jacassait pour me mettre à l'aise, plus j'éprouvais l'envie de courir me cacher et manger quelque chose pour me consoler... et aussi d'assassiner mon prince. (Les magasins de vêtements éveillaient toujours en moi des instincts sanguinaires.)

> *Il m'a fallu admettre la réalité : mon corps ressemblait à une poire. Cela m'a un peu déprimée car je déteste les poires.*
>
> ***Charlotte Bingham,***
> **Coronet among the Weeds, *1963***

Une de mes expériences les plus douloureuses en matière de régimes date de mes derniers efforts pour reconquérir mon prince. Je me rappelle avoir jeûné cinq jours d'affilée, ne me nourrissant que de substituts de repas qui se présentaient sous forme de milk-shakes à la fraise, au chocolat ou à la vanille.

Comme des millions de femmes, je pensais que le fait de devenir mince (je ne connaissais même pas la signification des mots « en forme ») résoudrait tous mes problèmes avec le prince, et en général. Comme je maigrissais chaque fois que j'effectuais un nouveau régime, c'est-à-dire dès l'échec du précédent, mon prince était habitué à voir mon poids varier et ne s'en formalisait plus.

Mais moi, chaque nouveau régime m'inspirait une folle euphorie. « Cette fois cela va marcher, lui expliquais-je. Une fois mince, j'aurai plus d'énergie. Nous pourrons faire plus de choses ensemble. Je sens que je vais réussir, cette fois. Promets-moi que tu m'emmèneras passer un week-end en amoureux au bord de la mer, quand j'aurai minci... » J'oubliais un détail : ses maîtresses. Me muer en Wonder Woman n'aurait pas suffi à résoudre mes problèmes conjugaux...

Mon prince voulait rendre visite à sa sœur, qui habitait San Francisco. En bonne épouse, j'ai donc organisé un petit voyage. Moi qui n'avais jamais quitté mes fils plus de deux heures d'affilée, j'ai cherché quelqu'un qui accepte de garder deux bébés du vendredi au lundi. Consciente que la survie de mon mariage dépendait en grande partie du succès de ce week-end en tête à tête, j'ai fait un énorme effort pour que tout se passe bien, pour créer une atmosphère romantique. En vain, bien entendu. La chambre réservée par moi dans une auberge fut qualifiée par mon prince de bonbonnière ridicule et le lit à baldaquin parsemé de coussins en forme de cœur fut utilisé pour dormir, point.

Malgré tous mes efforts, mon prince refusait de remarquer mon nouveau corps si durement acquis. Bien sûr, il n'approchait que de très loin la perfection, mais il s'améliorait. Intérieurement, je hurlais : « Regarde-moi, pour l'amour du ciel ; jette-moi un os ; fais semblant de t'intéresser à moi ; remarque les kilos perdus pour te plaire ; félicite-moi ; fais-moi l'amour ; fais quelque chose ; fais semblant ! Je t'en prie, ne vois-tu pas que ton indifférence me tue ? »

À la fin du week-end, mon prince déclara qu'il avait essayé de se mettre au diapason, sans y parvenir car je n'étais plus la Susan qu'il avait aimée. J'avais dépensé plusieurs centaines de dollars et confié mes deux fils à une malheureuse amie déjà dotée de quatre enfants à elle, pour m'entendre dire que tout était fini.

En effet, je n'étais plus la jeune fille qui avait rencontré son prince et je ne le serais plus jamais. Mon esprit avait changé et mon corps ô combien... Je me reconnaissais à peine, alors comment attendre de lui qu'il le fasse ?

Il ne restait, de mes rêves de jeune femme envolés en fumée, que des décombres.

Les gens changent et omettent de
s'en avertir les uns les autres.
Lillian Hellman, 1960

Tout a changé, à présent : tant la manière dont les gens me voient et me jugent que leur façon de me parler et de réagir à mes actes. C'est injuste et ignoble (tout comme la discrimination qui existe à l'encontre des gros) mais vrai.

Maintenant, aller au supermarché ou acheter des vêtements m'amuse et j'adore sortir au restaurant. Quant au prince... eh bien, nous reparlerons de lui plus tard.

Vous vous demandez comment j'en suis arrivée là, ce qui s'est passé et par quel miracle j'ai un jour trouvé la force de me rebeller contre mon sort et de changer de voie ? Eh bien, il n'y a eu ni miracle ni coup de baguette magique (je vous rappelle que je ne crois pas aux bonnes fées). J'ai essayé tout ce que l'industrie de l'amincissement et de la forme proposait, sans succès.

Les modèles que les magazines, la télévision et les gourous proposent étaient à l'évidence hors de ma portée. Jamais je ne deviendrais la jeune Américaine saine doublée d'une mère parfaite et d'une amante inventive et expérimentée qu'ils décrivaient. Alors j'ai baissé les bras.

Dès l'instant où j'ai compris que je ne ressemblerais jamais à cette femme idéale, et pas une seconde plus tard, tout a commencé à changer. J'ai regardé ma vie en face et compris que je ne pouvais plus supporter de continuer ainsi : tout mon corps me faisait souffrir, je ne me sentais pas la force de me lever le matin, encore moins de vivre jusqu'au soir, et je haïssais mon aspect physique comme la dépression dans laquelle je me débattais. Je ne vivais plus ; j'étais devenue un zombie.

Cessant de penser en termes de normalité et d'anormalité, j'ai commencé à m'interroger sur mes désirs, mes besoins et mes aspirations. J'ai compris qu'avant de songer à améliorer mon physique il me faudrait m'occuper de mon mental.

Je suis allée me promener. Pas pour faire du sport, mais parce que je savais que je me sentais toujours mieux après une promenade. J'ai installé mes fils à l'ombre dans le jardin, puis j'ai marché jusqu'au coin de la rue, me retournant tous les trois pas pour les surveiller.

J'aurais aimé marcher ainsi jusqu'à la fin des temps. Marcher si loin que je quitterais ma misérable vie pour celle d'une autre, de préférence celle d'un top model, d'une puissante femme d'affaires ou d'une de ces mères de famille qui portent la même taille de jeans qu'à dix-sept ans. Toute autre existence me paraissait préférable à ma solitude dépressive de femme au foyer. Seulement, je n'avais pas parcouru cent mètres qu'un des garçons se mit à ramper en direction de la rue. J'ai rebroussé chemin aussi vite que mes kilos excédentaires me le permettaient. Puis j'ai pris un de mes fils dans mes bras et marché de nouveau cent mètres, avant de le reposer et d'en faire autant avec son frère, et ainsi de suite pendant une demi-heure.

J'aurais dû penser à faire venir un cameraman pour filmer cette séquence sportive beaucoup plus facile à réaliser que les exercices préconisés par les vidéocassettes de remise en forme. Mais j'ignorais à l'époque qu'un jour j'enseignerais à d'autres femmes l'art de remodeler leur corps. À 118 kilos, il m'aurait fallu plus de trente minutes de marche à pied avec mes fils dans les bras pour m'imaginer portant du 36, conseillant mes consœurs et écrivant un livre pour inciter les femmes à changer de vie. Une aspiration irréalisable... et ne nous inculque-t-on pas dès notre plus jeune âge qu'il faut maintenir nos rêves dans des limites raisonnables ?

J'ai recommencé cet exercice le lendemain, puis les jours suivants et, au bout d'une semaine, si je ne possédais pas encore la musculature d'Arnold Schwarzenegger, au lieu de me sentir épuisée à partir de 2 heures de l'après-midi, je n'éprouvais de vraie fatigue que vers 4 ou 5 heures. Peu m'importe que ceux qui n'ont jamais vécu cela jugent ma victoire insignifiante. Qui a vécu l'épuisement qui accompagne obésité et mauvaise hygiène de vie comprendra quel progrès représentait pour moi le fait d'atteindre 4 heures de l'après-midi sans aspirer à mourir. Cela tenait presque du miracle et signifiait que, même si je pensais ne plus jamais redevenir jolie, ni porter des vêtements de taille normale ou faire l'amour, il me restait l'espoir de me sentir mieux et de reconquérir mon énergie perdue. Et tout cela grâce à mes trente minutes de marche à pied.

Alors j'ai continué à marcher. J'ai repris des forces presque immédiatement. Oh, bien sûr, je ne me déplaçais pas sans peine. Avec un excédent pondéral de 60 kilos, le moindre mouvement demande un effort considérable, mais je sentais quelque chose que j'avais presque oublié : la présence de muscles. Sans rien connaître à la physiologie, je savais que mes muscles s'étaient étiolés au cours des dernières années. Je le sentais. Qui a dit : « Utilise-les, sinon tu les perdras » ? Rocky? Arnold ? En tout cas, il parlait d'or. Peu à peu, je sentais mes muscles disparus renaître de leurs cendres.

À cette époque, ma forme physique se situait au niveau zéro, comme celle de la moitié des Américains. Et, comme eux, cela m'incitait à bouger le moins possible. Aux personnes affaiblies, obèses, âgées ou relevant d'un accident, on conseille de ne pas faire de sport, d'attendre d'être en meilleure forme pour l'envisager. Voilà le genre de logique qui me met en rage. Ne faites rien avant d'être en forme... merci de ce conseil constructif, les amis !

Comme j'étais grosse et dans une forme physique déplorable, j'ai commencé par marcher très doucement. Mais je le faisais chaque jour. Pendant trente minutes, six ou sept jours par semaine, j'oxygénais mon corps.

Et puisque j'avais essayé tous les régimes possibles et imaginables sans aucun succès, pourquoi ne pas manger ? Pas n'importe quoi, car j'avais découvert que, dès que je mangeais des aliments malsains (et il m'arrivait de ne consommer que cela pendant des semaines), je me sentais mal. Bonheur pendant que je les mangeais et malaise après. Sur le plan émotionnel, ces aliments me réchauffaient le cœur, mais mon corps ne les supportait plus. Alors, je les ai remplacés par de la vraie nourriture, des aliments plus maigres et plus sains. Je ne suivais pas pour autant un régime, bien au contraire. En réalité, mis à part le fait que j'évitais les mets regorgeant de crème, de sucre ou d'huile, je ne me préoccupais plus de mon alimentation. Tout comme un bébé, je mangeais et buvais quand j'en éprouvais le besoin.

J'ai rangé ma balance dans un coin de la salle de bains car je ne voyais pas l'intérêt de m'obstiner à me peser dès lors que je savais que mon poids ne descendrait plus jamais, du moins pas durablement. L'expérience m'ayant appris que je ne demeurais jamais bien longtemps en deçà de la barre fatidique des 90 kilos, mieux valait en prendre mon parti.

Je n'ai pas lu un seul livre sur la nutrition ou la

gymnastique. La plupart d'entre eux me semblaient d'ailleurs destinés à des spécialistes hautement qualifiés. Or je ne voulais surtout pas introduire des complications supplémentaires dans ma vie. J'étais bien trop fatiguée et déprimée pour calculer, peser, surveiller ou réfléchir à chaque bouchée que j'avalais.

Ne croyez pas que je me sois découvert des ressources insoupçonnées. En revanche, mes trente minutes d'exercice quotidien, jointes à une meilleure alimentation, m'ont donné plus d'énergie que je n'en avais ressenti depuis longtemps. Manger, respirer et bouger ont amélioré mon état... ce qui était à l'époque mon unique objectif. Une de mes clientes a décrit ce phénomène au cours d'une interview comme l'apparition d'un ressort nouveau dans sa démarche. C'est exactement ce qui m'est arrivé.

Se réveiller le matin les idées claires et en relative forme change agréablement d'années de réveil avec l'angoisse de la journée qui s'annonce. Je me suis mise à faire des projets timides, comme d'emmener mes fils jouer au parc. Et moi qui auparavant ne cessais jamais un instant de ressasser mes idées noires, j'appréciais désormais ces heures passées au grand air. Il m'arrivait même de temps à autre de ressentir de l'espoir et de l'excitation à la vue des changements survenus dans ma vie.

Un jour que je me sentais particulièrement motivée, j'ai décidé d'adjoindre à la marche à pied d'autres exercices physiques. Pour ce faire, j'ai acheté une vidéocassette de remise en forme. Après mes désastreuses expériences passées, je n'envisageais pas en effet de m'essayer à l'aérobic hors du sanctuaire de ma maison. En quête de conseils éclairés, j'ai choisi la vidéocassete d'une experte dont nous apprécions tous le talent d'actrice et le corps parfait.

Prête à me dépasser sur le plan physique, j'ai enclenché la touche « lecture » de mon magnétoscope... et toute mon énergie m'a abandonnée. Première image : « Nous vous recommandons de consulter votre médecin si vous ne jouissez pas d'une excellente forme physique. Nous déclinons toute responsabilité en cas d'accident. » Bonne chance et au revoir.

Notre célèbre actrice prêtresse de l'aérobic officiait vêtue d'un justaucorps en dentelle et de bottes à talons hauts. Quant au cours... il s'agissait en fait d'un cours de danse avec une chorégraphie digne d'une comédie musicale. Avec ou sans bottes, je n'avais aucune chance d'effectuer les arabesques préconisées. Alors j'ai pris quelque chose à grignoter et regardé le reste de la cassette en me demandant que faire pour améliorer ma forme physique. Cette fois, ma motivation n'était pas en cause. À l'évidence, dans le monde de l'aérobic, on ne modifiait jamais les mouvements pour les adapter à des élèves moins expérimentées ou moins souples. J'ai consulté toutes les vidéocassettes du marché sans en trouver une seule qui me convienne. Toutes invitaient leurs spectatrices à sauter et à se trémousser en musique.

Après les régimes, j'ai donc abandonné les vidéocassettes.

> *J'aimerais que quelqu'un conçoive des cours de gym adaptés aux personnes pesant plus de 70 kilos ; si je possédais les moyens financiers nécessaires, je le ferais. Aucun programme ne prend en compte le fait que certains d'entre nous ont presque oublié l'existence de leurs muscles. Dans les salles de gym ordinaires, les gens sont en trop bonne forme et les cours trop intensifs. Sans parler de la gêne qu'on éprouve lorsqu'on s'y aventure.*
>
> **Catherine, Arizona**

Traitez-moi de folle si vous le souhaitez, mais j'ai résolu de faire une nouvelle tentative dans une salle de gym. Je me disais que j'étais peut-être mal tombée et qu'étant un peu en meilleure forme puisque je marchais tous les jours depuis des semaines, je devais parvenir à suivre.

Pendant des mois, j'ai été la grosse au fond de la salle qui lève la jambe une fois pendant que le ravissant professeur et ses sveltes élèves répètent le mouvement cinquante fois. Seulement, là, je m'en moquais éperdument. Si ma présence leur déplaisait, tant pis pour elles. Je faisais ce que je pouvais faire et je comptais continuer à assister aux cours aussi longtemps que j'en tirerais un bénéfice physique. Peu importait qu'on se moque de moi.

Mon professeur sautait, souriait et s'époumonait, et moi, je me contentais de marcher sur place quand je m'essoufflais trop, ce qui arrivait environ toutes les deux minutes.

Une rapide anecdote : des années plus tard, alors que je venais d'ouvrir mon centre de remise en forme, une des élèves de ce cours est venue se renseigner. Elle ignorait que la Susan Powter qui venait d'ouvrir ce centre n'était autre que la grosse Susan qui s'efforçait de suivre le même cours d'aérobic qu'elle, autrefois.

Abandonnant un instant ma classe, je me suis précipitée vers elle. « Salut, Mary. C'est moi, Susan. Tu me reconnais ? » Mary a failli avoir une crise cardiaque, ce qui n'aurait pas été bon pour l'image de mon centre. J'imaginais les manchettes des journaux : *Drame au centre Susan Powter : une femme périt à la vue de la propriétaire des lieux.*

Après les salutations d'usage, elle m'a avoué :

– La première fois que tu es arrivée à notre cours d'aérobic (le « notre » se référant aux habituées du cours), je me suis demandé si tu étais folle. Je n'en reviens pas de te voir aussi mince et énergique. Et ces cheveux... C'est formidable ! Comment as-tu fait ? Je veux absolument participer à ton cours.

Non contente de devenir une de mes clientes, Mary a abandonné ses études de droit pour enseigner chez moi. Aujourd'hui, elle apprend à des femmes de tous niveaux comment améliorer leur tonus cardiaque, raffermir leurs muscles, comment brûler leur graisse excédentaire et ainsi changer de vie.

Revenons à mes premiers cours d'aérobic. Je me tiens au fond de la salle et je fais de mon mieux pour effectuer quelques mouvements simples. J'avais sans le savoir découvert le secret ouvrant la voie de la forme à tous sans condition de santé : l'adaptation des mouvements. Car un mouvement réalisable motive beaucoup plus. En adaptant les cours, chacun peut commencer sa remise en forme sans tarder.

> *J'ai compris l'impact de la trilogie manger-respirer-bouger quand mon professeur m'a fait remarquer que je flottais dans mon caleçon de sport moulant.*
>
> ***Lisa, une cliente***

Exaltant, non ? Nous y reviendrons.

Je continue mon récit. Un matin, il m'est arrivé la chose la plus motivante de ma vie : en enfilant mon pantalon taille 52, je me suis aperçue que je flottais dedans. Bien sûr, il ne me tombait pas sur les chevilles, mais il était incontestablement plus lâche. Comme je ne possédais que trois vêtements que je portais en alternance, j'ai d'abord pensé que les fibres élastiques du tissu avaient fini par rendre l'âme. Mais non, j'avais vraiment minci. J'ai vécu le reste de la semaine sur un petit nuage. Rendez-vous compte : je ne suivais pas de régime, je ne m'affirmais pas et pourtant mon corps se remodelait. Je n'en croyais pas mes sens.

Une découverte encore plus formidable m'attendait, quelques jours plus tard au centre commercial voisin. Peu désireuse de convoiter des vêtements que je ne pouvais acheter, j'évitais d'ordinaire cet endroit avec soin. Je préférais marcher ailleurs. Mais comme tout le monde, à commencer par ma mère, me conseillait sans cesse de m'y promener pour m'aérer et que, vous l'aurez sans doute compris, j'étais assez malléable, j'avais fini par me laisser convaincre d'y emmener mes fils.

Un million de dollars à dépenser en babioles n'auraient pu m'apporter la moitié de la joie ressentie ce jour-là. Habituée à me promener chaque jour, je déambulais sans effort, à l'aise dans mon pantalon un peu trop grand, quand soudain j'ai pris conscience d'un fait : la sensation de brûlure qui accompagnait depuis si longtemps chaque instant de ma vie, comme pour tous les gens trop gros (vous savez, ces frottements perpétuels, ces irritations sous les bras, à l'intérieur des cuisses et dans les replis du ventre, qui font des soutiens-gorge des instruments de torture dès qu'il fait chaud... et ce chuintement qui accompagne chacun de vos pas), *avait disparu. Mes cuisses ne se touchaient plus.*

Incroyable mais vrai, mes cuisses ne frottaient plus l'une contre l'autre quand je marchais. Avec le peu de grâce que m'autorisait ma silhouette massive, je me suis penchée pour regarder mes jambes... prudemment, de peur de m'étouffer avec mon ventre proéminent. Pour un peu, je me serais mise à hurler d'allégresse :

– Regardez, tous autant que vous êtes : mes cuisses ne se touchent plus ! Plus de talc en été ! Plus d'irritations ! Ce n'est pas le tissu qui s'est détendu, mais moi qui fonds ! Mon corps fond !

Même si j'étais encore grosse, obligée de m'habiller dans des magasins spécialisés, et épuisée dès 5 heures de l'après-midi, j'entrevoyais le bout du tunnel. Cette découverte dans le centre commercial a marqué un tournant décisif dans ma vie : le début de la fin de mon obésité.

Mon corps se modifiait sans que j'aie faim en permanence et, chose merveilleuse, ce processus n'exigeait de moi ni une volonté sans faille, ni des modifications comportementales drastiques... ni une souffrance de chaque instant. Moi qui avais renoncé à tout espoir de devenir un jour min... (même le mot avait disparu de mon vocabulaire), je fondais sans effort. Je résolus de poursuivre dans cette voie.

De toute manière, à ce stade, rien n'aurait pu m'en empêcher. J'étais devenue une machine à modifier mes habitudes alimentaires et mes exercices d'aérobic. Six mois plus tard, je ne me reconnaissais plus dans les miroirs et je dévisageais d'un œil stupéfait l'inconnue qui me faisait face.

Je sentais mon corps prendre peu à peu de la vigueur, au fur et à mesure que je faisais travailler des muscles laissés en repos depuis si longtemps : la moindre sollicitation les tonifiait. Vous connaissez cette sensation de corps flasque et mou qui accompagne l'obésité ? Eh bien, elle disparaît dès que l'on se remet à utiliser ses muscles, comme s'ils renaissaient à la vie. Il me semblait *sentir* l'oxygène et le sang courir dans mes veines et générer en moi l'énergie indispensable pour continuer toujours plus loin. Il n'était plus question de motivation ; uniquement d'énergie.

J'ai vite cessé de penser en termes de but à atteindre pour penser en termes de nouveaux départs tous azimuts. Ma vie fourmillait de nouvelles orientations.

Bien sûr, tout n'était pas rose. Je demeurais pauvre et frustrée sur le plan sexuel. Tout comme mon prince ressentait le besoin d'être cajolé, aimé et rassuré quant à la largeur de ses épaules et à la taille de son pénis, je rêvais de m'entendre dire : « Bravo, Susan, tu as minci ; quelle transformation ! Tu redeviens jolie. » À dire vrai, le moindre mot prononcé par un adulte de sexe masculin (oui, j'en étais arrivée à ce point) m'aurait suffi.

Néanmoins, je ne m'étais jamais sentie aussi bien depuis des années. Quoique toujours grosse, je n'étais plus obèse. Cela dit, pas question d'acheter un maillot de bain avant quelques mois encore. Il me restait pas mal de chemin à parcourir jusqu'aux bikinis...

> *Pour la première fois depuis bien longtemps, mes yeux ont retrouvé un certain éclat. En fait, mes joues ont un peu minci et on* voit *de nouveau mes yeux ! Qu'ils sont beaux !*
>
> ***Une cliente***

Il me fallait réapprendre à manger, perspective qui terrifie la plupart des femmes et que j'ai eu, moi aussi, beaucoup de mal à accepter.

Depuis que je pratiquais une activité physique au quotidien, j'avais remarqué que je me sentais moins bien dès que je me privais de nourriture ou dès que je mangeais des choses malsaines. Je venais de découvrir que la nourriture est le carburant de l'organisme. Et, pour fonctionner vraiment à plein régime, il faut adopter le cocktail nourriture-oxygène.

Admettons que vous le fassiez. Cela modifiera-t-il votre état ? D'après les médecins dont j'ai imploré l'aide autrefois, non, impossible, jamais de la vie. Cessez de dire des sottises et de réagir comme si vous possédiez un cerveau, madame Au-Foyer. Au lieu de vous poser toutes ces questions, prenez deux comprimés de lithium par jour et rentrez chez vous.

Récapitulons...

- **Manger : nourriture = carburant.**
- **Respirer : oxygène.**
- **Bouger : évoluer.**

Cela paraît si simple que vous devez vous demander pourquoi aucun médecin, diététicien, nutritionniste ou autre spécialiste de l'amincissement ne vous en a jamais parlé. Je me suis moi aussi posé cette question.

En repensant aux milliers de régimes que j'avais testés, j'ai soudain compris que la première chose que nous faisons quand notre corps nous déplaît est de cesser de manger, de diminuer notre apport nutritionnel. Comme si nous cessions de mettre de l'essence dans notre voiture. Seulement, quand vous entamez un régime, vous n'interrompez pas pour autant vos activités habituelles. Vous n'appelez pas votre patron pour lui annoncer que vous ne viendrez pas pendant quelques mois. Vous n'abandonnez pas vos enfants, votre mari, votre maison et vos amis pour rester allongée toute la journée.

Et c'est là que j'ai tout compris. Les calories n'étant pas nos ennemies, diminuer notre apport calorique quotidien est la plus néfaste des réactions. *Et ce n'est pas une solution, bien au contraire : cela ne fait qu'ajouter aux problèmes existants.* D'ailleurs, si cela marchait, il suffirait d'un seul régime pour devenir définitivement mince. Un seul régime et pas cent mille. Et aucune d'entre nous, qui nous affamons depuis des années, ne serait grosse. Or les régimes connaissent, rappelons-le, un taux d'échec de 98 %.

Preuve donc est faite que diminuer l'apport calorique ne sert à rien. À la lumière de mon récit, ne vous paraît-il pas clair que votre obésité, votre fatigue et votre découragement actuels découlent de cette mauvaise approche du problème et de tous ces jeûnes épuisants ?

Vos problèmes ne résultent ni d'un quelconque « manque de volonté » ni d'un hypothétique dérèglement psychologique. Vous n'êtes ni une loque ni une épave. L'obésité n'est pas un problème mental mais physique.

Depuis des années, vous subissez les mensonges de pseudo-spécialistes qui s'évertuent à vous persuader de votre incapacité à mincir pour éviter d'avouer leur incapacité à vous y aider.

La première fois que j'ai perdu une taille de vêtements, je n'en ai pas cru mes yeux. L'après-midi, au bureau, j'en ai parlé à tout le monde. C'était la chose la plus fabuleuse qui me soit arrivée depuis longtemps. J'ai continué à porter mon tailleur trop grand, fière de sentir la jupe presque glisser de mes hanches.

Debbie, une cliente

Un jour, longtemps après, j'ai enfin trouvé le courage de monter sur une balance et lu : 52 kilos. J'ai cru mourir de saisissement. Il m'a fallu me repeser près de cent fois avant d'admettre que mes yeux ne me trompaient pas. Pourtant, cela vous étonnera peut-être, mais il ne s'est agi que d'un moment de joie parmi de nombreux autres.

À chaque étape de ma remise en forme, je m'émerveillais de mes progrès. Il me suffisait de voir mon corps se remodeler et gagner en vigueur et en énergie pour redoubler d'efforts. L'aspect le plus séduisant de ce processus découle de son caractère infini : il existe toujours un niveau de forme supérieur à atteindre et l'on peut continuer à évoluer jusqu'à son dernier souffle. Alors, dépêchons-nous de commencer.

J'ai connu ma suprême revanche lors d'un enterrement. Mon frère et mes amis, qui habitaient à une cinquantaine de kilomètres de chez moi, ne m'avaient pas vue depuis plusieurs semaines. Quand j'ai remonté la nef de l'église pour les rejoindre, j'ai entendu des chuchotements sur mon passage : personne ne me reconnaissait ! J'ai passé le reste de la journée à rendre des visites pour voir les réactions de mes amis et de ma famille. Génial.

Ann, une cliente

Les anniversaires constituent d'ordinaire des points de repère dans une vie. Laissez-moi vous raconter un anniversaire bien particulier. Peut-être jugerez-vous mon attitude ridiculement égocentrique et stupide. Tant pis, j'ai promis de faire ici un récit fidèle de ma vie.

Un jour, j'ai demandé à ma mère de m'organiser un anniversaire surprise. Cela n'a fait que la renforcer dans sa conviction qu'elle avait donné le jour à un être étrange. Avec tout le tact possible, elle s'est efforcée de m'expliquer que le principe même d'un anniversaire surprise impliquait que l'intéressée ignore qu'on prépare une fête à son intention.

Sans la laisser s'étendre sur le sujet, je lui ai communiqué la liste des personnes à inviter. Certains noms l'ont étonnée car elle savait que je détestais cordialement leur possesseur. J'ai senti qu'elle commençait à se demander si, en plus de mes kilos, je n'avais pas aussi perdu mon cerveau. Elle m'a donc suggéré de m'en tenir à mes amis, et après la fête, de prendre rendez-vous avec un psychiatre compétent pour discuter avec lui de mes nouveaux problèmes.

Comme il est difficile d'expliquer à quelqu'un qui n'a pas vécu le cauchemar de l'obésité ce que je cherchais à obtenir et pourquoi j'y tenais tant, j'ai juste demandé à ma mère de me passer ce caprice et de m'accorder l'anniversaire dont je rêvais. Elle a accepté et, fidèle à sa parole, invité tout le monde.

De mon côté, j'ai couru acheter une robe pour l'occasion. Chose normale, dans l'absolu, mais pas pour une fille qui jusqu'à une date récente pesait 118 kilos. J'avais bien plus à prouver que mes consœurs. J'ai trouvé mon bonheur : une robe noire presque indécente tant elle était minuscule, très, très moulante et horriblement chère, que j'ai achetée sans hésiter. Pour compléter ma tenue, j'ai fait l'acquisition d'escarpins noirs à talons de dix centimètres, fort peu adaptés à la marche mais idéaux pour se laisser admirer, comme je comptais le faire lors du grand soir.

Je me suis procuré mon propre carrosse, une imposante limousine noire. Oui, vous avez bien entendu, je me suis rendue à mon propre anniversaire en limousine, moulée dans une mini-robe noire et perchée sur des talons aiguilles. Un peu excessif, diront certains. Pas lorsqu'on a pesé 118 kilos. Vous qui avez vécu cet enfer, vous jugerez ma réaction parfaitement normale (et, comme c'est à vous que je m'adresse, ne nous préoccupons pas des commentaires des autres).

Par malheur, cette histoire ne s'arrête pas là : elle va en s'aggravant. J'arrive, gravis à petits pas le perron, sonne à la porte. Maman m'ouvre. Il fait noir, puisque officiellement j'ignore qu'on donne une fête en mon honneur. J'entre dans le hall et prends la pose (je ne plaisante pas, je l'ai vraiment fait), puis elle allume les lumières. Tout le monde hurle : « Surprise ! » Ils sont tous là, tous ceux que je déteste et n'avais pas vus depuis des années, tous ceux pour qui je pose. Ils me dévisagent bouche bée.

J'ai attendu sans bouger qu'ils reprennent leurs esprits, jouissant de chaque instant de ma revanche (je n'essaierai pas de prétendre qu'il s'agissait d'autre chose)... puis j'ai participé à la fête comme si j'avais porté du 36 toute ma vie.

Me sentir mieux et plus belle me donne confiance en moi et améliore mon moral. On m'a même complimentée sur mon « éclat ».

Debbie, Texas

Quelques mois après le départ de mon prince, une amie très chère m'a envoyé une carte qui représentait une femme en manteau de fourrure accompagnée d'un caniche. Tous deux ruisselaient de bijoux. En exergue apparaissait la citation suivante, qui demeure ma règle de vie : « Vivre bien est la meilleure des revanches. » Et quand on ouvrait la carte, on lisait : « Mais le meurtre soulage aussi. » Comme c'est vrai...

Je me sens si bien et si belle que j'ai même trouvé le courage de mettre fin à un très long mariage qui aurait dû se terminer il y a trois ou quatre ans déjà !

Cathy, Texas

Ma revanche m'a paru exaltante. Depuis, j'ai vécu trop de moments de triomphe pour les raconter tous : la rencontre fortuite avec une personne qui ne parvient pas à croire qu'il s'agisse vraiment de moi, les vingt minutes de palabres avec un agent de police avant qu'il admette que mon permis de conduire m'appartient bien...

Il m'arrive aussi parfois de vivre des moments qui dépassent la simple satisfaction de me savoir en forme et victorieuse. Je pense à ma rencontre dans un aéroport avec une femme qui m'a dit que grâce à moi elle mangeait, respirait, bougeait et se sentait plus forte et plus énergique que jamais.

Je pourrais aussi vous parler d'une célèbre chanteuse-danseuse qui a tenu à me dire qu'elle suivait mon programme et se félicitait de ses bienfaits. J'ai eu envie de crier, comme Sally Field recevant un Academy Award : « Vous m'aimez ! C'est merveilleux de savoir que vous m'aimez ! »

Je pense aussi à une jeune maman d'Atlanta qui m'a envoyé une photo d'elle, couverte d'ecchymoses sur un lit d'hôpital, accompagnée d'une lettre qui disait : « Merci, Susan, de m'avoir dit la vérité et de m'avoir aidée à sortir du cercle infernal de l'obésité et de la haine de moi, qui me terrifiait encore plus que l'homme qui m'a mise dans cet état. »

Ce sont les témoignages émouvants de toutes ces femmes qui me poussent à aller toujours plus loin. Toutes ces femmes qui apprennent qu'avec un peu d'aide on peut changer de corps, reprendre le contrôle de sa vie et revenir d'entre les morts-vivants.

Dire non aux comportements aberrants vous apportera bien plus qu'un corps agréable à regarder (même si c'est une conséquence non négligeable du processus) : cela vous restituera votre vie.

Alors, tout en jouissant de votre victoire, comme je le fais encore chaque jour de mon existence, n'oubliez pas d'apprécier chaque étape du processus. Les fêtes d'anniversaire prennent fin, tout comme les rencontres avec vos vieux amis et ennemis ; votre vie continue.

Ce soir je dois me rendre à une soirée donnée en mon honneur à Hollywood. J'ai demandé qu'on y invite quelques personnes que je n'apprécie guère (rien de changé sur ce plan), et devinez ce que je porterai. Une petite robe noire et d'immenses talons !

L'art de donner des conseils implique que, dès lors qu'on les a donnés, on se désintéresse totalement de la suite que leurs récipiendaires leur accordent et, surtout, qu'on n'insiste jamais pour les pousser à les suivre.

Hannah Whitall Smith, 1902

CHAPITRE 4

Manger mieux

L'habitude peut être la meilleure des servantes comme la pire des maîtresses.

Nathaniel Emmons

Vous n'avez pas échoué, mais depuis des années vous suivez sans succès régime après régime. Et voilà que moi, qui ne suis ni médecin, ni nutritionniste, ni diététicienne, j'ose vous dire qu'il existe un remède simple à vos maux : abandonner définitivement les régimes. Avant de jeter cet ouvrage contre le mur, réfléchissez à ce que je viens de vous raconter : je sais de quoi je parle.

Imaginez que je vous dise de prendre votre voiture demain matin et d'effectuer le trajet New York-Dallas en voiture, en roulant pied au plancher. Vous passeriez la journée d'aujourd'hui à vous préparer, à vérifier que vous possédez bien tout le nécessaire : argent, cartes routières, enfants, mari (encore que je ne pense pas qu'on doive ranger les maris dans cette catégorie ; à la rigueur dans celle des bagages qu'on traîne accrochés à la cheville ou au cou).

Imaginez maintenant que je vous dise que vous pouvez emporter tout ce que vous voulez excepté de l'essence. Comment réagiriez-vous? Vous diriez sans doute que c'est absurde, idiot, insensé. Et vous me répondriez :

– Comment voulez-vous que je conduise une voiture à cent cinquante kilomètres à l'heure sans carburant?

Excellente question que vous devriez poser à tout prétendu spécialiste qui vous conseille de faire précisément cela, c'est-à-dire un régime. Fonctionner sans carburant. Il vous suffit de remplacer la voiture par votre corps et d'appliquer la même théorie.

À quoi ressemble une de vos «journées ordinaires»? Une journée ordinaire dans la vie d'une mère qui travaille (vous ne trouvez pas que cette expression est un pléonasme retentissant?)... Comme j'appartiens à cette catégorie, je vais vous décrire une de mes «journées ordinaires».

Je me lève au plus tard vers 5 heures et demie ou 6 heures du matin. Je réveille mes enfants et je les prépare pour l'école. Ils terminent en vitesse les devoirs que je n'ai pas eu le courage de les aider à faire la veille. Je fais la vaisselle (pas de lave-vaisselle à la maison; je suis trop maniaque) qui a trempé toute la nuit dans l'évier parce que je n'ai pas eu le courage de la laver avant de me coucher. Un brin de rangement pour ramasser les jouets, les verres et les chaussettes éparpillés aux quatre coins de la maison par mes trois hommes : autant de choses que je n'aurai pas à faire à mon retour. Puis nous partons.

Je dépose mes fils à l'école. Baisers. Discussion avec leur maîtresse à propos de la maquette à construire pour le cours de sciences, qui demande un temps de surveillance dont je ne dispose pas. Ensuite, je conduis comme une folle parce que j'ai pris du retard. J'arrive au centre, je donne un cours, après quoi je me plonge dans les tâches administratives, paie les factures... Travail, travail, travail.

Retour à la maison vers 5, 6 ou 7 heures, le plus souvent en m'excusant d'avoir oublié de faire ou d'acheter quelque chose. Je prépare le dîner à la hâte, tout en aidant les garçons à leurs devoirs et en arbitrant leurs disputes. Pendant ce temps, je fais tourner une machine de linge (en rêvant de vêtements jetables). Ensuite, nous dînons. J'écoute le récit de la journée de mon mari et de mes fils, et leur raconte la mienne, puis je débarrasse la table avec leur « aide » (il s'agit d'un récit véritable, pas d'un conte de fées), avant de faire la vaisselle.

Après cela, je mets une seconde machine en route pendant que je donne leur bain aux enfants. Puis je les couche et leur lis une histoire. Là, je me vante : en fait, la plupart du temps, ils me supplient de leur en lire une et je refuse en invoquant la fatigue. Imaginez ma culpabilité ; on dit partout qu'à moins de lire un minimum de livres par semaine à ses enfants on fait d'eux des idiots. Ajoutez donc au programme de la journée une dose de culpabilité.

Enfin, je termine une ou deux choses, en prépare d'autres pour le lendemain et m'écroule sur mon lit, trop épuisée pour étendre la seconde machine de linge. Il est 10 heures et demie ou 11 heures du soir et que demande mon mari ? « Si tu mettais ta jolie nuisette, ma chérie, pour arpenter la chambre sous mes yeux... » Et moi je pense : « Si tu me touches, je te tue. » Vers minuit et demi, je sombre dans un sommeil proche du coma. Et tout recommence le lendemain matin à 6 heures.

Voilà comment se passent mes journées. Les vôtres aussi, à peu de détails près, non ? Dire que nous vivons à cent cinquante à l'heure est un doux euphémisme. Pour la plupart d'entre nous, la course commence dès que nous entrouvrons les paupières le matin. Entre les enfants, le travail et le mari, nous restons sur le pied de guerre douze, quatorze, voire dix-huit heures par jour, sept jours par semaine.

Comment tenir à ce rythme sans carburant ? Si vous ne donnez pas à votre organisme une quantité suffisante de carburant de bonne qualité et que vous ne le maintenez pas en bon état, inutile d'espérer aller où que ce soit à cent cinquante à l'heure. Et pourtant, la première mesure que nous prenons quand notre corps nous déplaît est de le réduire à la portion congrue : 600, 800, 1 000, 1 200 ou un apport « sain » de 1 400 calories par jour.

Reprenons l'exemple de la voiture. Mettons que vous consommiez « sainement » 1 200 calories par jour et que vous viviez à cent cinquante ou deux cent cinquante à l'heure. Voici ce qui arrive à un corps humain – le mien ou le vôtre – quand on lui donne moins qu'il ne consomme : il va réclamer des nourritures à haute teneur calorique. Il ne s'agit pas là d'un dérèglement du métabolisme mais d'une réaction normale en situation de jeûne. Votre organisme vous dit : « Mange quelque chose, n'importe quoi, puisque tu me demandes de fonctionner. » Et vous obéissez.

Vous n'avez pas pris de petit déjeuner (ou vous avez grignoté quelque chose à la hâte), vous avez déjeuné d'une salade (puisque vous êtes en période de régime). Vous allez chercher vos enfants à l'école et chaque jour, vers 5 heures, une irrépressible fringale vous saisit, que vous qualifiez de « crise de boulimie ». Vous vous retrouvez debout devant le réfrigérateur à engloutir des petits gâteaux, persuadée de céder une fois de plus au fameux « manque de volonté ». Il vous arrive, comme à moi et à des millions d'autres femmes, de vous tenir plusieurs mois à un régime draconien, mais nous finissons toutes devant notre réfrigérateur. Incroyable que tant de femmes souffrent de « crises de boulimie », non ?

Sonnez trompettes, j'ai une déclaration à faire :

dès qu'on s'affame, on finit par se jeter sur la nourriture ; or tout régime implique de s'affamer. Par conséquent, toute femme au régime finit par dévorer le contenu de son réfrigérateur.

Il s'agit d'une réaction de défense de notre organisme. Il nous crie : « Mange ce gâteau, et cette glace... oh, regarde ces chips ! Mange-les, mange-les, je t'en supplie, je meurs de faim et il reste encore plusieurs heures avant le dîner. »

J'ai englouti un paquet entier de marshmallows à l'orange et aux cacahuètes, ce qui m'a rendue très malade. Je ne parvenais pas à m'arrêter d'en manger.

Mary, une cliente

Et il ne s'agit là que du premier effet pervers de la sous-alimentation. En second lieu, votre organisme, cette machine extraordinaire, ralentit son rythme, autrement dit son métabolisme, pour s'adapter à ce que vous lui donnez. Par conséquent, que vous suiviez un de ces fantastiques jeûnes à 800 calories par jour sous surveillance médicale ou un régime « applaudissements si vous perdez une livre » à 1 200 calories, votre corps s'y adaptera.

Vous vous sentez fatiguée ? Fatiguée au point de ne plus pouvoir rien faire ? Vous perdez la mémoire, tant vous êtes éreintée ? J'ai connu tout cela. L'épuisement m'ôtait toute prise sur ma vie. À un certain stade, survivre à une journée supplémentaire sans s'effondrer devient une véritable victoire... C'est la chose dont on me parle le plus souvent au cours des conférences que je donne aux quatre coins du pays : « Je suis si fatiguée... trop fatiguée pour ressentir la moindre motivation, trop fatiguée pour faire des projets, trop fatiguée pour atteindre un quelconque but, trop fatiguée pour changer, trop fatiguée pour assister à un cours de gym... »

Votre médecin vous expliquera sans doute que le

problème vient de votre corps. Tous les problèmes viennent des machines sophistiquées que sont nos corps, jamais des médecins. À les entendre, nous souffrons tous de dérèglements métaboliques. On m'a raconté que mettre au monde deux enfants en deux ans avait bouleversé mon métabolisme, et que si l'on tenait compte de mon âge il existait peu d'espoir que les choses s'arrangent. Bien sûr, je parviendrais à perdre un peu de poids si je trouvais la force de suivre un régime (ce dont j'étais incapable), mais quant à redevenir vraiment mince et belle... « Prenez deux comprimés de lithium par jour, rentrez chez vous et redescendez sur terre. »

Je ne saurais dire combien de fois j'ai entendu des phrases comme : « d'après mon médecin, mon métabolisme diffère de celui de la plupart des gens », « je pèse 180 kilos car je souffre de problèmes thyroïdiens et métaboliques », « mon obésité résulte d'un dérèglement métabolique d'origine génétique » ou « mon métabolisme s'étant déréglé de manière irréversible, je demeurerai grosse toute ma vie ».

Bonjour, je suis dépressive et je souffre de fatigue chronique... la maladie des années 90. Mon corps ne fonctionne pas comme il le devrait, ce qui, d'après mon médecin, explique ma fatigue et son incapacité à me prescrire un traitement efficace. Je déteste mon aspect physique comme mon état d'esprit, donc, à partir de lundi, j'entame un régime. J'espère, cette fois, trouver la volonté nécessaire pour le suivre jusqu'au bout.

Voici mon conseil, femme : va voir ton médecin de ma part et demande-lui de t'expliquer les liens entre jeûne et épuisement. Demande-lui si les régimes ralentissent ou endommagent le métabolisme. Pose-lui ces questions juste lorsqu'il te prescrira un nouveau régime à base de liquides ou te conseillera une intervention chirurgicale pour rétrécir ton estomac.

Je ne dis pas qu'il n'existe pas de dérèglements métaboliques ou de maladies qui fatiguent ; je dis juste que la plupart d'entre nous sont fatiguées par suite d'une sous-alimentation.

Les effets pervers des régimes hypocaloriques ne s'arrêtent pas là. Ainsi, en situation de famine, l'organisme cherche à se procurer à tout prix du carburant et le trouve dans la masse musculaire. Oui, vous avez bien compris, il s'agit d'autocannibalisme. Votre corps dévore vos muscles, autrement dit votre énergie, votre force, et comme votre métabolisme fonctionne déjà au ralenti, vous vous sentez de plus en plus fatiguée, fatiguée à en mourir. Je vous le certifie.

Et ce n'est pas fini ; il reste mon effet pervers favori. En dernier recours, votre organisme stocke le carburant qu'il dévore en dernier en cas de famine. Les protéines ? Nooooooon. Les glucides ? Noooooooooon. Les *lipides*, les graisses !

Votre corps stocke des graisses pour survivre à la famine alors que vous payez si cher pour la lui imposer !

Oh, un dernier détail. Quand vous « perdez » du poids, vous perdez en fait de l'eau et du muscle. Quand vous en reprenez, comme 98 % des candidats aux régimes, vous reprenez le poids perdu sous forme de graisse. On ne « prend » pas du muscle, il faut le construire, l'entretenir. Quelle que soit la composition du poids perdu, vous ne reprendrez que de la graisse, ce qui explique pourquoi ces mêmes 30 kilos vous paraissent encore plus gros qu'autrefois. Vous n'hallucinez pas, vous devenez bien de plus en plus grosse et plus faible à chaque régime raté.

Je prenais ma voiture en pleine nuit pour aller acheter des barres chocolatées et des glaces.

Une cliente

Résumons-nous.

Chaque fois que vous soumettez votre organisme à un régime hypocalorique, il :

– exige de vous des aliments à haute teneur calorique (« crises de boulimie »),

– ralentit son métabolisme ; épuisement garanti,

– puise dans votre masse musculaire pour se sustenter ; épuisement ? un faible mot,

– stocke de la *graisse* par kilos.

À l'épuisement, à la dépression et à la perte de confiance en soi peuvent succéder des pathologies graves.

Si vous vous interrogez sur les inepties auxquelles le titre de mon livre fait allusion, ne cherchez pas plus loin que les millions d'entre nous qui, sur les conseils de soi-disant spécialistes, s'affament en pure perte dans l'espoir d'améliorer leur aspect physique et leur forme.

Nul ne peut mincir durablement grâce aux régimes qu'on nous propose. On ne peut pas se nourrir *ad vitam æternam* de cochonneries lyophilisées hypocaloriques. Et dès l'instant où l'on retourne à une alimentation normale, on reprend le poids perdu (vous le savez toutes d'expérience) avec un peu plus de graisse et un peu moins de muscles à chaque fois.

Non, vous n'échouez pas. Non, vous n'êtes pas une chiffe molle dépourvue de volonté et victime de son éducation. N'accusez plus votre mère chaque fois que vous vous précipitez sur le réfrigérateur. L'explication est bien plus simple et beaucoup plus utile : *les régimes alimentaires qu'on vous prescrit ne suffisent pas à assurer la survie de votre organisme.*

- **Manger ne fait pas grossir.**
- **La nourriture est le carburant de l'organisme.**

- **Il faut s'alimenter.**
- **Sans nourriture, pas d'énergie.**
- **Il faut manger pour vivre.**

J'ai préparé un petit tableau à votre intention. Recopiez-le, photocopiez-le et collez-le sur votre réfrigérateur.

Vous ne trouverez dans ce livre ni statistiques ni graphiques car je n'en vois pas l'intérêt. Cet ouvrage vise à vous apprendre à changer de vie et de corps. Pour cela, la compréhension du tableau ci-après est indispensable.

Examinons-le ensemble. Il met en rapport le poids d'une femme et son niveau d'activité quotidien. On y trouve de gauche à droite le poids puis la dépense calorique au repos correspondant audit poids. Ne rien faire signifie que l'activité quotidienne se borne à se lever, à prendre une douche et à s'étendre sur son canapé. La colonne suivante correspond à une activité physique faible : une vie normale avec une ou deux petites promenades par semaine. Une activité moyenne équivaut à quatre ou cinq séances de marche à pied d'intensité modérée (croyez-moi, vous allez vite devenir experte en la matière). Enfin, vous avez une activité physique intensive si, en plus de vos tâches quotidiennes, vous faites du sport six ou sept fois par semaine.

Lisons la première ligne du tableau. Si vous pesez 45 kilos et menez une vie inactive sur le plan physique, il vous faut absorber un minimum de 1 120 calories par jour. Juste pour maintenir en vie au ralenti un corps à peine plus lourd que celui d'une fourmi.

Prenons à présent une hypothèse plus crédible : vous pesez 68 kilos et vous menez une vie normale (activité moyenne). Vous devez consommer au moins 1 660 calories par jour... c'est-à-dire bien plus que n'en autorisent les divers régimes que j'ai pratiqués lorsque je pesais 118 kilos. Et vous ? Vous est-il arrivé de ressortir du bureau de quelque conseiller en amincissement nantie d'un programme imposant au moins 1 600 calories quotidiennes ?

Continuons et prenons une femme peu active de 95 kilos : il lui faut 1 950 calories, presque 2 000 calories. Voulez-vous savoir comment je suis descendue de 118 kilos à mon poids actuel ? En passant à une activité physique moyenne (colonne numéro 4) et en consommant 2 300 calories par jour. Tout a commencé le jour où j'ai cessé de m'affamer.

> *J'ai dû essayer tous les plats allégés et toutes les pilules au moins une fois. Je rougis à l'idée de ce que cela m'a coûté. En ce qui concerne les plats cuisinés allégés, l'emballage avait meilleur goût que le contenu. Je me rappelle des lasagnes aux légumes si peu appétissantes que je les ai données à ma chienne, qui n'en a pas voulu. Elle m'a regardée comme si j'avais tenté de l'empoisonner.*
>
> ***Une cliente***

Un jour, une conseillère en amincissement employée par un des plus célèbres produits du marché (l'un de ceux qu'on trouve au rayon surgelés de tous les supermarchés) s'est inscrite dans mon centre pour un programme complet : cours de nutrition, de gym, consultation et entretiens avec la responsable du centre et avec moi. Elle voulait participer à tout. Je me demandais ce qu'elle voulait. Voler mes idées (qui allaient à l'encontre de tous les principes prônés par ses employeurs) ? Essayer de comprendre ce qui clochait dans leur programme (tout, ma chérie) ? M'enlever des clientes ? Mes clientes sont bien trop « pro » pour se laisser séduire par un quelconque programme hypocalorique.

Je me trompais du tout au tout. Cette nouvelle

Poids en kilos	***Consommation calorique au repos***	***Activité physique faible*** *(marche ou bicyclette à un rythme modéré : 2-3 fois / semaine)*	***Activité physique moyenne :*** *4-5 fois par semaine*	***Activité physique intense :*** *6-7 fois par semaine*
45	1 120	1 450	1 570	1 680
50	1 150	1 490	1 600	1 720
55	1 190	1 550	1 670	1 780
60	1 220	1 580	1 700	1 830
65	1 265	1 645	1 775	1 900
70	1 300	1 690	1 825	1 950
75	1 350	1 750	1 890	2 000
80	1 380	1 790	1 930	2 070
85	1 420	1 850	1 990	2 100
90	1 450	1 880	2 030	2 180
95	1 480	1 950	2 050	2 200
100	1 510	1 970	2 100	2 270
105	1 560	2 025	2 180	2 350
110	1 595	2 070	2 225	2 405
115	1 625	2 110	2 275	2 435
120	1 655	2 150	2 325	2 480
125	1 710	2 220	2 400	2 560
130	1 740	2 260	2 440	2 600
135	1 770	2 480	2 500	2 660

cliente se révéla une femme extraordinaire, consciente de son incapacité à aider ses propres clientes. On lui avait appris une seule chose : vendre son produit, et on la payait à la commission. À force de voir chaque jour des femmes désespérées, elle voulait en savoir plus long.

Le tableau poids-consommation calorique quotidienne ne représente pas mon credo, mais une réalité. Les fabricants de produits amincissants comme les médecins connaissent depuis longtemps les corrélations qu'il met en évidence. Alors pourquoi ne les découvrons-nous que maintenant? Pourquoi les experts ne crient-ils pas ces vérités à toutes les pauvres affamées? Pourquoi nous cache-t-on cette information cruciale? Pourquoi nous pousse-t-on à nous priver? Toutes excellentes questions que je vous conseille vivement de poser à vos diététiciens (dites-leur que vous venez de ma part).

Il faut adapter son apport calorique à la fois à son poids et à son activité. Plus on fait de choses, plus on aura faim. De même que plus on parcourt de kilomètres en voiture, plus on dépense d'essence; et plus on conduit vite, plus vite on consomme son carburant. Pendant que vous travaillez, que vous vous occupez de votre mari et de vos enfants, que vous vous démenez pendant une heure dans une salle de gym car l'été approche, que vous passez la moitié de la nuit éveillée car bébé pleure... votre corps consomme du carburant.

Je sais que celles d'entre vous qui ne connaissent que les classiques tableaux caloriques viennent de recevoir un choc. Je les entends d'ici se demander comment on peut absorber 2000 calories par jour sans devenir aussi grosse qu'une tour.

Moi, j'absorbe entre 3000 et 5000 calories par jour et je m'habille en 36-38.

Je ne passe pas ma vie dans une salle de gym. Je ne vomis pas la moitié de ce que je mange. Je n'ai pas subi d'intervention chirurgicale destinée à accélérer mon métabolisme (si une telle opération existait, je serais la première à la recommander à mes consœurs, mais ce n'est pas le cas).

Je mange beaucoup parce que je dépense beaucoup d'énergie. Je déborde d'énergie parce que je donne à mon organisme beaucoup de carburant de bonne qualité. Vous saisissez le processus ?

Arrêter les inepties pour revenir à un comportement alimentaire sain n'est pas facile. Après des années de délires, la nourriture nous effraie.

L'un des aspects les plus délicats de mon travail consiste à convaincre mes clientes de surmonter leur peur. Ne vous inquiétez pas, nous allons le faire ensemble. Il faut avant tout que vous compreniez ce principe du carburant et que vous admettiez la nécessité de manger pour nourrir votre organisme. Une fois ce concept admis, vous serez sauvée.

Commençons par un principe aussi simple que logique : il faut manger quand on a faim et boire quand on a soif. D'accord ? Tout aussi logiquement, plus on se dépense, plus on a faim. D'accord ? De la même façon, je vous demande d'admettre qu'il faut vous nourrir pour maigrir.

Le tableau poids-consommation calorique (la nouvelle décoration de votre réfrigérateur) constituc seulement un guide. Cette fois, vous ne suivez pas un régime, donc inutile de vous focaliser sur un chiffre. Contentez-vous de regarder l'apport calorique approximatif que votre poids et votre mode de vie requièrent et efforcez-vous de vous y tenir.

Une fois encore, je vous en supplie : jetez à jamais les régimes hypocaloriques aux orties. Promettez-moi de ne plus jamais vous affamer. Si vous le faites, vous obtiendrez toujours les mêmes résultats temporaires... et les mêmes catastrophes à retardement. Réfléchissez : vous est-il jamais arrivé d'obtenir un effet durable en réduisant votre apport calorique quotidien ? Non, non et non, et cela n'arrivera jamais.

Croyez-moi, je sais de quoi je parle quand je vous adjure de manger, d'absorber plus de calories. J'étais grosse et adepte des régimes quand j'ai découvert qu'il fallait manger. Laissez-moi vous décrire la scène : moi, dans mon salon, avec un petit livre comme tant d'autres sur l'obésité et la santé. Mes fils jouent à mes pieds. Je lis le chapitre consacré aux calories : énergie... poids... 2 000 calories...

Et soudain, le déclic : *Les fumiers ! Pourquoi me font-ils suivre un régime à 1 000 calories par jour alors que d'après ce que je lis, je n'ai aucune chance de perdre ainsi le moindre kilo ?*

Cette découverte m'a mise en rage ; elle m'a également beaucoup troublée. Non seulement j'étais de loin la plus grosse de mon cours d'aérobic, mais je venais d'apprendre qu'il me fallait aussi manger plus que mes condisciples.

J'ai grimpé aux murs de fureur en repensant aux milliers de dollars dépensés et au temps et à l'énergie gaspillés à faire l'inverse. Dire que j'avais perdu toute confiance en moi-même parce que je me croyais responsable de mon obésité ! Je maudissais en bloc les médecins qui m'avaient induite en erreur et les programmes d'amincissement absurdes. Pourquoi personne ne m'avait-il jamais donné cette information cruciale ? Quand ma colère est retombée, j'ai réfléchi calmement, une semaine durant, à cette nouvelle approche des problèmes pondéraux, puis j'ai décidé de l'appliquer à ma propre vie.

En quelques jours, mon énergie a redoublé et j'ai continué à fondre. Mincir en mangeant : la découverte du siècle.

Supprimez la cause et l'effet disparaîtra.

CERVANTÈS

Pour mincir, il faut commencer par manger. Pas de bonne santé sans alimentation adaptée. Ce n'est pas manger qui fait grossir, mais manger trop de graisses. La graisse, ce qui recouvre vos bras, vos cuisses, vos fesses, votre estomac... La graisse.

J'ai subi le même lavage de cerveau que vous toutes. Et changer ma façon de penser, clarifier mes idées m'a demandé beaucoup d'efforts. Pour vous ce sera plus facile car je suis là pour vous en parler, pour vous crier la vérité au visage, pour vous supplier de comprendre. Quand j'ai découvert le principe « manger pour maigrir », personne n'en parlait, mais cela commence à changer. Aidez-moi à faire éclater la vérité.

Récapitulons : les calories constituent le carburant du corps. Si vous diminuez votre apport en carburant, vous n'aurez plus assez d'essence pour fonctionner. Vous trouvez sans doute que je me répète un peu, mais je tiens absolument à ce que ce point soit bien clair dans tous les esprits. Il vous faut bien assimiler ce concept pour pouvoir aller le jeter à la figure de votre nutritionniste en exigeant qu'il vous rembourse ce que vous lui avez versé pour ses régimes inutiles !

Les calories sont désormais vos amies. Il faut toutefois prendre conscience d'une chose très importante : toutes les calories ne sont pas identiques.

– 1 g de glucides = 4 calories.

– 1 g de protides = 4 calories.

Mais 1 g de lipides, de graisse (vous savez, cette matière gélatineuse qui tremblote sur vos cuisses), savez-vous ce qu'il vaut ?

– 1 g de lipides = 9, oui, 9 calories.

Autrement dit, plus de deux fois plus que les autres constituants de notre alimentation. La graisse : grosse et grasse, comme son nom l'indique.

Savez-vous ce que cela signifie ? Cela veut dire que vous pouvez absorber 200 g de protides ou de glucides avant d'atteindre l'apport calorique de 100 g de graisses. En d'autres termes, manger plus.

Cela illustre toute l'absurdité des régimes préconisés par les soi-disant spécialistes. Dès lors qu'elle sait qu'il lui faut absorber des calories-carburant pour fonctionner, puisqu'elle possède par ailleurs de gigantesques réserves de graisse, toute femme devinera que la solution logique consiste à augmenter l'apport en carburant-calories et à réduire ce qu'elle possède déjà en excédent, c'est-à-dire la graisse.

Vous allez me dire : où est le problème ? Si les choses étaient aussi simples que cela, il suffirait d'acheter des aliments pauvres en lipides, ce que vous faites sans doute déjà, pour réduire votre apport quotidien en graisse.

Les choses ne sont malheureusement pas si élémentaires. Encore faut-il déceler la graisse cachée dans les aliments. Il faudra pour cela vous transformer en véritable limier, car, croyez-moi, les fabricants s'ingénient à camoufler la teneur en lipides de leurs produits.

Un phénomène stupéfiant s'est produit au cours des dernières années. Avez-vous remarqué qu'on ne trouve plus dans les supermarchés que des produits estampillés « sans cholestérol », « allégés », « light » ou « maigres »... les mots de passe des années 90 ? Les saucisses sont maigres. Laissez-moi rire ! Avez-vous déjà vu un porc maigre ? La viande est allégée, tout comme les chips, les sauces pour la salade, les pâtes à tartiner et les biscuits.

Question : si plus aucun aliment n'est gras ni riche en cholestérol, comment se fait-il que tant de personnes souffrent de surcharge pondérale ou meurent de maladies cardiaques ? D'où proviennent la graisse et le cholestérol responsables ?

Vous aurez, je pense, deviné que les fabricants apposent ces labels « sans graisse », mensongers à 98 %, par pur intérêt. Quand je me suis penchée sur la question, j'ai découvert, à ma grande colère, que des marques que je croyais au-dessus de tout soupçon agrémentaient leurs produits d'étiquettes tout à fait fantaisistes. Moi qui avais consacré tant de temps à les éplucher pour calculer en détail leur teneur en graisses saturées ou insaturées...

Je me suis demandé comment on pouvait tromper de la sorte les consommateurs en toute impunité. À quoi rêvent les instances chargées de faire respecter leurs droits ? J'ai découvert que les lois, comme leurs carences, sont conçues pour protéger les fabricants, pas nous. Je pourrais développer ce sujet durant des heures (et je le ferai peut-être un jour dans un autre livre), mais tel n'est pas mon propos aujourd'hui. Je me contenterai donc de vous dire : ne vous fiez pas aux étiquettes. Il n'est pas difficile de calculer la teneur en graisse des aliments que vous et votre famille consommez et d'en tirer les conclusions qui s'imposent.

Pour ma part, j'utilise une « formule antigraisse » qui vaut son pesant d'or.

Cette formule permet de découvrir où se cachent les graisses. Enfilez votre déguisement de détective, saisissez-vous de votre loupe et suivez-moi au supermarché pour traquer les lipides cachés. Munissez-vous d'une calculatrice (sauf si, à l'inverse de moi, vous êtes un as du calcul mental). À partir de maintenant, avant de porter quoi que ce soit à vos lèvres, vous allez faire les deux choses suivantes :

– Multiplier le nombre de grammes de lipides par portion par 9 = ×,

– Diviser × par le nombre total de calories par portion.

Vous obtiendrez ainsi la proportion de graisses présente dans ladite portion, information indispensable pour vous.

Ne vous inquiétez pas si cela vous paraît un peu compliqué au premier abord : bientôt ce petit calcul deviendra une seconde nature même pour les plus réfractaires aux mathématiques.

Prenons quelques exemples concrets.

Notre étiquette n° 1 provient d'un paquet de pop-corn qui, selon son fabricant, contient « 30 % de moins de calories, graisses et huile » qu'un pop-corn ordinaire.

VALEUR NUTRITIONNELLE
(par portion de 9,5 g)

- **Calories 35**
- **Protides .... 1 g**
- **Glucides .... 6 g**
- **Lipides .... 2 g**

On nous présente donc ce pop-corn comme un aliment pauvre en graisses. Vérifions ce qu'il en est grâce à la formule antigraisse.

2 g de lipides (cela paraît en effet maigre ; on devrait pouvoir en manger à volonté, mais ne vous emballez pas encore) multipliés par 9 = 18.

Divisons ce chiffre par le nombre total de calories. 18 : 35 donne combien ? 0,51... ce qui signifie, mes amies, 51 % de lipides par portion ....
....

Cette avalanche de points de suspension figure ma réprobation à l'encontre d'un pop-corn « allégé » contenant 51 % de lipides. On nous ment et, en plus, on fait passer des produits riches en graisses pour des aliments maigres. Pourquoi se gêner, en effet ?

Continuons notre voyage dans la jungle des étiquettes avec, cette fois, des chips « light » et sans cholestérol.

VALEUR NUTRITIONNELLE
(par portion de 28 g)

- **Calories 130**
- **Protides .... 2 g**

– **Glucides** .... **19 g**
– **Lipides** .... **6 g**

6 g de lipides × 9 = 54.
54 : 130 calories = 0,42 = 42 %.
Vous appelez ça « light » ? Même les fabricants de chips savent qu'un aliment qui contient 42 % de lipides n'est pas allégé, et j'imagine leur agacement quand ils recevront des lettres incendiaires de vous autres, fins limiers de la graisse.

Passons maintenant à l'un de mes exemples favoris, un biscuit de régime vendu par un des principaux fabricants d'aliments « minceur ».

VALEUR NUTRITIONNELLE
(par portion de 86 g)

– **Calories** **220**
– **Protides** .... **11 g**
– **Glucides** .... **19 g**
– **Lipides** .... **11 g**

Le fabricant conseille de consommer ce biscuit en guise de petit déjeuner. Nous connaissons tous l'importance du petit déjeuner dans notre alimentation quotidienne. Il doit être nourrissant et bien sûr, dans le cadre d'un régime, pauvre en graisse. Appliquons-lui donc notre formule :
11 g × 9 = 99.
99 : 220 calories = 45 %...
Et il vous suffira d'un seul coup d'œil à ce petit déjeuner bourré de lipides pour voir qu'il ne représente pas un volume suffisant de nourriture pour rassasier votre poisson rouge, encore moins vous.
Si vous consommez ce biscuit, vous pouvez aussitôt vous installer dans un fauteuil pour surveiller votre poids en train de se réinstaller. C'est pour cela qu'on nomme les adeptes de ce programme les

« *weight watchers* » (en français : « ceux qui surveillent leur poids »).

Examinons à présent un autre produit du même fabricant. Ne croyez pas que je m'acharne sur une entreprise spécifique, mais c'est intéressant. Vous surveillez votre poids : essayez nos produits à 60 % de lipides... je me demande à quoi on ressemble après quelques mois d'un tel traitement. Si vous me prenez pour une folle et pensez qu'un groupe aussi réputé ne nourrit sûrement pas ses clients de graisse, servez-vous de la formule antigraisse.

VALEUR NUTRITIONNELLE
(par portion de 55 ml)

– Calories	**120**
– Protides	**2 g**
– Glucides	**11 g**
– Lipides	**8 g**

8 × 9 = 72.
72 : 120 = 60 %.
Une minute de silence, s'il vous plaît.

Continuons. Notre prochain cobaye est une saucisse « light », garantie « allégée à 77 % », à base de porc. Donc, un aliment *a priori* sain.

VALEUR NUTRITIONNELLE
(par portion de 28 g)

– Calories	**80**
– Protides	**6 g**
– Glucides	**< 1 g**
– Lipides	**6 g**

6 × 9 = 54.
54 : 80 = 68 %.
Je ne comprends pas comment une saucisse peut

à la fois être « allégée à 77 % » et contenir 68 % de matières grasses. Expliquez-moi.

Prenons à présent l'étiquette d'une boîte de Philadelphia « light », un fromage à tartiner allégé. Mais allégé à quel point ? Vous savez à présent comment vous en assurer.

VALEUR NUTRITIONNELLE
(par portion de 28 g)

- **Calories 60**
- **Protides .... 3 g**
- **Glucides .... 2 g**
- **Lipides .... 5 g**

5 × 9 = 45.
45 : 60 = 75 %.
« Light » signifie donc 75 % de matières grasses ? On en apprend tous les jours.

Sentez-vous la dépression vous guetter ? Le simple fait de refaire avec vous ces calculs que je connais pourtant par cœur me donne envie d'exhumer d'un tiroir ma vieille ordonnance de lithium. Vous rendez-vous compte des mensonges qui nous entourent et des quantités de lipides que vous avez ingurgitées à votre insu au cours de vos régimes ?

Vous vivez un instant de prise de conscience, ce qui n'est jamais facile. Considérez cela comme une seconde naissance, le début d'une vie saine dont les vieux démons seront exclus. Plus vous avancerez, plus les choses vous paraîtront faciles.

Reprenons nos études...

Le corps humain a besoin de calcium et, d'après l'Association américaine des producteurs laitiers, le meilleur moyen de s'en procurer consiste à consommer chaque jour des produits laitiers. Penchons-nous donc sur une tranche de fromage (type cheddar ou comté) :

VALEUR NUTRITIONNELLE
(1 portion = 1 tranche, 21 g)

- **Calories** **80**
- **Protides** .... **5 g**
- **Glucides** .... **< 1 g**
- **Lipides** .... **7 g**

Quel mal peuvent vous faire une ou deux tranches de fromage ?

7 × 9 = 63.

63 : 80 = 79 %.

Voilà la réponse à votre question. Cela peut vous faire 79 % de lipides de mal, c'est-à-dire beaucoup quand vous cherchez à remodeler votre corps. Demandez à l'Association américaine des producteurs laitiers de vous dénicher un fromage moins gras. Car, en plus, il s'agit de graisses saturées. 79 % de lipides par tranche... À quoi cela va-t-il vous servir ? Cela ne vous donnera même pas l'énergie nécessaire pour appeler à l'aide quand surviendra votre inévitable crise cardiaque.

Voilà exactement le contraire de ce que vous devez consommer pour devenir mince, forte et en pleine forme. Il n'existe guère de meilleur exemple d'aliment riche en lipides sous un faible volume que le fromage.

Parlons à présent du repas de midi, l'heure de gloire des sandwiches. Qui dit sandwich dit bien souvent délicieux jambon « allégé à 97 % », autant dire la nourriture de rêve pour nous... au premier abord. Avant de nous gaver de sandwiches, vérifions par acquit de conscience les allégations du fabricant.

VALEUR NUTRITIONNELLE
(pour une tranche de 12 g)

- **Calories** **14**
- **Protides** .... **2 g**

– **Glucides** .... **< 1 g**
– **Lipides** .... **< 1 g**

Moins d'un gramme de lipides : quel bonheur... Calculons la teneur en graisses de ce jambon s'il contenait juste 1 g de lipides.

1 × 9 = 9.

9 : 14 = 64 %.

Messieurs, messieurs, vous avez dû commettre une erreur ! Vous me l'auriez dit, si vous aviez su que chaque tranche que je portais à ma bouche contenait 64 % de matières grasses, n'est-ce pas ?

Vous n'utilisez plus de beurre, car 100 % de matières grasses, c'est trop, ni de margarine, pour la même raison. Peut-être utilisez-vous, en revanche, un vaporisateur pour poêle à frire, parce que son fabricant vous a donné à croire qu'il s'agissait d'une alternative allégée au beurre et à la margarine et que vous avez gobé ce boniment. Vous devriez savoir, à présent, que faire confiance à ces gens ne vous mènera... qu'à rester grosse et en mauvaise santé.

VALEUR NUTRITIONNELLE
(par pulvérisation de 0,25 g)

– **Calories** **2**
– **Protides** .... **0 g**
– **Glucides** .... **0 g**
– **Lipides** .... **< 1 g**

Appliquons une fois encore la formule antigraisse. Nous voici de nouveau confrontées à un produit qui affiche moins d'un gramme de lipides. Ce qui signifie quoi, au juste ? Beaucoup moins qu'un gramme ? Un peu ? Pourquoi ne nous donne-t-on pas un chiffre plus précis ? Tant pis pour eux, nous admettrons pour les besoins de notre calcul que ce produit contient 1 g de lipides (d'ailleurs je ne vois guère quelle autre solution adopter). Allons-y.

1 × 9 = 9.

9 : 2 = 450 %.

450 % ! Pour un produit qui prétend contenir « moins d'1 g de lipides » et qui se dit « non gras »... En fait, il existe une explication fort simple à cette apparente contradiction : quand une étiquette indique « moins d'1 g », cela peut aussi bien signifier 0,1 g que 0,9. Vous n'en saurez jamais plus long. Sans doute ces messieurs les fabricants jugent-ils inutile de vous donner cette précision. Parfois, j'aimerais être petite souris pour assister aux réunions au cours desquelles ils prennent ce genre de décision.

Un simple coup d'œil à l'étiquette révèle que les 2 calories mentionnées proviennent obligatoirement des « moins d'1 g de lipides » (d'où voudriez-vous qu'elles viennent : du gaz propulseur ?). Pour en obtenir confirmation, examinez la composition du produit : huile de colza, gaz propulseur (à ce propos, j'aimerais bien qu'on me précise en quoi consiste ledit gaz et quels effets il peut produire sur l'organisme humain).

Le fabricant affirme que son produit est exempt à 94 % de graisses saturées. De fait, l'huile de colza n'en contient pas... En revanche, elle contient, comme toutes les huiles, 100 % de matières grasses. Les graisses faisant grossir... à vous de décider.

Les êtres humains doivent manger, mais les entreprises doivent gagner de l'argent.

Alice EMBREE, 1970

Quand vous vous bourrez de gâteaux, biscuits, pains et en-cas divers, vous avalez 78 % de lipides par-ci, 86 % par-là, puis encore 45 % : des tonnes de graisses englouties à votre insu. Imaginez quel changement cela apportera dans votre vie lorsque vous cesserez de le faire.

Cela ne vous demandera pas un sacrifice énorme car c'est juste affaire de bon sens et je sais que vous n'en manquez pas. Tout comme moi, vous péchiez par ignorance. Or, à présent, vous savez qu'il faut manger des aliments énergétiques et pauvres en graisse par rapport à leur volume. Et cela fonctionne à tous les coups, car devinez d'où va venir la graisse, si vous n'en absorbez presque plus ?

Un brin d'agacement vous envahit ? Posez ce livre et ouvrez vos placards et votre réfrigérateur. Appliquez la formule antigraisse à tous les aliments qu'ils contiennent. Voyez comme les plats prétendument « allégés » qui vous ont coûté si cher tiennent peu leurs promesses... Découvrez les marques que vous croyiez au-dessus de tout soupçon, qui vantent en gros caractères rouges la pauvreté de leurs produits en graisses saturées, mais omettent de vous prévenir qu'à chaque bouchée vous vous gorgez de graisses insaturées.

Nous savons tous que les graisses nous tuent. À moins de vivre isolé dans une grotte, chacun s'efforce de réduire sa consommation quotidienne de lipides. On nous a parlé de « bonnes » huiles et de « mauvaises » huiles. Nous n'avons rien compris à la distinction, mais peu importe. Et depuis des années, nous cherchons tous à adopter une alimentation bénéfique à notre cœur.

Je me suis longtemps crue stupide à cause de mon incapacité à comprendre comment faire. À entendre les médecins, il faut posséder un diplôme de nutritionniste pour deviner ce que signifie ce distinguo entre bonnes et mauvaises graisses. Le consommateur lambda, lui, en est bien incapable. Erreur, il suffit d'ignorer les indications du fabricant, éventuellement de lui écrire pour se plaindre, et d'utiliser la formule antigraisse.

Vous vous demandez sans doute comment faire

lorsque l'aliment que vous vous apprêtez à consommer ne porte pas d'étiquette. Je pense par exemple à un poulet. Inutile de compter sur votre boucher pour vous donner la composition d'une portion. À qui vous adresser, alors ?

À moi, bien sûr ! Vous trouverez à la fin de ce livre une liste d'aliments avec leur teneur en calories et en matières grasses. Une sorte d'étiquette universelle. Il ne vous reste plus qu'à appliquer la formule. Vous obtiendrez ainsi une série de pourcentages.

Vous vous demandez à présent comment savoir ce qu'il faut manger. J'ai connu cela.

Un jour, on m'a dit que ma consommation quotidienne de graisses devait représenter 30 % de mon alimentation. Ce chiffre provient de l'Association des Médecins américains, qui, je le sais maintenant, ne connaît rien à la nutrition. À l'époque, je ne demandais pas mieux que de les croire. Un détail me gênait cependant : je ne voyais pas du tout ce que signifiaient ces fameux 30 % de mon alimentation quotidienne, encore moins comment les calculer.

Persuadée que seuls les experts pouvaient le faire, j'ai vite cessé d'essayer. Puis, peu à peu, j'ai compris : d'abord, le concept « manger pour mincir », ensuite le rapport dépense énergétique/dépense calorique, puis enfin – eurêka – j'ai mis au point ma formule antigraisse.

Toujours d'après l'Association des Médecins américains, il faut absorber un tiers de ses calories quotidiennes sous forme de lipides. Le meilleur moyen de s'en assurer est d'utiliser la formule et de ne rien manger qui excède 30 % de lipides. Pour ma part, j'ai commencé ainsi. Si j'obtenais 32 % de matières grasses, je rejetais impitoyablement l'aliment. Mais, comme je ne comprends rien aux mathématiques, la partie apport « quotidien » me troublait grandement. On n'absorbe pas autant de calories lorsqu'on passe la journée à paresser sur la plage que lorsqu'on court un marathon. Dans ce cas, comment calculer la part des lipides dans mon alimentation alors que la moindre addition m'effraie déjà ?

Voilà ma solution : si vous appliquez la formule à tout ce qui franchit vos lèvres et que vous n'absorbez rien qui excède 30 % de matières grasses, il est absolument impossible que vous dépassiez vos 30 % quotidiens.

Il existe toutefois une autre méthode, si vous vous sentez pleine de courage. Notez tout ce que vous mangez. Totalisez chaque soir grammes de lipides et calories, et appliquez la formule lipidique à ces deux chiffres. Vous obtiendrez un pourcentage moyen.

Je vous conseille de commencer par la première méthode, d'une mise en œuvre beaucoup plus facile. Les calculs quotidiens me paraissent stupides pour deux raisons. Primo, ils s'inscrivent dans une mentalité « régime » déplaisante. Secundo, il est presque impossible de recalculer les grammes de lipides par portion. Un exemple : si vous dînez hors de la maison, comment savoir si le poulet que vous avez mangé représente une ou deux portions ? Vous aurez déjà assez de mal à convaincre le cuisinier de vous le préparer sans matières grasses ajoutées, sans vous mettre à l'interroger sur la taille des portions et les grammes de lipides qu'elles contiennent... Vous risquez de provoquer un mini-scandale (croyez-moi, je sais de quoi je parle !).

Mes clientes me parlent souvent de leur peur de dépasser par inadvertance leur quota de 30 % de lipides.

Exemple : depuis plusieurs jours, tout va bien, vous maîtrisez la formule antigraisse et vous demeurez en deçà des 30 % fatidiques. Vous vous sentez mieux, vous commencez à flotter dans vos vêtements, la vie est belle, quand soudain, patatras ! vous mangez quelque chose qui contient 60 % de matières grasses.

Horreur ! Avez-vous en un instant réduit à néant des jours d'efforts ? Allez-vous reprendre en un clin d'œil les kilos perdus ? Êtes-vous en train de retomber dans vos errements passés ? Non, non, non. Cessez de vous tourmenter. D'accord, vous avez dépassé la barre des 30 %. Et alors ? La graisse est aussi un carburant et, comme de toute façon vous mangez moins de 30 % de lipides depuis plusieurs jours, votre écart ne tire pas à conséquence. Assurez-vous simplement de vous tenir à vos 30 % les jours suivants, ou même, si vous vous sentez d'humeur audacieuse, à un taux inférieur. Ne consommez que 10 % de lipides pendant un ou deux jours pour contrebalancer, en quelque sorte. N'oubliez pas qu'il ne s'agit pas d'un régime, mais qu'il faut équilibrer votre consommation de graisses et vos dépenses énergétiques, de manière à permettre à votre organisme d'éliminer les graisses excédentaires stockées au fil des années.

Mon expérience personnelle et les témoignages de milliers d'autres femmes me permettent d'affirmer qu'il vaut mieux, au moins au début, surveiller la teneur en lipides de chacun des aliments qu'on ingurgite. Très vite, vous saurez quels aliments en contiennent. Alors, vous pourrez commander, préparer ou faire préparer par vos amis les plats que vous aimez, cuisinés selon vos recettes favorites... sans plus calculer leur teneur en graisses. Pourquoi se compliquer inutilement l'existence ? Cette méthode est simple et efficace.

Avant de poursuivre, j'aimerais poser quelques questions à ces messieurs de l'Association des Médecins américains. Pourquoi tout le monde doit-il consommer le même pourcentage de lipides ? Pourquoi une personne dont le poids se compose de 60 % de graisses doit-elle en consommer autant qu'une personne qui ne possède que 14 % de graisse corporelle ? Une personne malade du cœur doit-elle absorber autant de graisses qu'un athlète ?

Quand je pesais 118 kilos, dont 43 % de graisse, et cherchais désespérément à perdre du poids, devais-je vraiment consacrer 30 % de mon alimentation aux lipides ?

Peut-on se maintenir en bonne santé tout en consommant moins de lipides ? Nombre d'experts en nutrition pensent que oui.

Voulez-vous que je vous raconte une anecdote véridique ? La semaine dernière, une de mes amies qui est diététicienne et kinésithérapeute a assisté à un congrès sur les dernières découvertes dans le domaine de l'alimentation. À la fin des débats, elle a interrogé certains des principaux intervenants, qui s'accrochaient toujours au principe des 30 % de lipides par jour, leur demandant pourquoi ils se tenaient à ce chiffre alors que tous les experts s'accordaient à penser que pour remodeler son corps et perdre de la graisse corporelle, mieux valait descendre en dessous de ce taux. Savez-vous ce qu'ils lui ont répondu ?

« Nous adaptons nos recommandations aux capacités d'effort des consommateurs », « il faut commencer lentement car les gens sont paresseux et peu désireux d'entendre la vérité », « nous leur donnons une information qu'ils pourront supporter, quitte à baisser la barre plus tard, quand ils seront prêts à l'admettre ».

Ces réponses m'inspirent quelques commentaires (cela vous étonne ?). Tout d'abord, monsieur le nutritionniste prétentieux et égocentrique, les consommateurs réclament les informations nécessaires pour se maintenir en forme et pour changer de corps et de vie. Ils peuvent regarder la vérité en face. Qui êtes-vous pour décider ce que moi-même ou quiconque sommes « prêts » à entendre ? Moi qui côtoie depuis longtemps maintenant des consommatrices, je sais comment elles reçoivent les informations et comment elles s'en servent pour modifier leur style de vie.

Pour changer de corps et de vie, il faut n'absorber que 15 à 20 % de lipides par jour. Quoi de terrifiant à cela ? Vous choisissez à quel niveau vous vous tiendrez, pourvu qu'il se situe quelque part entre 10 et 30 %. 30 % représentent la limite supérieure, adaptée si vous n'avez que peu de graisse à perdre et pratiquez une activité physique intensive. Si vous voulez vraiment remodeler votre corps et ne vous agitez pas en tous sens comme un lapin, optez pour un pourcentage plus bas : vous perdrez votre graisse excédentaire plus vite.

Vous avez peur de consommer trop peu de graisses ? Vous n'êtes pas la seule. J'ai vu des gens pesant 90, 130 ou même 180 kilos me poser cette question. Écoutez-moi : cela ne vous arrivera pas.

> *Avec une alimentation équilibrée, impossible de manquer d'acides gras essentiels.*
>
> ***Covert Bailey***

Inquiétez-vous plutôt de la vie que vous avez menée jusqu'à présent... de la crise cardiaque qui vous attendait au tournant après encore quelques années à ce rythme... des dégâts liés à l'obésité qu'engendre la haute teneur en matières grasses de votre alimentation... des produits chimiques et autres immondices que nous ingurgitons avec les plats « allégés ».

Réjouissons-nous plutôt d'être encore en vie après tant d'années de nourriture malsaine. Réjouissons-nous que la formule antigraisse fonctionne, réjouissons-nous de manger pour maigrir... Et rappelons-nous que si les calories sont importantes, elles ne se valent pas toutes et que la graisse fait grossir.

Votre corps ne produit pas de graisse, il en métabolise à partir de votre alimentation.

Excellent, génial, quelle logique époustouflante !

Dommage qu'il m'ait fallu, pour découvrir cela, voir ma vie exploser et m'apercevoir que mon prince Charmant n'était en réalité qu'un crapaud.

Maintenant que vous avez compris que, tout comme une voiture, votre organisme utilise du carburant, en l'occurrence de la nourriture, assimile les écarts de valeur entre calories suivant leur origine, et que la formule antigraisse n'a plus de secret pour vous, une question vous brûle les lèvres : *Que diable dois-je manger ? Combien, quand, et sous quelle forme ?*

À question simple, réponse simple : vous pouvez manger ce que vous voulez, quand vous le voulez, et en quantité aussi importante que vous le souhaitez.

Là, je sens la panique vous envahir. J'admets que ma dernière affirmation a de quoi affoler même un adepte modéré des régimes, alors je suppose que vous autres professionnelles vous vous sentez au bord de l'évanouissement.

Il s'agit d'un réflexe conditionné. On vous a éduquées à ne pas penser par vous-mêmes. Vous avez besoin de votre programme d'amincissement, de la pesée publique hebdomadaire et des applaudissements de vos consœurs pour penser que vous agissez correctement. Vous ne connaissez plus la signification du verbe « manger ».

Une cliente m'a un jour exprimé le condensé de toute cette frayeur en une petite question. Elle pesait plus de 90 kilos et était prête à tout pour changer de vie. En larmes, elle m'a expliqué qu'elle ne supportait plus de vivre comme elle le faisait. C'était une femme merveilleuse, intelligente, drôle, et elle a compris mes explications en un éclair. À la fin de notre entretien d'une heure et demie, elle m'a regardée.

– Juste une dernière question. Je dois assister à un mariage en novembre (nous étions alors au mois de juillet). Que mangerai-je ?

Je lui ai demandé :

– Qu'aurez-vous envie de manger en novembre ? Quel genre de temps fera-t-il le 20 novembre ? Qui doit assister à la cérémonie ? Votre tante Lilly, qui vous tape sur les nerfs depuis votre plus jeune âge ? Dans ce cas, vous dévorerez sans doute comme dix. Elle vous exaspère depuis trente ans, cela ne va pas changer juste parce que vous mettez de l'ordre dans votre alimentation. À quel stade en serez-vous de votre cycle hormonal ? Serez-vous de bonne humeur, heureuse, triste, furieuse ? Qui peut dire ce que vous mangerez dans quatre mois ? Et qui s'en soucie ?

L'industrie de la minceur a bien travaillé, non ? Nous ne parvenons plus à nous passer d'elle. Voilà un secteur qui a créé sa propre demande.

Vous allez voir votre conseiller en amincissement, qui vous traite comme une enfant, ou plutôt comme une idiote. Il vous donne une liste de ce que vous devez manger, minute par minute, une autre de conseils pratiques (vous savez, ceux qui ne vous sont absolument d'aucune aide quand la fringale vous saisit après une semaine ou deux de sous-alimentation), une troisième de suggestions stupides sans aucun rapport avec votre mode de vie ou vos besoins... Tout cela assaisonné de critiques plus ou moins voilées. Au bout du compte, on vous explique que vous manquez de la volonté nécessaire pour suivre un régime jusqu'au bout et devenir mince. À l'entendre, vous êtes incapable et, de fait, à force de vous l'entendre répéter, vous l'êtes devenue... incapable de la moindre décision.

On a écrit des milliers de livres sur les régimes alimentaires. Les magazines sont bourrés des trucs de telle star pour mincir et des conseils de telle autre. On parle de la minceur à la télévision, à la radio, dans les magazines, sur les panneaux d'affichage et jusque sur les poteaux téléphoniques (j'ai vu dans trois villes différentes la même affichette sauvage qui propose de perdre 1 kilo par jour : incroyable !). Où que l'on tourne les yeux, il est question de régimes, d'amincissement rapide, de perte de poids garantie.

Chaque fois que je reprenais du poids après un régime, je fustigeais mon incapacité à me soumettre à une quelconque discipline. Je déplorais amèrement mon instabilité émotionnelle et mon manque de volonté. Admirez la performance de ces messieurs : ils parviennent à vous faire douter de vous-même, au point de leur donner votre argent dix fois, voire cent fois d'affilée, malgré l'absence de résultats, sans jamais mettre en question leur crédibilité.

Pour moi, la quintessence de l'absurdité consiste à refaire encore et toujours la même chose en espérant un résultat différent. Je ne me rappelle plus qui m'a dit cela, mais j'ai immédiatement songé à ma propre expérience avec les régimes. Combien de fois ai-je pensé « cette fois-ci, c'est la bonne » ou « cette fois, je vais réussir ; d'accord, pas de problème, je vais me rouler trois fois par jour dans la boue, boire de la tisane, sucer des quartiers de citron, boire du vinaigre, jeûner pendant un mois ou deux »... J'aurais essayé n'importe quoi, sauf de manger... ce qui explique sans doute la peur que je lis dans les yeux des femmes quand je leur explique qu'il faut manger pour maigrir.

Je me moquais bien des dégâts que tel ou tel régime pouvait infliger à mon organisme pourvu qu'il me permette de mincir. On a établi des corrélations entre les régimes hypocaloriques, même suivis sous contrôle médical, et certains troubles du rythme cardiaque, certaines ablations de la vessie et même des cas de mort subite. Même quand on vous assure que ce délicieux milk-shake à la fraise, à la vanille ou au chocolat contient tous les nutriments essentiels au bon fonctionnement de votre organisme, ce n'est pas toujours vrai. Je ne me préoccupais guère des éventuels effets néfastes de mes perpétuelles variations de poids sur mon cœur ou mes autres organes vitaux. Comme beaucoup d'entre vous, j'acceptais sans hésiter d'en prendre le risque.

Dès les années 50, on a établi que les régimes présentaient des risques sur le plan physique et sur le plan psychologique. Mais il n'est guère besoin d'études scientifiques pour observer les conséquences désastreuses d'une sous-alimentation. Les milliers de milliers de personnes qui ont essayé sans succès de maigrir grâce aux divers régimes hypocaloriques constituent la meilleure des études médicales et il ne manque pas d'exemples autour de chacun d'entre nous.

Cessons de nous pencher sur les symptômes pour nous attacher à résoudre le fond du problème. Je n'attends pas de vous une confiance aveugle. Au contraire, je vous invite à secouer le joug de tous ceux qui ont cherché à vous infantiliser. Une alimentation équilibrée et pauvre en graisses vous libérera à jamais des milk-shakes, des pilules, des plats cuisinés allégés surgelés ou sous vide qui composent depuis si longtemps votre ordinaire. Dès lors que vous aurez assimilé ce concept et que vous l'appliquerez à votre vie, vous mincirez et gagnerez en santé et en force.

Pas parce que je vous aurai insufflé quelque volonté magique qui vous faisait défaut jusqu'alors. Ni parce que la fée de la motivation vous aura touchée de sa baguette magique. Ni, non plus, parce que vous suivrez un menu type accompagné de petits conseils pour les moments de vague à l'âme. Ni parce que vous aurez découvert le secret qui permet de se satisfaire d'une seule petite part de pizza. Cela ne vous arrivera jamais. D'ailleurs, qui veut d'un aliment dont on ne peut consommer que quelques bouchées ? Moi, je veux tout ou rien !

Voulez-vous acquérir l'énergie nécessaire pour vivre pleinement ? Voulez-vous manger plus que jamais et pourtant maigrir ? Jeter vos laxatifs au panier ? Si l'une de ces propositions vous intéresse, une seule voie s'ouvre à vous : manger des aliments volumineux, de qualité, et pauvres en graisses.

> *Quelle joie de manger jusqu'à satiété, de prendre de temps à autre un en-cas et de me sentir encore en pleine forme le soir ! Plus le temps passe, moins les aliments industriels m'attirent. Désormais, je me nourris de produits sains.*
>
> ***Une cliente***

Comme nous sommes toutes d'ex-clientes des régimes, j'ai pensé que cela vous rassurerait quc j'établisse quelques règles de base.

Règle nº 1 : Ne sautez plus jamais aucun repas, même le petit déjeuner.

Cela ne signifie pas que l'on doive s'alimenter de force avant une heure prédéfinie, mais qu'il faut manger quelque chose le matin.

Pour ma part, je « petit déjeune » quand la faim me vient. Manger dès mon réveil m'écœure, donc je ne le fais pas. En revanche, après quelques heures d'activités diverses, je meurs de faim. De ce fait, l'heure de mon petit déjeuner varie chaque jour. Si je me lève vers 5 ou 6 heures, vous me trouverez vers 8 heures dans un snack, attablée devant une omelette de blancs d'œufs, des petits pains, une salade avec des tomates et des oignons (j'adore les oignons, surtout à certains moments du mois, ainsi que les câpres). Si je ne suis pas levée à 8 heures, envoyez quelqu'un prendre mon pouls, car cela signifie probablement que je suis morte. Mais, si d'aventure je me levais aussi tard, je prendrais mon petit déjeuner aux alentours de 10 heures.

En résumé : prenez votre petit déjeuner quand votre estomac vous le dicte. Ensuite, poursuivez vos activités jusqu'au repas suivant, qu'on appelle déjeuner. Il faut prendre des forces pour mener à bien vos activités de l'après-midi (quelles qu'elles soient : cours de gym, chercher vos enfants à l'école, travailler à votre bureau...) et vous soutenir jusqu'au (vous l'aviez deviné) dîner. Trois vrais repas par jour : un bon rythme pour apporter à votre organisme l'énergie indispensable à son fonctionnement.

Chacun sait qu'on survit fort bien avec trois repas par jour. Mais, si vous avez faim entre ces repas, il faudra aussi manger. Pour ma part, j'emporte des en-cas avec moi en voiture. Ainsi, je n'ai qu'à tendre le bras. Certains jours, je mange toute la journée. Je devrais peut-être m'attacher une mangeoire au cou ; cela me simplifierait la vie.

Les en-cas sont une bonne chose, mais ils ne doivent pas remplacer l'un des trois repas. J'ai eu des clientes qui, ayant découvert que les petits pains étaient pauvres en graisses, ne se nourrissaient que de cela pendant des semaines. Les petits pains, mes amies, ne constituent pas un repas équilibré. Ils ne suffisent pas à votre alimentation.

En revanche, un solide petit déjeuner à base de céréales, de fruits, de jus de fruits, de café et de petits pains contient tous les nutriments essentiels à votre organisme et très peu de lipides.

Notre but n'est pas de découvrir une marque de crackers pauvres en graisses et de nous en nourrir à l'exclusion de tout autre aliment. Commencez donc par faire trois vrais repas par jour.

Alors que dites-vous de ma règle n° 1 ? Êtes-vous sous la table en proie à une crise de panique ? Ne vous en faites pas, vous vous y accoutumerez vite. C'est beaucoup plus facile et amusant qu'un régime et, en plus, ça marche. Bientôt vous vous sentirez en meilleure forme, bien mieux que quand vous vous affamiez.

Chaque fois que j'entamais un nouveau régime, pendant deux semaines je pesais et mesurais consciencieusement tout ce que je mangeais, dans l'espoir de, cette fois enfin, mincir vraiment et m'arracher à ma condition de femme au foyer grosse et paresseuse. Puis, inévitablement, un jour, j'absorbais un aliment « interdit » ou je mangeais « trop »... et je craquais. Dix minutes après je me retrouvais assise par terre dans la cuisine à manger tout ce qui me tombait sous la main. Je me jurais toujours de recommencer un régime le lendemain, mais tous finissaient ainsi, sur le sol de ma cuisine.

Règle n° 2 : Mangez autant que vous voulez. Cessez d'y penser et laissez parler votre instinct. Assurez-vous seulement que vous consommez bien chaque jour la quantité exigée par votre poids et votre activité. Pour le reste, ne vous inquiétez pas de ce que vous mangez, à quel repas ou dans quel ordre.

Je sais, cette fois, vous vous dites que je passe les bornes. Habituée à vous en remettre à autrui pour tout ce qui concerne votre alimentation, vous ne savez plus détecter votre propre satiété. Je me trompe ? Où s'arrête la faim pour laisser la place à la gourmandise ? Nous vivons toutes dans la terreur de la boulimie...

Moi, je sais que vous *savez* quand vous êtes rassasiée. Je savais très bien que je l'étais quand, après un énorme dîner plein de lipides, je m'emparais d'un paquet de bonbons à grignoter devant la télévision. De même, je le savais quand je me précipitais dans la cuisine deux heures plus tard pour noyer mes frustrations dans une demi-douzaine de toasts à la cannelle... et je n'en doutais guère quand je les vomissais en me tordant de douleur.

On sent quand on a atteint la satiété. Vous connaissez très bien cette sensation. Ne vous laissez pas tromper par ces fameux trucs de nutritionniste pour accélérer l'impression de satiété (boire beaucoup d'eau avant de se mettre à table). C'est agréable, n'est-ce pas, d'ingurgiter de la nourriture par-dessus ces litres d'eau ! Vous l'avez fait, moi aussi, nous l'avons toutes fait. Tout comme d'absorber des paquets de fibres et de les sentir gonfler dans notre estomac. Cela vous a aidée, n'est-ce pas, d'avaler des kilos de ficelle ? Je vous conseille plutôt de manger jusqu'à ce que vous soyez vraiment rassasiée.

Et si « satisfaction » signifie un peu trop de temps à autre, qu'importe ? Je n'ai jamais appris à modifier mon comportement. Quand je me sens frustrée, je mange, tout comme quand je pesais 118 kilos. Si je me dispute avec mon mari, ou si je me sens coupable, ce qui arrive souvent quand on élève des enfants, je mange.

La grande différence avec autrefois réside dans ce que je mange. Je n'engloutis plus un sachet de M & M's ou quelque autre horreur pleine de sucre et de produits chimiques. À présent, je me jette sur des aliments énergétiques et pauvres en lipides. Je dévore toujours, mais des choses saines. On peut ne pas toujours maîtriser ses émotions (qui en est capable ?)... mais les choses changent quand on sait qu'on peut manger de tout sauf des cochonneries industrielles dégoulinantes de matières grasses.

Ma fille aînée avait invité des amies à dormir à la maison. Je leur avais acheté des beignets pour le petit déjeuner. De peur de les manger pendant la nuit, je les ai enfermés dans un placard dont je lui ai donné la clé. Le lendemain matin, ma fille n'a retrouvé que quelques miettes. J'avais réussi à glisser ma main par un trou du placard. Heureusement, ma fille a le sens de l'humour...

Darlene, une cliente

Laissez-moi vous raconter une de mes théories illustrant les ravages de la frustration ; je l'appelle la théorie du crayon. Imaginez qu'on vous dise que vous pouvez posséder toutes les choses existantes, sauf un stylo à bille. Aussi longtemps que vous vivrez, vous vous passerez de stylos à bille. Vous en verrez dans la main des autres, dans la poche de vos parents et amis mais vous-même n'en aurez jamais.

Au début, cela ne vous dérangera pas ; après tout, qu'est-ce qu'un stylo à bille ? Qui en a besoin ? Puis, très vite, vous vous mettrez à détester qu'on vous interdise la possession d'un objet. Puis cela virera à l'obsession. Nuit et jour, obsédée par les stylos à bille, vous réfléchirez au moyen de vous en procurer un. Vous vous surprendrez à envisager d'en arracher des mains d'un passant. Tout vous paraîtra dérisoire au regard de votre obsession. Ainsi, au cours d'une réunion, vous oublierez d'écouter ce qui se dit tant le stylo à bille de votre président vous fascinera. Puis vous commencerez à en voler et à les cacher dans votre sous-sol. Très vite, il faudra vous résoudre à avouer votre « vice » ou « stylomanie » et vous inscrire en thérapie de groupe pour tenter d'en guérir. Voilà une nouvelle maladie.

L'industrie de la minceur a suscité ainsi bon nombre de troubles de l'alimentation en décrétant que certaines personnes devraient passer le restant de leurs jours à peser et à calculer avant de manger, à distinguer les aliments « régime » des autres aliments. Et, comme nous l'avons vu ensemble, ces aliments « allégés » se révèlent en général bourrés de lipides, sans parler des produits chimiques qu'ils contiennent ni de leur goût infâme. Ce n'est pas avec cela que vous allez remodeler votre corps.

Je ne vais pas vous conseiller de manger des aliments spéciaux. Si vous voulez des biscuits, mangez des biscuits. Mais comme votre corps a besoin d'autre chose, vous ne pourrez pas en manger toute la journée. Prenez votre petit déjeuner, puis mangez des biscuits énergétiques et pauvres en graisses. Vous voulez du gâteau ? L'autre jour, j'ai mangé avec mes fils une énorme part de gâteau à la banane et aux noix. Qu'ai-je alors fait ? Me suis-je précipitée au rayon surgelés du supermarché pour acheter des plats prétendus dépourvus de lipides et ne manger que cela au repas suivant ? Non ! Cent fois non. Je réagissais ainsi, autrefois, et c'est comme cela que je suis devenue grosse. Non, j'ai emmené mes fils dans une pâtisserie qui prépare des gâteaux pauvres en graisses à partir de produits naturels, j'ai mangé comme un ogre et passé un excellent moment. Du gâteau, du soda et mes fils : le paradis.

Je n'avais aucune raison de me sentir coupable. N'ayant pas « gâché une journée de régime », je ne ressentais nul besoin de courir à la maison manger encore plus. J'avais pris un petit déjeuner consistant, travaillé toute la matinée et je faisais une pause gâteau avec mes fils avant de continuer ma journée. À propos, je n'ai jamais mangé de meilleur gâteau à la banane et aux noix. J'ai dévoré ma part et un morceau de celle de mon plus jeune fils ; qui osera me le reprocher ?

Vous commencez à comprendre : il ne s'agit pas de se restreindre. Si vous voulez perdre votre graisse excédentaire, il va falloir diminuer votre absorption quotidienne de lipides afin de permettre à votre corps de puiser dans ses réserves. C'est aussi simple que cela. Notez aussi que plus vous donnerez à votre organisme du carburant de qualité, mieux il fonctionnera. Les aliments nourrissants vous fourniront l'énergie nécessaire, la satiété et votre apport calorique quotidien. Et vous mangerez vraiment, au lieu de grignoter un peu de cottage cheese, un hamburger sans pain (cela existe ; j'ai vu quelqu'un en commander un, l'autre jour ; quelle tristesse !) ou de la salade à peine assaisonnée. À quoi sert une cuillerée à café de vinaigrette ? À raison d'une cuillerée ou de dix, elle se compose toujours de 60, 70, voire 80 % de matières grasses. Pourquoi en mettre ? Si vous voulez être sûre de vous sentir au ban de la société, déclarez à table : « Non, merci. Je prendrai juste une cuillerée à café de vinaigrette. » Vous pourriez tout aussi bien crier : « Je suis incapable de me contrôler quand je mange ; je suis mon dix millionième régime et j'espère qu'il va enfin marcher. »

Les créateurs de régimes nous ont placées dans une position abominable. Nous réagissons de manière anormale, absurde. Réapprendre à manger implique aussi bien une reprise de contact avec son corps et ses besoins nutritionnels qu'une étude des aliments qui lui conviennent. Par pitié, *n'ayez plus peur de la nourriture.*

> *Elle me domine. Plus autant qu'autrefois, mais elle demeure la première chose qui me vient à l'esprit quand je me sens déprimée ou que mon mari me dit une chose désagréable.*
>
> ***Mary Jane, une cliente***

J'ai fait plusieurs grandes déclarations, au fil de ce chapitre. « N'ayez plus peur de la nourriture » est la plus importante d'entre elles.

Vous êtes-vous penchée sur la composition nutritionnelle du hamburger dévoré au fast-food, la semaine dernière ? Non, bien sûr. Et pourquoi cela ? Parce que vous faites confiance à la compagnie qui les fabrique ? Que dire, alors, des produits chimiques colorés qu'on boit en guise de repas dans le cadre de certains régimes ? Croyez-vous ces plats lyophilisés, qui coûtent si cher, équilibrés ? Pourquoi ?

Tous ces produits sont fabriqués et vendus par des gens qui n'ont pas encore compris qu'il nous faut plus de 1 000 calories par jour pour survivre. Cela ne vous effraie pas ? Nous leur faisons aveuglément confiance sous prétexte qu'ils se soumettent à un « contrôle médical », ainsi qu'à celui du ministère de la Santé, ce qui ne signifie rien. Ces gens ont fait leur lit ; qu'ils s'y couchent, maintenant. Ils nous ont menti, volé de l'argent et fait souffrir physiquement et moralement avant de nous convaincre de notre nullité. À eux de payer. Ils ne nous protégeront pas plus qu'ils ne nous diront la vérité, alors croire en leur parrainage ne tient pas debout. On croirait qu'ils nous ont jeté un sort. Telles des imbéciles, nous avons gobé tous leurs boniments et acheté tout ce qu'ils avaient à nous vendre. Bravo, messieurs. Et tous ces milk-shakes, ces boissons, ces pilules et ces plats surgelés, artificiellement colorés et pleins de produits chimiques dont nous nous empoisonnions nous ont fait grossir.

Des céréales couvertes de sucre pour le petit déjeuner, un hamburger et des frites à midi, plus un dîner équilibré de viande, lait et pommes de terre. Peut-on concevoir alimentation plus malsaine ? La plupart d'entre nous absorbent beaucoup, beaucoup, beaucoup trop de lipides et pas assez de calories. Nous mangeons trop de cochonneries chimiques et sucrées, et pas assez d'aliments nutritifs. Quelle merveille que nos organismes survivent tant bien que mal à ce traitement !

L'heure est venue d'une petite leçon d'histoire sur la genèse des comportements alimentaires aberrants.

Tout a commencé à l'école primaire, où l'on nous serinait le credo des « quatre groupes d'aliments ». Nos parents pensaient qu'ils nourrissaient parfaitement nos petits corps en pleine croissance car les experts leur disaient que les meilleurs aliments étaient la viande, le lait, les légumes et le pain.

Il n'y a pas si longtemps, nous croyions encore

tous que le tableau affiché dans les écoles indiquait la « bonne » façon de manger.

Oh, pardon, vous ne pouvez pas le regarder : il n'est plus là. Et vous savez pourquoi ? J'ai appelé le Conseil national des producteurs laitiers, qui a refusé que je m'en serve. Visualisez-le tout de même dans votre tête. J'adore les exemples donnés par le « groupe des céréales » : 3 tranches de pain enrichi et 30 grammes de céréales enrichies.

Et voici les conseils éclairés que nous avons choisis sans poser de question... au secours !

Manger du pain enrichi équivaut à peu près à manger du carton. Et encore, le carton est probablement plus nutritif. Imaginez un peu le procédé : en fabriquant l'aliment, on le dépouille de tous ses nutriments, après quoi on les réintroduit, accompagnés de fortifiants. Nous avons déjà vu ce qui arrive lorsque nous essayons de faire mieux que cette bonne vieille mère Nature : nous nous plantons et les catastrophes s'amoncellent.

Prenons à présent un tableau que vous pouvez regarder avec moi, le « Guide des bons choix alimentaires ». Là encore on retrouve la sacro-sainte règle des 2 portions quotidiennes de lait et de viande... voilà qui va vous maintenir en bonne santé. Le steak appartient à la même catégorie que le poisson. Il faut aussi consommer chaque jour 3 portions de légumes et 6 de céréales. À l'exception du riz, les céréales prévues par le tableau ont toutes été traitées. Je frémis à l'idée du transit intestinal d'une personne qui suit ces conseils. Pourquoi si peu de céréales entières ?

Regardons à présent les « autres » aliments qui ne sont « pas assez nutritifs pour entrer dans un des cinq groupes principaux ». J'adore ce concept d'aliments insuffisamment nutritifs.

En résumé, le nouveau tableau comporte deux groupes de plus que le précédent, ce qui nous laisse

GUIDE DES BONS CHOIX ALIMENTAIRES

Source: Guide de la Bonne Alimentation (Conseil national des producteurs laitiers)

N.B. 1 tasse= 0,25 l

Groupes d'aliments	Nutriments	Portions par jour			Aliments	Taille d'une portion
		Enfants 2-5 ans	Enfants 6-10 ans	Pré-ado. Adolescents Adultes		
Lait	Principal : calcium Autres : protéines vitamine B2 (riboflavine) vitamine D	3	3	2-4**	•lait •yaourt •fromage (sec ou frais) •glaces •milk-shake	1/4 l 1/4 l 45-60 g 120 ml 280 ml
Viande	Principal : fer Autres : protéines vitamine PP (miacine)	2*	2-3	2-3	•viande maigre •volaille •poisson •œufs •beurre de cacahuètes •légumes secs •noix, graines	} 60-90 g 1 2 c. à café 1/2 tasse
Légumes	Principal : vitamine A Autres : vitamine C fibres	3*	3-4	3-5	•jus de légumes •légumes cuits •légumes crus ou râpés •légumes en feuilles crus	180 ml } 1/2 tasse 1 tasse
Fruits	Principal : Vitamine C Autres : vitamine A fibres	2*	2-3	2-4	•jus de fruits •pommes, bananes oranges, poires •pamplemousse •melon •fruits en cons. ou cuits •raisins secs ou autres	180 ml 1 moyenne 1/2 1/4 1/2 tasse 1/4 tasse
Céréales	Principal : fibres Autres : glucides fer	4	6-9	6-11	•pains •brioches, pain à hamburger •riz, pâtes, céréales cuites, bouillies •céréales à petit déj.	1 tranche 1/2 1/2 tasse 30 g
"Autres"	N'en possèdent pas assez pour appartenir à l'un des 5 autres groupes	Peuvent être consommés en petites quantités, mais ne sauraient remplacer les aliments des 5 autres groupes			•graisses et huiles •bonbons, biscuits sucrés •gâteaux, desserts riches •chips, biscuits salés •condiments •alcool •café, thé •boissons sucrées	

*** Réduire les portions à 2/3 des quantités indiquées.**

**** 4 portions par jour pour les pré-adolescents, adolescents, adultes de moins de 24 ans, femmes enceintes et femmes allaitantes.**

face à six groupes d'aliments... et guère plus avancés. Que devons-nous manger ?

LA PYRAMIDE DES ALIMENTS

Pour manger mieux, utilisez chaque jour cette pyramide. Consommez tout d'abord beaucoup de pain, céréales, riz et pâtes, puis des légumes et des fruits. Ajoutez à cela 2 ou 3 portions de produits laitiers et autant de viande ou assimilés. Chaque groupe d'aliments vous procure une partie des nutriments essentiels à votre santé.

Aucun groupe n'est donc plus important que les autres : il faut consommer des aliments de tous les groupes. Limitez toutefois votre absorption des produits placés au sommet de la pyramide, huiles, graisses et sucreries.

Cette seconde version allégée du tableau diffère peu du modèle d'origine. Les experts nous parlent de graisses saturées... mais dans leurs tableaux, ils rangent toujours le poulet dans la même catégorie que la viande. Les protéines sont toujours des protéines. La section céréales s'est enrichie. Elle inclut même le riz ; bravo, messieurs.

Les experts continuent à nous assurer qu'il faut consommer de l'huile, de la viande, du fromage, du lait entier et des œufs pour bien se porter.

Quand quelqu'un se décidera-t-il enfin à dessiner une pyramide des aliments nourrissants, énergétiques et pauvres en graisses ?

LE POINT DE VUE DE SUSAN

Oyez, oyez, bonnes gens, vous pouvez sans exagérer me qualifier de génie. Ne vous inquiétez pas, messieurs les experts, Susan a résolu votre problème. Je vais vous exposer un moyen simple et peu

PYRAMIDE DES ALIMENTS
Guide pour les choix alimentaires quotidiens

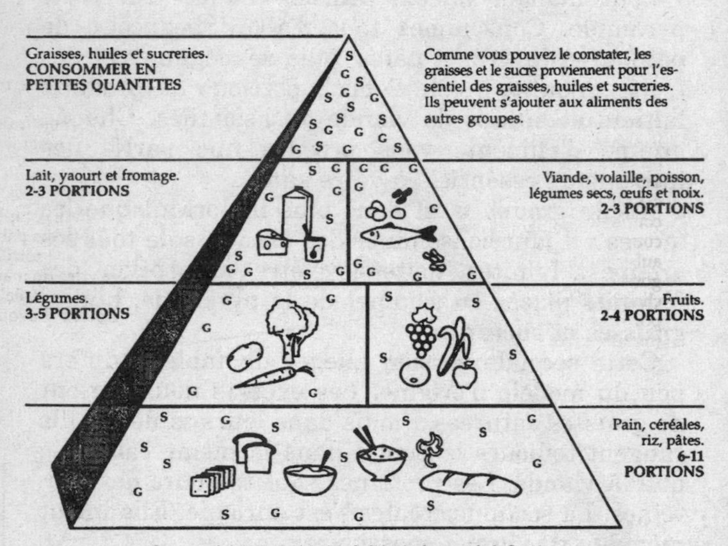

Source: ministères américains de l'Agriculture et de la Santé

LE POINT DE VUE DE SUSAN
Pyramide de l'alimentation saine

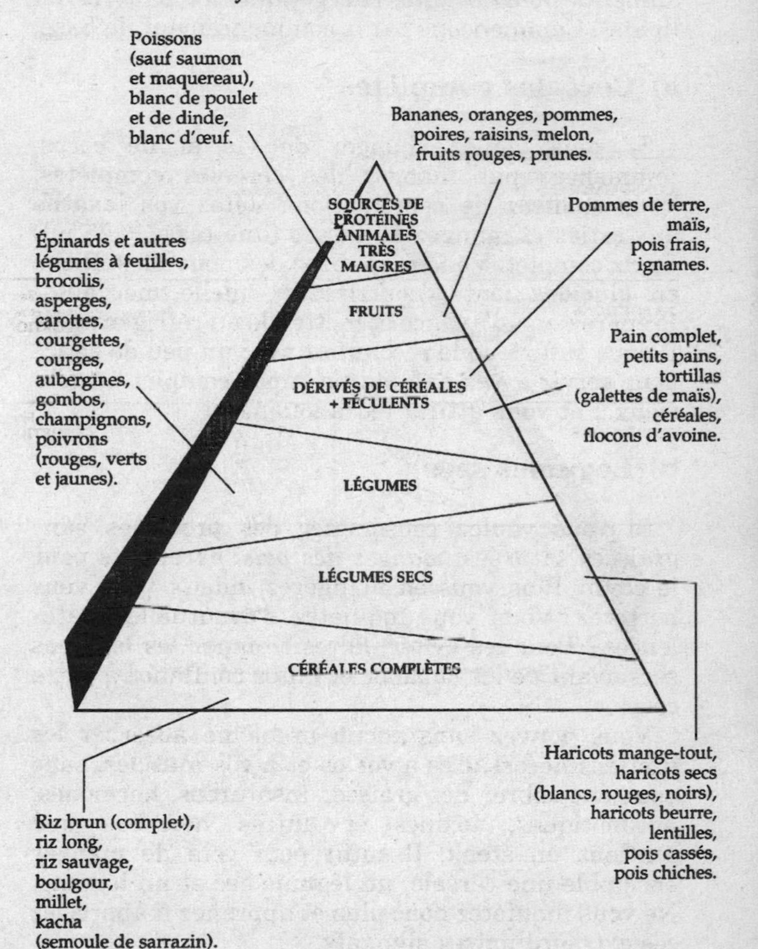

coûteux de vous assurer que vous mangez de manière variée et équilibrée, en consommant des aliments nourrissants, énergétiques et pauvres en lipides. Commençons par le commencement, la base.

a) Céréales complètes

Si vous voulez changer de vie et de corps, commencez par manger des céréales complètes. Vous souffrez de constipation ? Jetez vos laxatifs aux orties et mangez 10 tasses (une tasse = 25 ml) de riz complet. Vous m'en direz des nouvelles. Riche en glucides lents, nourrissant, quelle merveille ! Préparez-en à l'avance et mettez-le au réfrigérateur. Il vous suffira de le réchauffer avec un peu de sauce pour servir à vos enfants un repas complet et délicieux... et vous attirer leurs louanges.

b) Légumes secs

Si vous voulez consommer des protéines sans graisses saturées, *mangez des pois*, excellents pour le cœur. Plus vous en mangerez, mieux vous vous porterez. Vous vous inquiétez d'éventuelles flatulences ? Pour les éviter, faites tremper les légumes secs avant de les cuisiner et faites confiance à votre corps.

Vous pouvez sans aucun problème absorber les protides nécessaires à vos os et à vos muscles, sans vous encombrer des graisses insaturées, hormones, antibiotiques, toxines et autres horreurs que contient un steak. Il suffit pour cela de manger ensemble une céréale, un légume sec et un légume. Ne vous inquiétez donc plus et apprenez à apprécier ces extraordinaires aliments.

c) Légumes

Vous connaissez les légumes. Quand vous faisiez un régime, on vous conseillait d'en emporter avec vous pour combattre les fringales. Souvenez-vous comme ces tiges de céleri vous rassasiaient après une journée passée à courir à droite et à gauche... Rappelez-vous les salades composées obligatoires du déjeuner. Mettons tout de suite les choses au point : oui, les légumes sont bons pour vous et vous devez en manger, mais un bol de légumes un repas acceptable ne constitue pas (voilà que je me mets à parler en langage médiéval). Ne vous contentez plus jamais pour tout déjeuner d'un plat de légumes. En revanche, ajoutez des légumes à votre salade de riz ou de pâtes, dans vos sandwiches ou sur une assiette à part. Peu importe que vous les cuisiez à la vapeur, à l'eau, au four, à la poêle, ou que vous les passiez au mixer si vous n'avez plus de dents, pourvu que vous renonciez aux salades-repas.

d) Dérivés de céréales et féculents

Voici une catégorie fort intéressante. Tout le monde a besoin de consommer des glucides lents, qui constituent une excellente source d'énergie, et ces aliments sont le plus souvent nourrissants et toujours pauvres en graisses.

Par malheur, la plupart de nos concitoyens absorbent leurs glucides sous une forme industrielle. Pour beaucoup d'entre eux, l'amélioration qualitative de leur alimentation passe par l'abandon du pain blanc (cette chose infâme traitée et retraitée que les nutritionnistes nous conseillaient dans les années 80) au profit du pain complet, ou l'échange d'un œuf au petit déjeuner contre un petit pain. Cela représente un progrès dans la bonne direction, mais une femme ne peut se nourrir exclusivement de petits pains. De plus, ceux-ci n'ont rien d'un produit naturel (avez-vous jamais vu des arbres à petits pains ?). Or, plus on se rapproche de la nature, meilleurs et plus nutritifs sont les aliments.

Je vais vous expliquer pourquoi. Les petits pains, les pâtes, le riz précuit, la farine de maïs et le pain complet sont d'excellents aliments, sans nul doute bien meilleurs que les pâtisseries industrielles qu'on achète au supermarché. Il s'agit néanmoins de produits raffinés, et non du type d'aliments nourrissants, énergétiques, et maigres que je préconise. Au cours de leur fabrication, les grains et les farines dont ils sont faits disparaissent. Dès lors, une part non négligeable des nutriments, des fibres et de l'énergie contenue dans les ingrédients d'origine s'est perdue quand le pain, la tortilla ou la préparation céréalière voit le jour.

Si vous mangez trop de céréales traitées, vous risquez de ne pas apporter à votre organisme les nutriments variés qu'il réclame. Par ailleurs, on rajoute souvent dans ces produits finis, pour améliorer leur texture ou leur goût, du sucre, du sel et parfois même des matières grasses. Alors, encore une fois, lisez bien les étiquettes. Contrairement aux apparences, tous les pains ne se ressemblent pas.

Je ne vois aucun mal à manger des céréales ou des pâtes de temps à autre. Malheureusement, nous ne pratiquons pas une telle modération. En fait, nous absorbons presque tous nos glucides lents sous cette forme, au lieu de les prendre sous leur forme originelle, bien plus bénéfique. Mangez, appréciez vos repas, mais n'oubliez jamais qu'on ne mange pas un petit pain seul, mais avec d'autres aliments.

Parlons par exemple du petit déjeuner. Commencez par une grande omelette de blancs d'œufs, fourrée de légumes et accompagnée de condiments. J'adore les sauces épicées, les câpres, les oignons et les tomates. Puis passez à vos petits pains, sans beurre, mais avec un peu de moutarde, quelques feuilles de salade, mes tomates et mes oignons. Si vous préférez, préparez-vous un délicieux et nutritif sandwich au blanc d'œuf. Ne vous contentez pas d'un petit pain ; accompagnez-le d'une quantité de vraie nourriture saine.

e) Fruits

Mangez-en de temps à autre. Notre organisme brûle le sucre très rapidement, mais les pommes sont un des aliments les plus bourratifs au monde. Alors, n'hésitez pas à en prendre au petit déjeuner avec vos flocons d'avoine ou vos céréales, ou à un autre moment de la journée. Si vous n'en éprouvez pas l'envie, ne vous forcez pas.

f) Autres sources de protéines

Je les ai placées au sommet de ma pyramide car je ne les recommande pas. Cependant, si vous avez envie de dinde, prenez-en un morceau maigre (à l'aide de la formule antigraisse). Vous pouvez aussi vous accorder un peu de blanc de poulet, de poisson (après vérification, car tous les poissons ne sont pas maigres) et cette merveilleuse source de protides qu'est le blanc d'œuf.

Comme vous le voyez, on peut absorber des protéines de manière beaucoup plus satisfaisante qu'en mangeant du bœuf maigre... qui d'ailleurs n'existe pas. Le terme en lui-même est un non-sens. Quoi que prétendent les éleveurs, la viande de bœuf offre une grande concentration de lipides saturés. Quant au porc, laissez-moi rire ! Cet animal est le symbole de la graisse.

Si vous tenez à manger de la viande, choisissez une des options maigres que je vous ai indiquées, mais n'oubliez pas que les pois vous sustenteront tout autant.

Qu'en dites-vous ? Aimez-vous ma méthode ? Reconnaissez-lui au moins le mérite de la simplicité.

Ne vous précipitez pas pour vider vos placards. Inutile de stocker des bocaux en verre et des légumes secs. Contentez-vous de les incorporer peu à peu à votre alimentation, de la manière qui vous paraîtra la plus simple. Pas de formule antigraisse avec les pois ; il vous faudra juste apprendre à les cuisiner en fonction des habitudes et des goûts de votre famille, en potages, en ragoûts, en salades, en pâtes, en purées... Je fais, pour ma part, un succulent pain de lentilles. La simple idée de ce plat vous soulève le cœur, et pourtant même les inconditionnels du pot-au-feu en conviennent. Ne dites pas à votre carnivore préféré de quoi il s'agit ; il ne s'en rendra pas compte et toute votre famille deviendra svelte et en pleine forme.

Penchons-nous à présent sur les céréales complètes : riz complet, riz sauvage, millet, avoine concassée, polenta, etc. J'ai placé ces produits à la base de ma pyramide car ils doivent devenir le fondement de votre alimentation. La combinaison céréales complètes-pois-légumes apportera à votre corps tous les nutriments nécessaires à sa santé. Il s'agit pour lui du meilleur carburant possible : pauvre en lipides, riche en glucides complexes, en protéines et en fibres. Voilà le moyen de changer de corps.

Commencez par vous familiariser avec ces aliments et surtout ne vous affolez pas. Une femme capable de préparer un déjeuner de Noël à l'heure ne devrait pas éprouver de difficulté à concocter un plat de riz à partir de vrai riz et non de ces affreux grains blancs et lisses qu'on vend en boîte.

Servez un plat de céréales avec le poulet grillé (sans peau) prévu pour le dîner. Ajoutez des céréales ici et là et observez comment votre corps réagit.

Il existe sur le marché des dizaines d'excellents livres de cuisine sur les céréales. Prenez-en un au hasard. Si les recettes de riz sont pleines de beurre et de lait, trouvez-en un autre. Il ne manque pas non plus de recettes pour accommoder les pois, alors amusez-vous. Apprenez à préparer ces nouveaux aliments, puis asseyez-vous et mangez, dégustez...

Ce nouveau régime alimentaire apportera à votre organisme les protéines, sels minéraux, vitamines, fibres, etc., indispensables à son bien-être.

Si étonnant que cela puisse paraître, il se trouve encore des gens pour se référer aux « quatre types d'aliments ». Si ce tableau est encore punaisé dans la classe de vos enfants, mettez-les en garde contre les mensonges qu'il profère. Dites-leur la vérité afin qu'ils sachent quels aliments éviter et se prémunissent ainsi contre les souffrances physiques et morales que vous et moi avons vécues grâce aux experts.

Augmenter le volume et la qualité de mon alimentation m'a donné l'énergie nécessaire pour mener à bien mes activités quotidiennes. Cela m'a aussi rendue mince. Aujourd'hui, je suis libérée de mes chaînes car je ne pense plus à la nourriture, sauf pour me demander ce que j'ai envie de manger. Imaginez-vous le changement que cela apportera dans votre vie d'oublier enfin l'obsession qui empoisonne votre existence ?

Je reviens de « bruncher » avec mon mari et mes fils. Voici ce que j'ai mangé : une grande salade assaisonnée de vinaigrette au citron, des chips mexicaines (allégées en graisses) accompagnées d'une sauce aux haricots rouges et des crêpes au blé complet, aux myrtilles et à la banane, avec du sirop d'érable et des fruits frais. Que demander de plus ? Croyez-vous que je me sente frustrée ? Ce n'est pas comme si je m'étais levée de table en me répétant : « J'aurais bien mangé quelque chose de sucré », puisque je l'ai fait.

Vous vous demandez sans doute si je mange ainsi

tous les jours. La réponse est non : d'ordinaire je ne mange pas de crêpes car, pour quelque obscure raison, elles sont indissociables, dans mon esprit, du brunch dominical. En revanche, je mettrais sans hésiter de la salade et des chips mexicaines au menu de tous mes déjeuners (j'adore la cuisine mexicaine). J'ai déjà avoué (vous savez combien nous autres catholiques adorons nous confesser) que je n'avais jamais pu modifier mon comportement. Je vous révèle à présent que je ne brille pas non plus par ma maîtrise de moi. À dire vrai, je n'aime guère me retenir. Je suppose que vous l'avez remarqué à la lecture de ce livre.

Si vous ne vous êtes pas encore précipitée au supermarché pour tester la formule antigraisse, si vous n'avez pas calculé vos besoins caloriques quotidiens ni appelé une amie pour lui en parler, ni vidé vos placards pour exposer au grand jour les mensonges de fabricants réputés... c'est qu'il vous faut encore des preuves supplémentaires.

Je vois qu'il va me falloir user des grands moyens pour vous rallier à ma croisade. Allons-y pour les comparaisons des teneurs en graisses de divers aliments. Elles m'amusent et elles vont vous rendre folle, du moins, je le crois. Si elles n'y réussissent pas, rien ne le fera.

Adopter une alimentation nourrissante et pauvre en lipides est très facile dès lors que l'on assimile le concept du tableau comparatif des teneurs en lipides, par opposition au classique décompte des calories. Il s'agit de se concentrer sur les lipides.

Sur la gauche du tableau, vous trouverez des aliments hélas trop familiers. Les cinq colonnes suivantes sont dévolues à cinq types d'aliments : légumes verts, légumes secs, céréales complètes, produits dérivés de céréales et fruits. Il ne s'agit, bien entendu, que d'exemples et l'on pourrait effectuer des comparaisons de ce type à l'infini.

Examinons ensemble le premier exemple : un biscuit aux pépites de chocolat. Un biscuit, pas deux. Combien de fois avez-vous entendu ce conseil d'experts en amincissement férus de théories comportementales : « apprenez à vous contenter d'un seul biscuit, gâteau, etc. » ? Eh bien, même si vous faites partie des rares personnes (pour ma part, je n'en ai jamais rencontré) qui savent se « contenter d'un biscuit », sachez qu'un biscuit, c'est encore trop.

Regardez : vous pouvez consommer *1 biscuit ou 20 tasses de riz* ! (1 tasse = 25 ml.) Un seul biscuit contient autant de lipides que 20 tasses de riz. Exemple probant de la différence entre un aliment riche en matières grasses et peu nourrissant, et un aliment présentant les caractéristiques inverses.

Savez-vous quelle variété de plats on peut confectionner à partir de riz ? Des soupes, des plats mijotés, des salades, des pains... et vous en avez 20 tasses à utiliser. Tout cela contre *un* biscuit. Messieurs les médecins, diététiciens et nutritionnistes, pourquoi ne nous en avez-vous jamais soufflé mot ? Au lieu de mettre en cause mon alimentation, vous m'avez laissée croire que je grossissais parce que je ne parvenais pas à contrôler mon appétit...

Vous êtes paralysée par la fureur ? Pas moi. Continuons. Promenez-vous avec moi dans ce tableau. Un petit creux ? Que diriez-vous d'une barre de chocolat ? À quoi correspond-elle ? À 35 tasses de pop-corn maison (attention à celui que vous achetez tout fait : n'oubliez jamais de lui appliquer la formule antigraisse pour déceler les mensonges des fabricants). Préparez vos 35 tasses, saupoudrez-les de sel et dégustez-les.

Penchons-nous à présent sur le cas des enchiladas au fromage : 3, ou 100 petits pains. Que voulez-vous attendre de 100 petits pains, à part une indiges-

Tableau comparatif des teneurs en lipides de divers aliments

Les quantités sont données en volume : 1 tasse = 0,25 l, sauf lorsqu'il s'agit d'aliments liquides (se munir d'un verre doseur).

Aliments riches en lipides	Légumes verts	Légumes secs
1 biscuit aux pépites de chocolat 6 g lipides 78 calories **= 69 % de lipides**	**= 50 carottes** 6 g lipides 1 500 calories **= 4 % de lipides**	**= 10 tasses de lentilles** 6 g lipides 816 calories **= 7 % de lipides**
1 part de pizza au fromage 10 g lipides 250 calories **= 36 % de lipides**	**= 30 tasses de haricots verts** 10 g lipides 1 313 calories **= 7 % de lipides**	**= 12 tasses de haricots mange-tout** 10 g lipides 2 811 calories **= 3 % de lipides**
1 cheeseburger 30 g lipides 500 calories **= 54 % de lipides**	**= 80 tasses de brocolis** 30 g lipides 1 971 calories **= 14 % de lipides**	**= 30 tasses de haricots mange-tout** 30 g lipides 7 028 calories **= 4 % de lipides**
1/4 litre de lait entier 8 g lipides 160 calories **= 45 % de lipides**	**= 20 tasses d'épinards cuits à la vapeur** 8 g lipides 493 calories **= 15 % de lipides**	**= 10 tasses de haricots beurre** 8 g lipides 2 200 calories **= 3 % de lipides**
1 cuil. à café de beurre de cacahuètes 8 g lipides 94 calories **= 77 % de lipides**	**= 50 tasses de chou-fleur** 8 g lipides 1 200 calories **= 6 % de lipides**	**= 20 tasses de pousses de lentilles** 8 g lipides 1 632 calories **= 4 % de lipides**

Céréales	Féculents + dérivés de céréales	Fruits
= 20 tasses de riz long 6 g lipides 3 342 calories **= 2 % de lipides**	**= 6 tasses de pâtes** 6 g lipides 1 044 calories **= 5 % de lipides**	**= 800 grains de raisin** 6 g lipides 1 469 calories **= 4 % de lipides**
= 10 tasses de riz complet 10 g lipides 2 321 calories **= 4 % de lipides**	**= 10 tasses de pâtes** 10 g lipides 1 740 calories **= 5 % de lipides**	**= 15 poires** 10 g lipides 1 469 calories **= 11 % de lipides**
= 90 tasses de riz long 30 g lipides 14 590 calories **= 2 % de lipides**	**= 30 tasses de pâtes au blé complet** 30 g lipides 5 220 calories **= 5 % de lipides**	**= 50 pommes** 30 g lipides 4 885 calories **= 6 % de lipides**
= 8 tasses de riz complet 8 g lipides 1 856 calories **= 4 % de lipides**	**= 20 tasses de petits pois** 8 g lipides 2 688 calories **= 3 % de lipides**	**= 15 tasses de myrtilles** 8 g lipides 1 218 calories **= 6 % de lipides**
= 8 tasses de riz complet 8 g lipides 1 856 calories **= 4 % de lipides**	**= 10 petits pains** 8 g lipides 1 640 calories **= 4 % de lipides**	**= 14 bananes** 8 g lipides 1 468 calories **= 5 % de lipides**

Aliments riches en lipides	Légumes verts	Légumes secs
1 tasse de céréales à petit déjeuner type « Granola » 23 g lipides 420 calories **= 49 % de lipides**	**= 125 tasses de courgettes** 23 g lipides 2 275 calories **= 9 % de lipides**	**= 35 tasses de haricots blancs** 23 g lipides 8 708 calories **= 2 % de lipides**
1 barre de chocolat au lait 10 g lipides 160 calories **= 56 % de lipides**	**= 50 tasses d'aubergines** 10 g lipides 1 344 calories **= 7 % de lipides**	**= 10 tasses de haricots rouges** 10 g lipides 2 584 calories **= 3 % de lipides**
1 barre « Snikers » 13 g lipides 276 calories **= 42 % de lipides**	**= 30 tasses de poivrons verts** 13 g lipides 750 calories **= 16 % de lipides**	**= 18 tasses de lentilles** 13 g lipides 4 134 calories **= 3 % de lipides**
10 chips (de pommes de terre) 10 g lipides 150 calories **= 60 % de lipides**	**= 30 tasses de pousses de légumes** 10 g lipides 418 calories **= 22 % de lipides**	**= 12 tasses de haricots noirs** 10 g lipides 2 700 calories **= 3 % de lipides**
25 g de cheddar 8 g lipides 100 calories **= 72 % de lipides**	**= 60 carottes** 8 g lipides 1 858 calories **= 4 % de lipides**	**= 10 tasses de haricots blancs** 8 g lipides 2 248 calories **= 3 % de lipides**
1 steak de 340 g (morceau maigre) 60 g lipides 1 020 calories **= 53 % de lipides**	**= 150 tasses de haricots verts** 60 g lipides 6 563 calories **= 8 % de lipides**	**= 60 tasses de haricots blancs** 60 g lipides 15 286 calories **= 4 % de lipides**

Céréales	Féculents + dérivés de céréales	Fruits
= 25 tasses d'orge perlé 23 g lipides 8 376 calories **= 2 % de lipides**	**= 75 gros biscuits au blé concassé** 23 g lipides 6 230 calories **= 3 % de lipides**	**= 150 oranges** 23 g lipides 9 236 calories **= 2 % de lipides**
= 35 tasses de riz sauvage 10 g lipides 5 674 calories **= 2 % de lipides**	**= 35 tasses de pop-corn (fait maison)** 10 g lipides 800 calories **= 11 % de lipides**	**= 15 tasses de framboises** 10 g lipides 904 calories **= 10 % de lipides**
= 42 tasses de riz long 13 g lipides 6 800 calories **= 2 % de lipides**	**= 45 tasses de pop-corn (fait maison)** 13 g lipides 1 035 calories **= 11 % de lipides**	**= 40 kiwis** 13 g lipides 1 854 calories **= 6 % de lipides**
= 35 tasses de riz long 10 g lipides 5 674 calories **= 2 % de lipides**	**= 40 tranches de pain** 10 g lipides 3 312 calories **= 3 % de lipides**	**= 20 mangues** 10 g lipides 2 691 calories **= 3 % de lipides**
= 25 tasses de riz long 8 g lipides 4 053 calories **= 2 % de lipides**	**= 8 tortillas de maïs** 8 g lipides 536 calories **= 13 % de lipides**	**= 12 tasses d'ananas** 8 g lipides 911 calories **= 8 % de lipides**
= 60 tasses de boulgour 60 g lipides 15 045 calories **= 4 % de lipides**	**= 50 muffins anglais** 60 g lipides 6 600 calories **= 8 % de lipides**	**= 115 bananes** 60 g lipides 12 061 calories **= 4 % de lipides**

Aliments riches en lipides	**Légumes verts**	**Légumes secs**
30 g de saucisse fumée 8 g lipides 88 calories **= 82 % de lipides**	**= 25 tasses de brocolis** 8 g lipides 616 calories **= 12 % de lipides**	**= 12 tasses de lentilles** 8 g lipides 2 756 calories **= 3 % de lipides**
1 sandwich salami-fromage 11 g lipides 290 calories **= 34 % de lipides**	**= 80 tasses de chou** 11 g lipides 2 800 calories **= 4 % de lipides**	**= 12 tasses de haricots noirs** 11 g lipides 2 724 calories **= 4 % de lipides**
3 enchiladas au fromage 75 g lipides 1 150 calories **= 59 % de lipides**	**= 200 tasses de chou frisé cuit** 75 g lipides 6 650 calories **= 10 % de lipides**	**= 70 tasses de haricots rouges** 75 g lipides 18 000 calories **= 4 % de lipides**

Céréales	Féculents + dérivés de céréales	Fruits
= 25 tasses de riz sauvage 8 g lipides 4 053 calories **= 2 % de lipides**	**= 20 tasses de petits pois** 8 g lipides 2 688 calories **= 3 % de lipides**	**= 50 clémentines** 8 g lipides 1 848 calories **= 4 % de lipides**
= 40 tasses de riz sauvage 11 g lipides 6 485 calories **= 2 % de lipides**	**= 20 sandwiches pain pita + 1 tasse de tomates + pousses de légumes** 11 g lipides 1 650 calories **= 6 % de lipides**	**= 20 tasses de fraises** 11 g lipides 895 calories **= 11 % de lipides**
= 40 tasses d'orge perlé 75 g lipides 27 920 calories **= 3 % de lipides**	**= 100 petits pains** 75 g lipides 16 400 calories **= 4 % de lipides**	**= 150 prunes** 75 g lipides 6 353 calories **= 11 % de lipides**

tion ? Et si vous craignez que 100 petits pains ne vous rassasient pas, troquez-les donc contre 150 prunes.

Mais, vous inquiétez-vous, où vais-je trouver les protéines indispensables à mon organisme si je ne mange plus de fromage ? Essayez 12 tasses de haricots mange-tout, cela devrait vous suffire.

Parlons à présent de la croyance, inculquée par les associations de producteurs laitiers, selon laquelle vos os vont s'effriter et tomber en poussière si vous ne consommez plus de fromage. Sous peu, bossue et rongée par l'ostéoporose, vous regretterez de ne pas avoir ingurgité davantage de produits laitiers. Erreur, encore un mensonge de ces messieurs. Pourquoi ne pas dire au public la vérité sur l'ostéoporose : qu'elle ne résulte pas d'une alimentation pauvre en calcium, mais d'une alimentation trop riche en protéines ? Et pendant que vous y êtes, parlons des autres constituants des fromages que vous nous proposez. Non, je ne pense pas aux sels minéraux, mais plutôt aux produits chimiques, aux colorants, au sel... Mais ne rêvons pas. Ces gens qui mentent depuis des années ne vont pas soudain nous dire la vérité. Il faudra la découvrir par nous-mêmes. Demandez au premier expert que vous rencontrerez si 200 tasses de pousses de soja n'apportent pas de calcium.

Puisque nous évoquons les produits laitiers, étudions le cas d'une tasse de lait entier. Sur le plan des lipides, une tasse de lait entier = 20 tasses d'épinards cuits à la vapeur = 8 tasses de riz complet. Que dire aussi d'une cuillerée à café de beurre de cacahuètes, qui équivaut à 20 tasses de lentilles ? Peu importe que vous aimiez les lentilles ou que vous leur préfériez un autre légume : seule compte la comparaison. Difficile d'imaginer plus de lipides dans un volume plus restreint qu'une cuillerée à café de beurre de cacahuètes... Et pourtant, elle rassasiera beaucoup moins que 20 tasses de lentilles. On en revient donc toujours au concept volume important/faible teneur en lipides, opposé au rapport inverse.

Revenons au tableau. 10 chips de pommes de terre : voilà un exemple qui me ravit. Combien d'entre nous peuvent se contenter de 10 chips, à part dans leurs rêves ? En admettant que nous le puissions, le choix serait entre ces 10 chips ou 40 tranches de pain italien. À l'évidence, 40 tranches de pain vous rassasieront plus et vous donneront plus d'énergie que 10 malheureuses chips.

Nous arrivons à présent à mon exemple favori, le steak. Une source de protéines, dites-vous ? Certes, tout comme les 10 tasses de haricots blancs par lesquelles vous pouvez le remplacer. Si vous n'en consommez que 5 et y ajoutez 10 tasses de riz long, votre repas contiendra toutes les protéines nécessaires à votre bien-être.

Vous pensez que je déteste la viande ? Eh bien, il n'en est rien. Je ne mène pas une croisade végétarienne. D'ailleurs, je connais beaucoup de végétariens gros et en mauvaise santé. Moi, je me bats contre les graisses. Et la viande et les produits laitiers en contiennent bien plus que les autres aliments. J'essaie de vous convaincre d'abandonner les mets riches en graisses au profit d'aliments maigres, nourrissants et énergétiques.

Avec votre poulet sans peau et vos légumes, au lieu de boire un verre de lait, mangez une grande assiette de salade de pâtes, un peu de riz, quelques pois (si vous mangez des pois, le poulet ne s'impose pas), toutes choses que vous pouvez consommer sans vous priver, jusqu'à satiété : des aliments grâce auxquels votre corps va devenir mince et plein de force.

Une fois de plus, je vous le répète, ce n'est pas manger qui fait grossir, mais le fait de manger trop gras. Lisez les étiquettes. Si vous ne parvenez pas à prononcer le nom des ingrédients et que leur liste s'allonge sur un kilomètre, reposez le produit.

Regardez les tables de comparaison et vous comprendrez pourquoi vous avez grossi et perdu la forme. Délivrée des régimes inefficaces, impossibles à suivre longtemps, dangereux et voués à l'échec, vous aurez la surprise de voir une foule de symptômes disparaître avec, en tête, votre fameuse « boulimie ». De fait, dès qu'on a l'autorisation de manger, la nourriture cesse d'être une obsession.

Manger quand on a faim est une réaction normale, de même que manger jusqu'à satiété. Le volume de nourriture que vous ingurgiterez chaque jour variera (il doit le faire) en fonction de... (ajoutez le mot manquant). Oui, bonne réponse ! En fonction de votre *activité*.

> *Je ne veux pas finir paralysée par une attaque, ni périr d'une crise cardiaque. Je me découvre une volonté insoupçonnée.*
>
> ***Une cliente***

Avant de clore ce chapitre, je tiens à dire que je connais la charge émotionnelle qui s'attache à la nourriture. Les rapports des êtres humains avec elle peuvent les conduire au bord de la tombe et, dans ce cas, il faut à tout prix appeler un spécialiste à l'aide. Je ne suis pas femme à me faire passer pour ce que je ne suis pas : je ne fais pas partie des thérapeutes ; en revanche, j'ai quelque chose à leur dire.

J'aimerais soumettre une suggestion aux cliniciens et psychologues qui s'occupent des troubles de l'alimentation. Quand une de vos patientes vous raconte combien de fois elle a vomi la veille, pourquoi ne l'emmenez-vous pas faire une petite promenade, se réoxygéner ? Pourquoi ne pas améliorer la qualité des aliments que vos malades absorbent, notamment les sevrer des cochonneries chimiques et sucrées dont nous connaissons les effets désastreux sur le corps comme sur le psychisme ?

Je ne prétends pas qu'une alimentation conforme à mes préceptes suffira à soigner ces gens, mais cela peut certainement les aider. On ne peut ignorer les liens étroits qui unissent d'une part ce que nous mangeons et la manière dont nous vivons et, d'autre part, notre santé physique et mentale.

Je pense notamment à la dépendance de certaines personnes à l'égard du sucre. Je ne plaisante pas. Le sucre peut devenir une véritable drogue. Cessez de jouer les autruches. Vous et moi savons bien que tous ces troubles de l'alimentation dont on parle tant en ce moment ont quelque chose à voir avec l'habitude généralisée de s'affamer. Privé de carburant de qualité, notre organisme s'encrasse comme un moteur, tousse et hoquette.

On ne peut dissocier le physique du mental. Les mêmes sang et oxygène circulent dans notre corps et dans notre esprit. Si l'on peut se rendre physiquement malade à force de se tracasser (en se créant un ulcère, par exemple), pourquoi l'état physique n'affecterait-il pas l'esprit ? Sans être experte en la matière, j'affirme que la chose est possible, car tout comme des milliers de femmes, j'ai vécu une telle situation.

Mon obésité me déprimait tant que mon corps ne fonctionnait plus. Aujourd'hui, tout va bien. Moi à qui les journées semblaient durer des siècles tant je me sentais exténuée, je ne m'arrête plus une seconde. Mon corps me faisait souffrir ; plus maintenant. Aujourd'hui, il est fort. Je n'ai pas cherché à agir sur mon mental (je demeure aussi folle que par le passé), me contentant de satisfaire les besoins physiologiques de mon corps, et cela a agi sur mon état mental et émotionnel.

Vous souffrez de troubles émotionnels ? Bienvenue au club : qui n'en souffre pas ? Oubliez-les et apprenez à manger, à respirer et à bouger, si vous voulez voir votre corps se remodeler. Vous n'imaginez pas tout ce qui changera lorsque vous intégrerez ces trois éléments à votre vie.

J'ai récemment prononcé un discours pour le cinquante-deuxième anniversaire de l'Association américaine de cardiologie. Quelle consécration pour une femme au foyer du Texas ! Parmi les médecins, diététiciens, nutritionnistes, infirmières, thérapeutes, etc., assis devant moi, se trouvaient sans doute les auteurs des affiches sur la nutrition et de tous les préceptes incompréhensibles auxquels je me heurtais autrefois.

Pendant une heure et demie, je leur ai parlé, parlé. Beau discours, ambiance chaleureuse... puis, à la fin, rassemblant tout ce qui me restait de passion, je leur ai crié :

– S'il vous plaît, que quelqu'un dans cette salle me dise que je suis ridicule, que l'un ou l'une d'entre vous me dise que la réponse au problème contre lequel des millions de femmes se battent n'est pas évidente ! Dites-moi que je me trompe ! Traitez-moi de folle !

Seul un silence de mort m'a répondu...

C'est aussi simple que cela. Avec ce livre, je vous apporte la réponse à votre problème et pas seulement le moyen d'en traiter les symptômes. Vous réussirez, car cette fois on ne vous place pas sur une trajectoire d'échec.

Les affaires, c'est l'argent des autres...

Delphine de Girardin, 1852

CHAPITRE 5

Respirer à pleins poumons

Sans oxygène, on meurt.

Il est temps de vivre. Plus comme avant l'achat de ce livre, mais de toutes vos cellules. Vivre de toutes ses cellules signifie vivre d'oxygène : vous savez, cet élément gazeux dont la présence nous paraît si naturelle. Cet oxygène qui nous apporte la vie et dont aucun d'entre nous ne saurait se passer.

Sans oxygène, on meurt. Signé Susan Powter. Applaudissez, je vous prie ; je viens d'inventer cette maxime.

Il n'existe pas trente-six manières d'absorber ce gaz nourricier. En fait, je n'en connais qu'une, et vous la connaissez aussi : respirer. Pas de problème, me direz-vous, puisqu'il s'agit d'un réflexe. Erreurs, futurs « bons » respirateurs, car la plupart d'entre nous ne respirent pas bien. Je ne vous parle pas de respirer sans réfléchir, mais de respirer à pleins poumons.

Une fois de plus, je me vois dans l'obligation de

pourfendre une idée fausse. La respiration réflexe ne suffit pas à apporter à l'organisme la quantité d'oxygène nécessaire à son bien-être. Pour ce faire, il va falloir apprendre à utiliser correctement votre appareil respiratoire et à faire chaque jour des pauses respirations.

J'ai perdu ma mère, il y a quelques années, d'un cancer du poumon. Je pourrais consacrer plusieurs chapitres à décrire le mode de vie qui l'a tuée : alimentation défectueuse, cigarettes, manque d'exercice physique, etc., de même que je pourrais écrire des livres entiers sur la fin (atroce) de ma mère. Tel n'est pas mon propos. Je ne l'évoque que pour sa corrélation avec ce chapitre. Mourir d'un cancer du poumon revient à mourir de ne plus pouvoir absorber la seule chose sur laquelle nous comptons tous aveuglément pour alimenter chacune de nos cellules et chacun de nos muscles. Vous comprendrez qu'il ne s'agit pas d'une mince affaire si je vous dis que nous possédons 75 billions (j'adore ce genre de chiffre) de cellules. L'oxygène que nous inspirons ne chôme donc pas. C'est pourquoi le fait de bien respirer est beaucoup plus important que nous ne le pensons. Nous le faisons sans réfléchir, sans difficulté. Dès lors...

1. Nous n'absorbons pas assez d'oxygène.

2. Nous ne faisons rien pour améliorer la qualité de notre respiration.

3. Nous n'utilisons pas le potentiel d'énergie qu'elle nous donne.

Par conséquent, des millions d'entre nous souffrent d'une maladie que je nomme Privation d'Oxygène (saviez-vous qu'en plus de mes talents d'écrivain je donnais des noms aux maladies ?). Pour que vous compreniez la gravité de cette affection que vous vivez au quotidien, il faut parler un peu de ce gaz qu'on appelle oxygène, du besoin que votre corps en a et des conséquences d'un apport insuffisant.

Prenez un corps humain, modèle standard : le

vôtre. Il se compose de 75 billions de cellules. Imaginez un peu 75 millions de millions de petits oiseaux dans un nid et une immense maman oiseau oxygène qui vient nourrir chacun d'entre eux. Sans cette maman, tous les bébés oiseaux périraient.

Cet exemple vous paraît trop « science-fiction » ? Je vous comprends car cette analogie me terrifie moi aussi, mais vous devinez où je veux en venir : lorsque vous n'absorbez pas assez d'oxygène, vos cellules et vos muscles manquent de leur carburant vital. Imaginez ce qu'il peut advenir de cellules sevrées d'oxygène depuis des années. Ajoutez à cela des tonnes de graisse corporelle, des muscles affaiblis, un cœur dans une forme pitoyable et une masse sanguine transformée en égout ; ne pensez-vous pas que des maladies risquent de s'installer ? Peut-être les cellules en viennent-elles même à muter et le système immunitaire à s'atrophier... D'accord, j'exagère d'oser invoquer la responsabilité de l'oxygène dans notre bien-être. Après tout, les instances officielles ne disent rien de tel, et moi, une fois de plus...

Permettez-moi de continuer ma démonstration. Respirer n'est pas une expérience mystique ou métaphysique. Pour ma part, je détesterais vivre en Inde, ou m'asseoir en tailleur sur une planche cloutée. (Je me demande quelle émission de télévision a fixé dans mon esprit cette image idiote.) Apprendre à vivre de toutes ses cellules et à s'oxygéner implique qu'on apprenne à le faire ici et maintenant. On représentera les gourous de cette décennie avec un téléphone portatif à la main. Vous n'avez pas besoin de bougies, d'encens ni de robes indiennes, ni même de méditation pour insuffler à vos cellules l'oxygène indispensable à leur survie. En fait, c'est beaucoup plus simple que vous ne le pensez.

L'oxygène est le premier et le plus important des carburants, la source de toute énergie, l'ingrédient primordial du bien-être... En fait aucune description, même dithyrambique, ne peut rendre justice à cette merveille.

Voici comment les choses se passent : quand l'oxygène alimente la combustion interne de nos 75 000 000 000 000 cellules, celles-ci produisent une substance appelée triphosphate d'adénosine, ou TPA. Sans TPA, pas d'énergie, et donc, pas de vie. Une substance d'importance, ce TPA. Vous vous souvenez des petits oiseaux dans leur nid ? Eh bien, sans TPA, ils meurent tous. Le TPA vous fournit l'énergie nécessaire pour lever un bras, pour sentir, pour penser. Inhibez la production de TPA et vous verrez apparaître des symptômes s'échelonnant de l'épuisement aux prémices de graves maladies, comme des mutations cellulaires. Et dites-moi en quoi d'autre consiste un cancer ?... Vous trouvez que je vais trop loin ? Peut-être.

Revenons à la respiration. Chaque fois que vous inspirez, votre diaphragme et vos muscles intercostaux font automatiquement leur travail : ils se dilatent, puis se resserrent pour expulser l'air.

Je regrette de n'avoir pas su tout cela lorsque je pesais 118 kilos. Il n'est pas difficile d'évaluer son degré d'oxygénation ; le mien devait friser la catastrophe. Faites-moi plaisir : calculez le vôtre, puis recalculez-le dans quelques mois. La comparaison ne manquera pas de vous réjouir.

Pour évaluer votre capacité respiratoire, il vous faudra un centimètre de couturière comme celui de votre grand-mère, votre buste et la formule simplissime que je m'en vais vous donner.

1. Ceignez le mètre-ruban autour de votre poitrine.

2. Expirez à fond.

3. Notez la circonférence ainsi obtenue.

4. Prenez une profonde inspiration.

5. Mesurez votre tour de poitrine dans cette position.

6. Divisez la différence entre les deux résultats par celui obtenu après expiration.

Je vais calculer la mienne avec vous. Mon mari, deuxième du nom (oui, j'ai récidivé), a entouré ma poitrine du mètre-ruban de grand-mère pendant que j'expirais à fond. Après expiration, j'obtiens 89 cm. J'obtiens une profonde inspiration et atteins 96,5 cm, ce qui impressionne beaucoup mon mari. Écart entre les deux résultats : 7,5. Comme je ne sais pas faire les divisions, je cours chercher une calculatrice. 7,5 divisés par 89 (tour de poitrine n° 1) = un peu plus de 8,5 %. Arrondissons à 9 % pour simplifier les choses et passons aux catégories (élevée, moyenne, faible, nulle) que les petits hommes en blanc dans leurs laboratoires ont mis tant d'années à élaborer et qui permettent de distinguer des niveaux de forme. Un écart expiration-inspiration de 0 % signifie que vous n'absorbez plus d'oxygène, que vous ne fabriquez plus de TPA : vous êtes condamnée.

Roulement de tambour, s'il vous plaît : on va annoncer ma catégorie. Forme exceptionnelle ? J'en rêve, mais j'en suis loin. Les athlètes de haut niveau ont une capacité d'expansion thoracique de 15 %. Les malades cardiaques et les personnes souffrant de problèmes respiratoires peuvent descendre de 2 à 5 %. D'après mes calculs, le taux normal d'expansion thoracique se situe entre 5 et 10 %. Je me situe donc dans la frange supérieure des « normaux ».

Vous avez sans doute remarqué que je ne raffole ni des tests ni des statistiques, mais pourquoi se priver d'un calcul ultra-simple et qui ne coûte pas un sou ?

Si j'en juge par ce que j'éprouvais quand j'ai commencé à m'occuper de mon corps, je devais frôler la catégorie des malades cardiaques. Il ne m'arrivait jamais de respirer à fond et mon cœur était tout sauf tonique. En l'absence de mensurations d'époque, nous ne saurons jamais. En revanche, bientôt vous pourrez comparer votre corps actuel au modèle amélioré des mois prochains.

Respirer ne se résume pas au TPA, aux mesures d'expansion thoracique et à mes théories sur les gourous des années 90. Le cœur et les poumons jouent un rôle prépondérant dans le processus. Considérez ces organes comme les responsables du système de distribution de l'oxygène dans l'organisme. Ils introduisent l'oxygène dans le sang et veillent à sa répartition dans le corps.

Le roman de l'oxygène ne s'arrête pas là ; d'autres personnages entrent en scène, comme les artères, qui véhiculent le sang et contribuent de la sorte à la santé des organes, des cellules et des muscles qui s'en nourrissent.

Ne vous leurrez donc pas : il ne suffit pas de laisser faire les réflexes pour absorber l'oxygène nécessaire. Ne tenez pas pour acquis que la nature pourvoit à l'alimentation de vos oisillons ou qu'il n'en existe pas un seul mal nourri parmi eux. Il faut un peu plus qu'une action automatique pour nourrir 75 billions d'êtres mais ne vous inquiétez pas.

Il n'existe que deux moyens d'insuffler de l'oxygène à votre corps. Vous pouvez tout d'abord vous promener avec une bouteille d'oxygène sous le bras et en aspirer une goulée toutes les cinq minutes. J'admets que quand j'ai pris conscience de l'importance de l'oxygène pour mon bien-être et mon aspect physique (oui, l'éclat de vos yeux et de votre teint dépend directement de l'oxygénation de vos cellules), j'ai très sérieusement envisagé cette solution. J'y ai très vite renoncé car j'éprouvais déjà assez de difficultés à traîner mes kilos et mes deux enfants, sans rajouter à ce fardeau une bouteille d'oxygène ! Cela dit, ce qui ne me convient pas peut convenir à d'autres. Alors, si cette solution vous séduit, n'hésitez pas : adoptez-la.

L'autre façon d'absorber de l'oxygène est de

bouger, de pratiquer une activité physique. L'idée de la bouteille d'oxygène vous plaît de plus en plus ? Pourquoi croyez-vous que je l'aie étudiée ? À la simple mention de la seconde solution, je suis partie au pas de course (pour moi, en tout cas) vers le plus proche magasin de fournitures médicales.

Le pire, c'est que la plupart de ces « conseillers en amincissement » n'ont jamais pris un kilo de leur vie. Comment pourraient-ils deviner ce que ressent une obèse ?

Une cliente

Faire du sport : concept simple, mais qui terrifie la plupart d'entre nous. Jouons un peu au jeu des associations verbales, d'accord ? Si je vous dis sport, vous me répondez : torture, douleur, humiliation, épuisement, souffrir au point d'appeler la mort...

Vous savez que c'est supposé être bon pour vous et que vous devez en faire pour tonifier votre muscle cardiaque. Vous avez sans doute entendu parler de ces endorphines qui brûlent de se diffuser dans votre corps pour vous apporter un bien-être comme vous n'en avez jamais ressenti. Comme ce qu'on donne à l'hôpital après une intervention chirurgicale ? J'en doute.

Sans doute même vous y essayez-vous de temps à autre (je parle du sport, pas des interventions chirurgicales). Si oui, vous avez joué avec nous aux associations verbales, car vous avez vécu la torture, la douleur, l'humiliation et la fatigue qui accompagnent les séances d'exercices en salle ou club, avant d'y renoncer.

Une fois de plus, vous avez raison : le sport est censé vous faire du bien. Votre corps a besoin que vous bougiez chaque jour pour lui apporter de l'oxygène. Le sport produit d'autres effets bénéfiques, par exemple sur le métabolisme. Demandez à votre médecin ce qui provoque à coup sûr un métabolisme ralenti. S'il est compétent, il vous répondra : « Ne pas manger et ne pas faire de sport. » Demandez-lui alors ce qui soigne, accélère ou améliore un métabolisme détraqué. S'il est compétent, il répondra : « La meilleure politique consiste à manger et à bouger. »

Bien, bien, bien. Or, comme je n'écris pas un livre sur la santé, mais sur la minceur, il est temps que je vous explique en quoi l'oxygène va vous aider à perdre un peu de la graisse qui enveloppe votre corps. Tout d'abord l'oxygène brûle les graisses. Détail important.

Comme je vous le serine depuis le début, il n'existe qu'une méthode pour remodeler votre corps. Il faut manger ; vous l'avez noté. Il faut respirer ; vous venez de l'apprendre. Et enfin, il faut bouger. Ces derniers impératifs sont d'ailleurs indissociables. La conjonction d'une meilleure respiration et d'une dose adaptée d'exercice physique vous permettra de commencer à brûler vos graisses excédentaires, à ne pas les laisser revenir (grâce à votre nouveau métabolisme surpuissant et à votre nouvelle alimentation), et à vous assurer que vos cellules ne manquent jamais de l'unique aliment indispensable à leur survie.

Les industriels de l'amincissement et leurs confrères du secteur alimentaire vous ont menti, mais ils ne sont pas les seuls. À leurs côtés se tiennent en place les marchands de forme. Ne les oublions surtout pas.

Faites-moi un peu de place, je vous prie, car j'aimerais régler un petit compte. S'il existait un moyen d'inscrire une bannière sur une page imprimée, ma déclaration apparaîtrait sous cette forme (messieurs les graphistes, un peu de créativité, je vous prie).

LES MARCHANDS D'AÉROBIC ONT DÉNATURÉ LE MOT « AÉROBIC »

Des majuscules ? Vous n'avez rien trouvé de plus créatif ? Pour apprendre à brûler les graisses grâce au sport, il faut comprendre la signification du terme « aérobic ».

Ce mot évoque sans doute à vos yeux des séances au cours desquelles l'on saute en tous sens comme des imbéciles, chorégraphie complexe, musique assourdissante, derniers tubes, vêtements « fluo »...

Entre dans ce cadre tout exercice physique pratiqué pendant au moins trente minutes en oxygénant l'organisme. Tout exercice. Sauter à pieds joints pendant trente minutes dans votre salon tout en vous mettant les doigts dans le nez peut être de l'aérobic. Tout comme marcher, ramer, se promener, faire de la bicyclette ou nager. Mais si vous voulez qu'il s'agisse d'aérobic, il faut en même temps vous oxygéner et, si vous voulez brûler des graisses, il faut pratiquer le sport choisi pendant au moins trente minutes d'affilée.

Il paraît difficile de dénaturer un principe aussi simple et pourtant ils l'ont fait.

Combien de cartes de clubs de gym possédez-vous ? Continuez-vous à régler les droits d'inscription pendant des années alors que vous n'y êtes allée que trois fois ? Ou êtes-vous comme moi et les laissez-vous téléphoner chaque mois pour vous supplier de conserver votre inscription ? Ainsi, ils font au moins quelque chose pour gagner leur argent. Combien de fois avez-vous juré de suivre un programme jusqu'au bout... pour arrêter au bout de quelques semaines ? Avec tous les vélos d'appartement abandonnés dans nos greniers, on pourrait construire dans chaque ville un véritable temple de l'exercice.

De combien de cours d'aérobic êtes-vous ressortie plus morte que vive ? J'ai assisté à une séance à

New York, il y a quelques années, dans une salle très chic fréquentée par l'élite et par beaucoup de danseuses. J'y avais emmené une amie qui souhaitait désespérément retrouver la forme. Quelle compagne plus adéquate pour ses premiers pas en ce sens que l'ex-obèse spécialiste de la forme, Susan Powter ? En chemin, je lui ai expliqué le rôle de l'oxygène, les 75 billions de cellules, l'importance de la volonté, l'énergie et la combustion des graisses : tout. Mon amie rêvait de sentir les endorphines envahir son cerveau, de se défoncer à coups de mouvements, de commencer à faire fondre ses graisses corporelles et de changer à jamais de vie.

Elle est partie au milieu du cours.

J'ai pensé qu'elle sortait se réhydrater. Génial, ai-je pensé, j'avais oublié de lui parler de cela, mais elle l'a deviné seule. Je trouvais qu'elle se débrouillait fort bien pour une néophyte. Vingt minutes plus tard, elle n'était toujours pas de retour. Peut-être faisait-elle quelques mouvements d'étirement ? Ou alors, elle reprenait son souffle, autre concept important qu'elle avait compris seule. Rien de pire que la surchauffe. Il vaut mieux s'arrêter avant de tomber. Décidément, elle s'en tirait très bien.

Au bout de quarante minutes, j'ai commencé à m'inquiéter et je me suis mise à sa recherche, d'abord près du distributeur d'eau (personne), puis dans le vestiaire (personne), puis aux quatre coins de la salle (personne non plus). Je l'ai finalement trouvée assise sur les marches de la « salle de gym de l'élite », une cigarette aux lèvres. Mauvais signe..., me suis-je dit.

Elle avait détesté le cours. Pas de sécrétion d'endorphines (elle n'en avait pas eu le temps puisqu'elle n'était restée que quelques minutes). Pas de graisses brûlées non plus. Un problème de temps, encore une fois : on ne brûle pas grand-chose en cinq minutes. Reconstituer ses forces ? Impossible pour la même raison. Quant à la conversion aux bienfaits du sport, j'en doute. Et pour ce qui est de voir mon amie adopter un mode de vie basé sur le sport, j'aurais pu sans risque parier le contraire.

Les exercices pratiques l'avaient fait souffrir, plus physiquement qu'émotionnellement. Cela dit, il y avait aussi de cela : embarras, humiliation, sensation de ridicule... Incapable de suivre le rythme, elle se sentait comme un poisson hors de l'eau et ignorait que faire pour améliorer la situation. Et comme le tabac lui calmait d'ordinaire les nerfs, elle était sortie griller une cigarette. Pourquoi ne pas préférer une chose agréable à une chose désagréable ? Réaction parfaitement saine. Le problème ne venait pas de mon amie, mais de moi.

Quel genre de professeur étais-je ? Avais-je oublié d'où je venais, le cours de gym de l'ancienne pom-pom girl, le clone de la princesse assis à la réception, l'unique mouvement que je parvenais à faire pendant que les autres élèves en effectuaient cinquante ? Mon amie ne pouvait tirer aucun bénéfice de la théorie des 75 billions de cellules ni des endorphines si elle ignorait comment s'oxygéner pendant trente minutes ou comment maintenir son rythme d'exercice à un niveau compatible avec sa forme, de façon à « tenir » ce laps de temps. J'avais oublié de lui expliquer comment procéder. Je m'étais montrée au-dessous de tout.

Vous avez dû vous retrouver dans la même situation que mon amie (et que moi autrefois), les maintes fois où vous avez tenté de commencer à faire du sport : incapable de suivre le rythme et vous sentant complètement idiote.

Quand je suivais des cours avec le groupe qui m'avait finalement acceptée comme la folle obèse au fond de la salle qui faisait son propre programme (un lancer de jambe par-ci, deux mouvements de bras par-là), il s'est produit une chose inattendue. Les femmes « normales » et en forme ont commencé à m'interroger sur ma méthode parce qu'elles voyaient mon corps se modifier alors que le leur ne bougeait pas.

« Pourquoi remuez-vous vos bras de cette façon ? », « est-ce que marcher sur place produit un effet particulier ? car vous le faites souvent », « pourquoi refusez-vous de faire tel mouvement ? est-il dangereux ? », « comment se fait-il que votre corps se remodèle si vite ? ». Et aussi : « Comment vous appelez-vous ? », question que nulle ne m'avait jusqu'alors posée.

Où va le monde lorsque les élèves d'un cours d'aérobic demandent conseil à la femme la plus grosse du groupe ? Mon concept de la modification est né pendant ces cours et il fonctionne. Mais il demande quelques explications.

Du jour où j'ai renoncé à essayer de suivre un programme conçu pour un niveau de forme « X » afin de l'adapter à mon propre niveau, j'ai recouvré mon énergie d'antan. Dès le lendemain, je me suis réveillée plus énergique que je ne l'avais été depuis des années. Je sais que l'idée d'un remède à l'épuisement, efficace en vingt-quatre heures, peut paraître étrange, mais c'est exactement ce qui s'est passé. J'ai aussi senti renaître en moi l'espoir. L'espoir d'avoir enfin découvert le moyen de retrouver la forme.

Voici ce que vous allez faire : premièrement, comprendre le concept de l'oxygénation des cellules. Pour l'instant, contentez-vous de respirer normalement ; nous verrons la respiration approfondie plus tard.

Ensuite, pour que votre sang inonde d'oxygène la moindre de vos cellules, nous allons conditionner votre cœur, vos poumons et vos autres organes, de manière que vous débordiez d'énergie.

Vous allez commencer à remodeler votre corps en vous remuant dans les limites de vos capacités. Comment vous sentez-vous ? Probablement déjà mieux, à moins que vous ne vous demandiez encore comment vous lever de votre canapé pour bouger parce que vous ne vous en sentez pas la force. Ne vous affolez pas. Le maître mot, ici, est modification (de votre vie, de votre corps) et non motivation.

> *Le simple fait de penser que je possède un niveau de forme est déjà une victoire en soi.*
>
> ***Cathy, une cliente***

Commençons par regarder en face votre niveau de forme, l'une des choses les plus déplaisantes quand on envisage de reprendre une activité physique. La prise de conscience de l'étendue de leur mauvaise forme décourage beaucoup de gens.

Il ne faut guère longtemps au cœur pour perdre l'habitude de l'effort. Et lorsqu'on s'essaie à un quelconque sport et se retrouve à court de souffle au bout de trente secondes, on y renonce de peur de périr d'une crise cardiaque. On ne se sent pas bien quand on commence à haleter au bout de cinq minutes et qu'on sait que le cours dure encore cinquante-cinq minutes.

Pour ma part, je me suis inscrite à nombre de cours, persuadée de pouvoir en suivre le rythme, tout comme je croyais entrer dans une taille 50. Illusion ou refus de voir la vérité ?

À dire vrai, une femme qui pèse 118 kilos, avec une musculature atrophiée et un système cardiovasculaire assoupi, n'a aucune chance de suivre le rythme de quiconque. Deux ou trois mouvements suffisent à l'épuiser. Alors, j'étais obligée de modifier le programme jusqu'à ce que je me sente la force de refaire un ou deux mouvements. C'était embarrassant et décourageant, et, à l'inverse de vous, je menais ce combat seule.

Prendre conscience de votre niveau de forme signifie qu'il faut admettre que le moindre mouvement vous étouffe et que vous devrez ralentir votre rythme au bout de quelques minutes d'exercice. Et alors ? Cela ne fait pas pour autant de vous une loque ; vous commencez à un rythme lent parce que votre système cardio-vasculaire manque de tonus. Tout le monde peut retrouver une bonne forme physique et c'est ce que vous allez faire. Courage ! Le fait que vous éprouviez le besion de ralentir ne pose aucun problème. Cela révèle seulement qu'il faut travailler à renforcer votre cœur et vos poumons afin d'améliorer votre endurance. Forte de ces principes, vous allez parvenir à bouger en vous oxygénant pendant trente minutes ou plus, quel que soit votre niveau de forme. Génial, non ?

Savez-vous ce que cela signifie ? La forme pour tous, à tout âge, sans considération de poids ou de physique. Votre vieille douleur au genou se réveille ? Modifiez votre programme en fonction d'elle. Une maladie ? Modifiez. Trop de graisse corporelle, des muscles ankylosés ? Modifiez ! Vous n'avez pas fait un mouvement depuis vingt ans et fumez comme un sapeur ? Eh bien, modifiez, adaptez. Si votre niveau de forme est faible au point d'en être quasi inexistant, ne vous inquiétez pas : j'ai débuté à ce stade... et regardez-moi. Si le fait de porter vos sacs du supermarché à la voiture et de là à la maison suffit à vous donner des courbatures, cela témoigne en général d'une forme très faible... surtout si votre unique activité d'aérobic consiste à marcher jusqu'au réfrigérateur – et retour.

Ne vous découragez pas pour autant. Nous venons juste de commencer. Il faut franchir un autre pas pour prendre le chemin de la forme.

Étape n° 2 : définition de vos objectifs en matière de forme. Chacun a les siens, ce que l'industrie de l'aérobic occulte totalement. Certaines de mes clientes cherchent à perdre des kilos de graisse corporelle pour pouvoir porter un bikini. D'autres souhaitent juste améliorer leur tonus cardiaque ; leur objectif est de pouvoir gravir un escalier sans perdre le souffle. D'autres encore recherchent la force musculaire pour se débarrasser des douleurs qui empoisonnent leur vie depuis des années. J'ai aussi des clientes qui souffrent d'arthrite et à qui un afflux d'oxygène dans leurs articulations apporte un soulagement. D'autres relèvent d'affections cardiaques et se battent pour leur survie... motivation bien différente de la perspective de se pavaner en bikini. Certaines femmes veulent avant tout retrouver leur fierté et leur amour-propre perdus et reprendre le contrôle de leur destin. Les clientes dépressives se moquent le plus souvent de leur aspect physique : elles cherchent juste à dissiper une partie des nuages noirs amoncelés au-dessus de leur tête. J'ai vu autant d'aspirations que de clientes.

Il m'a fallu des années pour comprendre que Bambi, l'instructrice d'aérobic, la poupée Barbie qui m'avait tant démoralisée, ne valait pas mieux que moi parce qu'elle pouvait sauter en tous sens sans cesser de sourire. Il y avait une différence entre nous deux : partant de niveaux de forme différents, nous visions en outre des objectifs différents. Je cherchais à acquérir un semblant de forme alors qu'elle était déjà une athlète accomplie. Je n'aspirais qu'à pouvoir un jour suivre le cours en entier et, éventuellement, dépasser en sveltesse la petite amie de mon prince ; elle rêvait de devenir une star de l'aérobic et voyait dans ces cours un tremplin vers le succès.

« Suis le rythme ou va-t'en. » Les centres d'aérobic devraient afficher ce panneau dissuasif à l'entrée de leurs salles, car la modification n'existe que si des personnes comme vous et moi décident de la pratiquer. Or il n'y a qu'une personne dont vous deviez suivre le rythme. Vous. Ne vous préoccupez que de votre degré de forme et de vos objectifs. Vous intensifierez votre entraînement au fur et à mesure que votre force croîtra. Ainsi, pour une fois, vous utiliserez à fond une inscription dans un club de gym, et en plus, vous parviendrez à apporter à votre organisme l'oxygène qu'il réclame. Au lieu de vous sentir aussi éreintée que si l'on vous avait rouée de coups, vous récolterez les fruits de votre effort. C'est beaucoup plus motivant de bouger à son propre rythme que de se sentir le vilain petit canard au milieu d'une couvée de cygnes.

Vous autres instructeurs, propriétaires de salles de gym, producteurs de vidéocassettes, avez-vous entendu cela ? Essayons de motiver nos élèves en leur donnant les moyens de s'entraîner (l'adaptation des exercices à leurs capacités), puis aidons-les à atteindre le niveau de forme qui les attire. Vous n'en reviendrez pas de ce que tous ces « gros » et ces « paresseux » peuvent faire quand on leur explique comment s'y prendre et comment tenir sans s'écrouler.

Au bout de quelque temps, mes muscles ont commencé à se raffermir et j'ai pu lancer mes jambes plus d'une fois ou deux par cours. Voici une pensée à méditer pour les professeurs d'aérobic : on ne peut pas lever une jambe quand on manque de force. C'est encore plus ardu quand ladite jambe pèse très lourd et que vos muscles sont très faibles. Vous vous en rendrez compte par vous-même car, comme votre professeur vous laissera entendre que « tout le monde peut faire cela », vous essaierez de le faire.

Mais toute la beauté de l'adaptation des programmes réside dans le fait que vous travaillez à votre propre niveau. Vos membres prennent de la force et votre graisse fond parce que vous bougez régulièrement pendant trente minutes en vous oxygénant, et hop ! vous passez au niveau supérieur.

Pensée à méditer pour vous, lectrices : s'il vous semble que vos bras vont se détacher de votre tronc, ne prenez pas de risque inutile. Vous forcez trop sur les mouvements qui sollicitent le haut de votre corps. Il est temps de recourir à la modification.

Quand vous haletez au point de haïr chacun des gestes que vous faites, modifiez-les, même si le cours ne dure que depuis cinq minutes. Si le mouvement que vous indique votre star de l'aérobic en herbe vous paraît trop compliqué, modifiez. Peut-on modifier un mouvement ? Bien sûr. Vous pouvez aussi vous délecter de l'agacement de la star de l'aérobic à la vue de la plus grosse de ses élèves osant modifier un de ses mouvements...

Récemment, une de mes amies, en cours de remise en forme et adepte convaincue de la modification, assistait à un cours donné par un imbécile prétentieux. Un des exercices consistait en deux sauts entrecoupés d'un frappement des mains (très utile sur le plan sportif, n'est-ce-pas ?). Mon amie, qui éprouvait déjà suffisamment de difficulté sur les deux sauts, a pris sur elle de se dispenser de frapper dans ses mains. Alors, devant toute la classe, le professeur a baissé la musique et dit à mon amie en la fusillant du regard « Le frappement de mains fait partie intégrante de l'exercice. Ici, je suis le professeur et c'est moi qui décide ce que chacun des participants à ce cours doit faire. » Il s'agit d'une histoire vraie...

La semaine dernière, je me trouvais à Los Angeles pour une émission de télévision. J'ai suivi un cours de gym, là-bas. Le programme comportait un exercice appelé « tour du monde », l'exercice le plus stupide de la terre, parce qu'il est très compliqué sur le plan chorégraphique mais fait à peine travailler le cœur. De plus, j'ai mal aux chevilles si je les sollicite trop et nous venions de faire une longue série d'exercices avec une mini-estrade de vingt centimètres de haut. J'ai donc modifié le « tour du monde ». Le professeur (oui, cette fois aussi, il s'agissait d'un homme ; je ne m'acharne pas sur les hommes, mais ce n'est pas ma faute si tant d'entre eux sont des abrutis !) s'est mis à hurler si fort que sa voix couvrait la musique, pourtant puissante :

– Essayez au moins de faire ce mouvement correctement ! Faites un effort !

Et j'ai hurlé en retour :

– Il ne vous est pas venu à l'idée que je pouvais modifier votre mouvement à cause d'une blessure ?

Cet échange verbal se déroulait pendant que les autres élèves faisaient le « tour du monde » sur leurs petites estrades avec la musique à fond.

– Que dois-je choisir, selon vous, si je ne peux pas effectuer ce mouvement ? ai-je insisté. Ou si je ne parviens pas à le retenir et préfère en effectuer un autre ? Ou si je ne veux pas faire le tour du monde avec vous ?

Bien entendu, il n'a su que répondre à mes questions. J'ai poursuivi :

– Est-ce que votre orgueil d'instructeur passe avant mes blessures ? N'est-ce pas vous qui devriez adapter vos exercices à moi, la cliente qui paie 15 dollars pour assister à votre cours minable ? Je parle en mon nom et en celui des millions de personnes qui ne voient pas plus que moi l'intérêt de s'agiter sur une estrade, alors que nous nous y connaissons assez en aérobic pour savoir qu'au bout de vingt-cinq minutes de cours nous devrions pratiquer des exercices qui accélèrent le rythme cardiaque et non ces gesticulations ridicules qui le font diminuer...

J'admets m'être un peu énervée, mais il avait touché un point sensible. Je l'ai insulté pour toutes les femmes qui m'ont raconté des expériences similaires, pires que mon unique cours avec Bambi, pour les souffrances physiques et morales endurées par elles pour avoir tenté de faire le tour du monde avec des individus comme ce professeur. Il a abandonné la partie en me traitant de garce. Peu me chaut...

J'étais toujours celle qui suait sang et eau et soufflait comme une forge. C'était embarrassant... Il me semblait toujours me démener pour tout le monde sauf moi.

Une cliente

Vous vous demandez si l'évaluation de votre niveau de forme passe par une visite à votre médecin et une batterie de tests et d'examens. Toutes les vidéocassettes de remise en forme en vente sur le marché vous conseillent de le faire... Pourtant, je crois que c'est superflu dans bien des cas.

Bien sûr, si un médecin vous suit pour une affection cardiaque ou autre, n'allez pas jogger à toute vitesse en plein midi, puis après votre prévisible malaise, dire à votre médecin que Susan Powter vous a dit qu'il était inutile de lui demander si vous pouviez pratiquer le jogging. Je n'ai rien prétendu de tel.

Je dis seulement ceci : pratiquez une activité physique pendant trente minutes en vous oxygénant, mais quoi que vous fassiez, adaptez votre effort à votre niveau de forme.

La plupart d'entre nous n'ont pas besoin de médecin ni de tests d'effort pour déterminer leur niveau de forme, surtout s'ils sont très gros et en très mauvaise forme. Avez-vous besoin d'un médecin pour vous en rendre compte ? Je vous propose une consultation bien moins onéreuse, avec un escalier. Gravissez un étage et voyez ce qui se passe. Vous vous sentez à bout de souffle ? Cela signifie que votre système cardio-vasculaire manque de tonus. Levez les bras au ciel deux ou trois fois : vous paraissent-ils peser des tonnes ? Dans ce cas, la musculature du haut de votre corps laisse à désirer. Allongez-vous sur le dos (si vous y parvenez) et relevez-vous en position assise à l'aide de vos muscles abdominaux. Cela vous est impossible ?

Vous ne vous souvenez même pas où se situent ces muscles ? Le poids de vos seins vous étouffe ? Dans ce cas, vous ne possédez plus guère de sangle abdominale, vous avez trop de graisse à la place. Marchez un peu, à présent. Vos jambes battent et gonflent ? Il est temps de renforcer un peu les muscles du bas de votre corps et de débarrasser vos jambes de la graisse qu'elles supportent. Quelles questions voulez-vous poser à votre médecin ? Avons-nous besoin qu'il (me voici prise en flagrant délit de sexisme) nous confirme que nous sommes en mauvaise forme ?

Parfois je me dis : « Laisse tomber, Susan. Au fond, peu t'importe que les gens se ruinent en tests inutiles. Pour une fois, ne fais pas de vagues et tais-toi. Ce serait tellement plus simple de te ranger à l'avis des autres... » Mais je ne peux pas. Je n'en ai jamais été ni n'en serai jamais capable.

Voilà pourquoi j'insiste au sujet des tests de résistance à l'effort. J'ai rencontré des milliers de gens qui, parce que leurs moyens ne leur permettaient pas de s'en offrir un, continuaient à ne pratiquer aucune activité physique. Ils ont trop peur.

Admirez l'illogisme de la situation. Prenez une personne qui se détruit à petit feu, qui ne peut plus supporter ni son corps ni sa vie. Son obésité engendre des millions de symptômes déplaisants. Et cette personne ne peut prendre son problème à bras-le-corps sans consulter un médecin, ce qu'elle n'a pas les moyens de faire, ou dépenser un argent qu'elle n'a pas...

Si vous souhaitez passer un test d'effort et pouvez vous l'offrir, allez-y. Si vous ne pouvez pas, ne vous privez pas pour autant d'un des remèdes à votre état, l'exercice physique. Simplement, en attendant de pouvoir passer ce fameux test, usez de votre intelligence. Demeurez à l'écoute de votre corps et modifiez, modifiez, adaptez chaque exercice à votre condition physique. Je n'ai pas sollicité l'accord de mon médecin quand j'ai commencé à pratiquer la marche à pied. Sans l'aide d'aucun test, je savais que je mourais lentement et je voulais arrêter ce processus pendant qu'il en était encore temps. Alors, si vous êtes en aussi mauvaise forme et ne pouvez vous offrir un test d'effort, ne vous inquiétez pas. Vous allez bouger à votre rythme pendant trente minutes ou plus et brûler peu à peu votre graisse excédentaire tout en renforçant vos muscles et votre tonus cardiaque. Rien de bien compliqué, n'est-ce pas ?

Si vous tenez absolument à pratiquer un test, essayez donc le mien. Le rythme cardiaque au repos est un excellent indicateur de la forme physique.

Voici comment procéder : demain matin à votre réveil, avant de faire le moindre mouvement, vous prendrez votre pouls pendant une minute. Si vous dénombrez 80, 90 ou 100 pulsations, vous êtes à peine en vie et en très mauvaise forme. Entre 60 et 80 pulsations, vous êtes dans la moyenne, et entre 40 et 60, en excellente forme. Je répète :

– excellente forme .... 40 à 60,
– normal .... 60 à 80,
– morte-vivante .... 80 à 100.

Vous voilà en possession de deux chiffres (rythme cardiaque au repos et capacité respiratoire) grâce auxquels vous pourrez mesurer l'évolution de votre forme. Pas mal, pour des gens qui pensaient ne rien connaître à ce domaine. Je vais vous donner un bon conseil : abandonnez votre maudite balance au profit de ces deux données. Elles vous seront bien plus utiles.

Elles vous serviront pour de fructueuses comparaisons ultérieures. Elles vous fourniront tout d'abord, et c'est là leur intérêt primordial, la preuve de ce que j'affirme toujours, à savoir que ce sont les changements internes survenus au cours des premiers mois de remise en forme qui permettent d'obtenir des changements externes durables. Ces chiffres vous apporteront en outre auprès de vos amis une agréable aura d'experte en aérobic ! En dernier lieu, ils illustrent pour ceux qui en douteraient encore combien il est aisé de devenir un expert... Avant d'avoir fini la lecture de ce livre, vous en saurez plus long que votre professeur d'aérobic !

Notez donc bien votre rythme cardiaque au repos (car il va vite évoluer !) et attachons-nous à améliorer votre tonus cardio-vasculaire, à apporter de l'oxygène à votre corps et à le distribuer équitablement dans vos cellules.

Comment croyez-vous qu'on détermine la résistance du cœur à l'effort ? À l'aide d'électrodes ? Avec un médecin ? Comment vous assurer de ne jamais soumettre votre cœur à un effort trop intensif ?

Encore une fois, la réponse est simple. Il faut vous mettre à l'écoute de votre corps et surveiller votre respiration : le meilleur des indicateurs. Ni brassards ni écrans de contrôle. Dès l'instant où vous vous essoufflez, vous ne brûlez plus de graisses ; vous fatiguez votre cœur. Vous n'oxygénez plus votre corps. Il faudrait afficher dans toutes les salles d'aérobic la maxime suivante : quand vous haletez et cherchez à reprendre votre souffle, cela signifie que vous surmenez votre cœur. Dans ce cas, il faut *modifier* votre activité physique pour revenir au stade de la combustion graisseuse.

Vous vous demandez si une méthode aussi sommaire suffit. Je sais pourquoi : vous pensez aux tableaux couverts de chiffres qui ornent les murs des salles d'aérobic et qui sont supposés aider les élèves à évaluer l'efficacité des exercices. Parlons donc des chiffres que votre professeur vous demande au bout de vingt à vingt-cinq minutes de cours.

Cela me rappelle avec une acuité pénible mon premier cours d'aérobic avec Bambi, alors que je pesais 118 kilos. Soudain elle a crié : « Donnez-moi vos chiffres. » J'ai fait comme les autres et levé un bras (le premier mouvement depuis le début du cours qui ne me posait aucun problème). Les élèves criaient : « 17 ! », « 21 ! », « 26 ! », « 19 ! »... Moi qui venais de mettre au monde deux enfants en deux ans, je ne me préoccupais guère que d'un seul chiffre : la date de mes dernières règles. Alors je l'ai donnée à Bambi. Vous auriez dû voir son visage quand elle m'a vue m'avancer vers elle un bras levé (pourquoi, grands dieux !) en criant « 15/12 ! ».

La pauvre Bambi, qui se demandait déjà que faire d'une obèse dans son cours, s'inquiétait à présent de ma santé mentale. Pendant ce temps, les autres couraient comparer leurs chiffres avec le tableau affiché au mur.

Bambi a alors posé une autre question incompréhensible : « Personne au-dessus de 30 ? » De 30 quoi, Bambi ? 30 kilos d'excédent pondéral ? Je gagne haut la main.

Dans le doute, j'ai donc levé l'autre main (puisque je tenais déjà la première en l'air) et vu la terreur s'inscrire sur le visage de Bambi. Je l'ignorais, à l'époque, mais une femme de 118 kilos qui dépasse les 130 pulsations cardiaques par minute au bout de vingt-cinq minutes d'aérobic a toutes les chances de terminer la séance aux urgences. Bambi avait peur de devoir donner les premiers soins à la folle du fond de la salle. Arriverait-elle près de moi à temps ? Devrait-elle pratiquer le bouche-à-bouche ? Se rappelait-elle que faire en cas de malaise ? Toutes ces questions se succédaient à l'évidence dans son esprit pendant que je lui expliquais que je n'arrivais pas à compter mes pulsations, mais pensais me situer aux alentours de 130-140. Ce qui signifiait, je le sais à présent, que je risquais une crise cardiaque.

Un cruel dilemme agitait Bambi : avec cette musique, elle risquait de ne même pas m'entendre mourir et, si elle baissait le son, elle perdait tout entrain. Bambi en avait assez de moi ; relever le défi que je représentais ne l'intéressait pas. Pourquoi fallait-il que j'assiste à son cours et non à celui de 9 heures 30 ? Pourquoi fallait-il qu'elle hérite d'une femme qui donnait des réponses absurdes à ses questions les plus simples et l'obligeait à se préoccuper de son sort alors qu'elle n'aspirait qu'à diriger un cours d'aérobic en admirant dans la glace la perfection de ses propres gestes ?

J'aimerais consacrer encore quelques lignes à ces histoires de rythme cardiaque idéal, notamment pour souligner leur inutilité. Contrôler l'efficacité d'un exercice en prenant votre pouls, en levant un bras, puis en allant le comparer à un tableau indicatif ne tient pas debout.

Les experts en aérobic ont inventé ce concept absurde de rythme cardiaque idéal, censé évaluer le rendement d'une séance d'aérobic. D'après eux, la combustion optimale des graisses se réalise lorsqu'on se situe entre 60 et 80 % de son rythme cardiaque maximal, ce maximum ne précédant la mort que d'un degré. Ces messieurs l'ont calculé à partir de l'âge exclusivement. Non, il ne tient pas compte de votre niveau d'entraînement ni des éventuels médicaments que vous prenez, ni du délai écoulé depuis votre dernière séance de sport ni de vos possibles blessures ou maladies, non plus que des centaines d'autres facteurs susceptibles de jouer. Non, il s'agit d'une moyenne. Les experts nous disent dans quelle zone nous devrions nous situer en fonction de notre âge, point final.

Si après décompte de vos pulsations et consultation du tableau, votre résultat correspond à celui qu'ils définissent comme efficace (c'est-à-dire faisant travailler votre cœur entre 60 et 80 % de ses possibilités), vous avez effectué une bonne séance. Sinon, continuez à essayer, ma fille, vous finirez peut-être par y parvenir.

L'une des plus grandes erreurs de ce raisonnement vient de ce que ce principe des 60-80 % ne s'applique qu'aux personnes en relative bonne forme déjà dotées d'un rythme cardiaque bas au repos. Si une personne en mauvaise forme s'essaie à l'aérobic (éventualité que les experts n'envisagent même pas) et s'efforce de travailler à 60-80 % de ses capacités cardiaques, voici ce qui va se passer...

1. Elle ne tiendra pas plus de quelques minutes.

2. Elle n'atteindra jamais le stade à partir duquel on brûle ses graisses excédentaires.

3. Elle ne s'oxygènera pas.

4. Elle sera en permanence à bout de souffle.

5. Elle ne progressera pas.

6. Et, comme des millions de personnes avant elle, elle sortira du cours plus morte que vive en se jurant de ne plus jamais y remettre les pieds.

Le monde de l'aérobic compte tout de même quelques êtres éclairés qui partagent mon opinion et tentent de l'expliquer à leurs confrères. Ainsi, le Pr Kulling, de l'université de l'Oklahoma, suggère de conseiller aux élèves de travailler à 46 % et non 60-80 % de leurs capacités cardiaques. D'après lui, ce rythme permet de brûler plus de graisses, de faire du sport plus longtemps, puisque moins intensivement, ce qui aide à bénéficier au maximum des bienfaits de l'aérobic et autorise plus de niveaux de forme. En somme, il est de beaucoup préférable à l'autre (la conclusion est de moi, pas de M. Kulling). Jusqu'à ce que ces voix s'élèvent (ce qui n'a pas changé grand-chose car les autorités se réfèrent toujours à leur ancien tableau), une seule alternative s'offrait à vous lorsque vous participiez à un cours d'aérobic : laisser le professeur vous expliquer que vous étiez nulle ou faire tout ce que le professeur vous demandait pendant trente minutes, sans vous soucier de votre respiration haletante, de manière à atteindre la barre fatidique des 60 %, seul critère d'un « bon » travail.

Grâce à ce livre et à notre ami de l'Oklahoma, vous disposez à présent d'une troisième solution.

Voici une nouvelle formule ultra-simple qui vous aidera à devenir experte en aérobic.

Formule n° 3, donc, made in Oklahoma :

1. Ôtez votre âge du nombre 220.
2. Puis votre rythme cardiaque au repos du résultat ainsi obtenu.
3. Multipliez le résultat par 46 % (avant, on le multipliait par 60 ou 80 %).
4. Rajoutez au total votre rythme cardiaque au repos.

Ce qui donne votre nouveau « rythme cardiaque idéal pour la combustion des graisses », beaucoup plus accessible pour la plupart d'entre nous. Cela vous permettra en outre de mettre un brin d'animation dans votre cours d'aérobic en demandant à votre professeur de vous indiquer votre zone pour un effort à 46 % du rythme cardiaque maximal au lieu de 60-80 %.

Tout à l'heure, je me suis adressée à ces messieurs du ministère de la Santé au sujet de leurs 30 % de lipides dans l'alimentation. J'aimerais à présent poser quelques questions aux spécialistes de l'aérobic. Où avaient-ils déniché leur formule pour déterminer le rythme cardiaque idéal ? L'échantillon incluait-il des personnes en mauvaise forme ? Et qu'attendent-ils pour nous proposer de nouveaux tableaux susceptibles de nous aider tous sans considération de condition physique ?

Cela dit, si vous détestez les calculs, vous pouvez tout à fait vous passer de cette formule. Je ne l'ai utilisée ni pour moi ni pour aucune de mes clientes. Je connais une bien meilleure méthode pour mesurer et contrôler l'efficacité de vos exercices : l'effort perçu. Elle nécessite que vous demeuriez à l'écoute de votre fatigue et que vous vous concentriez sur votre respiration, de manière à adapter sans cesse votre effort à ces sensations. Cela vous permettra de poursuivre votre activité en vous oxygênant pendant au moins trente minutes et de brûler votre graisse excédentaire de manière optimale. Et ce sans tableaux ni graphiques.

Procédez de la façon suivante : surveillez votre respiration et, dès que vous vous essoufflez, réduisez votre effort. Tenez aussi compte de votre éventuelle fatigue. Si votre bébé vous a réveillée toutes les heures, vous ne serez pas au mieux de votre forme pour votre cours d'aérobic de 8 heures du matin. Dans ce cas, adaptez votre activité physique à ce paramètre. Avez-vous mangé suffisamment ? (J'espère que vous ne suivez plus de régime ! Si par malheur vous le faites, surtout *ne faites pas de gym.*) Avez-vous voyagé ces derniers jours et consommé des nourritures infâmes dans des cafétérias d'autoroute ? Dans ce cas, vous ne possédez peut-être pas votre énergie coutumière : modifiez votre programme. Vous pouvez vous sentir fatiguée pour un million de raisons et c'est pourquoi vous devez apprendre à adapter votre activité à votre forme. La meilleure méthode pour y parvenir est de s'exercer à sentir l'effort fourni.

Peu de choses ont changé, ces dernières années. J'ai perdu 60 kilos, gagné en tonus cardiaque, en vigueur musculaire et en souplesse, créé ma propre entreprise, je parle à la télévision, je prononce des discours, je donne des conférences, j'écris ce livre... et pourtant, chaque fois que je fais de la gym, j'adapte mon effort à une foule de facteurs, afin d'éviter tout excès. Tout comme lorsque je pesais 118 kilos et marchais dans ma rue pendant trente minutes, ralentissant quand je m'essoufflais, puis réaccélérant, et ainsi de suite. J'agis toujours ainsi. Les Bambi et moi-même nous plaçons juste à un niveau d'effort supérieur au vôtre. Seigneur, voilà que je me situe dans la même catégorie que Bambi ! Au secours !

Quand je marchais, je ne me préoccupais que de quelques considérations d'ordre physique comme les multiples douleurs qui tenaillaient mon corps. Au moindre mouvement, j'avais l'impression de me muer en une sorte de Bibendum Michelin, fait de bourrelets qui s'entrechoquaient et se frottaient les uns contre les autres.

Je me préoccupais aussi de mes douleurs dorsales... ma sempiternelle excuse pour éviter toute activité sportive. « Je ne peux plus bouger, expliquais-je, à cause de mon dos. D'après mon obstétricienne, c'est inévitable après deux grossesses aussi rapprochées. Si je pratique la gym, je risque de me faire mal au dos... Oh, merci, j'adorerais t'accompagner à ce cours d'aérobic, mais ce ne serait pas raisonnable, avec mon dos... »

Mon médecin avait juste oublié un détail à propos de mes douleurs lombaires : la graisse qui recouvrait mon ventre d'une sorte de tablier qui retombait jusqu'au milieu de mes cuisses, et mes muscles abdominaux atrophiés par des années de négligence. Pensez-vous que cela puisse avoir un rapport avec ces « inévitables douleurs » ? Cher docteur, laissez-moi vous dire que le remède à mes maux était beaucoup plus simple et bien moins onéreux que les décontractants musculaires que vous me prescriviez. Mon propre traitement, dépourvu d'effets secondaires, a résolu mon problème. J'ai brûlé les graisses qui enrobaient mon estomac, renforcé ma sangle abdominale, minci et acquis vigueur et santé.

Autre chose : croyez-vous que les tableaux des rythmes cardiaques idéaux prenaient en compte ma colère contre mon prince ? Non, bien sûr, et pourtant cet élément influait sur mon activité physique, car la concentration exige de l'énergie. Souvent, le matin, je me levais en forme, me préparais à partir marcher, puis je recevais un coup de téléphone de mon prince à propos d'un de nos multiples sujets de désaccord... et toute mon énergie m'abandonnait. Je raccrochais, démoralisée, en me disant : pourquoi me donner tant de mal puisque sa petite amie flotte dans du 36 alors que je ressemble à une vache ? Mes vieux démons reprenaient possession de mon esprit, en même temps qu'une invincible fatigue morale s'emparait de moi. Donc, bien souvent, je me sentais déjà fatiguée avant de franchir le seuil de la maison. Je commençais à marcher très lentement car, à chaque pas, d'insidieuses voix intérieures me criaient : « Ne te fatigue pas, ça ne sert à rien. Regarde-toi : crois-tu vraiment que quelques malheureuses petites promenades suffiront à faire changer tes cuisses d'aspect ? »

Mais, au bout de quelques minutes, le temps que mon sang se charge d'oxygène bienfaisant, un peu d'énergie me revenait. Cher oxygène, aussi bon pour le cœur que pour le moral. Alors je commençais à me sentir mieux et à penser à autre chose. Et, soudain, je m'apercevais que j'avais marché pendant trente minutes ou plus, brûlé quelques graisses, pris un peu de force... et franchi un pas de plus vers mon objectif.

Que le prince aille au diable ! Je veux recouvrer la force. Taisez-vous, voix intérieures : je n'ai pas de temps à vous consacrer. Quant à toi, princesse, tu t'habilles peut-être en 34, mais moi, j'ai une personnalité, je sais lire, j'ai deux enfants superbes qui m'aiment, alors que tu ne sais finir une phrase autrement que par « Oh, mon Dieu »...

Il m'arrive encore de me sentir fatiguée, très fatiguée, ou de ne presque pas fermer l'œil de la nuit. Le fait que ce ne soient plus des bébés qui m'empêchent de dormir, mais mes livres et les délais imposés par mes éditeurs, ne change rien. Mon prince m'énerve toujours, bien qu'il tienne aujourd'hui une plus grande place dans ma vie que lorsque nous étions mariés (ne vous inquiétez pas, je vous expliquerai pourquoi ; en fait, j'y consacrerai même un chapitre entier). Le travail, les factures, les ennuis féminins demeurent mon lot quotidien et continuent à m'angoisser, m'effrayer, m'agacer. Pour toutes ces raisons, je continue à adapter mon activité physique à ma forme du jour, n'en déplaise aux professionnels de l'aérobic.

> *Si un jour je ne pratique aucune activité physique, je sens mon énergie diminuer. J'ai remarqué que plus on bouge, mieux on se porte.*
>
> ***Jennifer, une cliente***

Vous savez pourquoi vous allez contrôler et modifier votre activité physique pendant le restant de vos jours : pour vous oxygéner, brûler vos graisses excédentaires et tonifier votre muscle cardiaque. Vous savez que dès que vous perdrez le souffle, que vos bras ou jambes vous sembleront prêts à se détacher, ou que vous vous sentirez fatiguée, vous adapterez votre effort en conséquence.

Vous n'ignorez plus qu'une chose : l'art et la manière de modifier. Il faut apprendre à augmenter ou à diminuer l'intensité de votre effort lorsque vous pratiquez une activité physique. Tout d'abord, votre cerveau commencera à vous chuchoter : « Si nous laissions tomber ces gesticulations pour aller regarder la télévision ? Tu aimes tant que cela souffrir et transpirer ? » Ni votre détermination ni votre volonté ne suffiront à vous retenir lorsque au bout de trois minutes d'exercice vous chercherez une excuse qui justifie votre retour immédiat à la maison. Seule votre capacité à moduler l'intensité de votre effort vous permettra de vous oxygéner assez pour sentir vos idées s'éclaircir vraiment pendant que ces fameuses endorphines vous feront redoubler d'énergie (cela arrive toujours).

Jamais, depuis que j'enseigne la remise en forme, je n'ai vu une seule personne sortir d'un de mes cours en regrettant d'y avoir assisté. En revanche, j'ai entendu maintes fois : « je suis vraiment contente d'être venue ; je me sens tellement mieux », « eh bien, je ne pensais pas tenir le coup jusqu'au bout, mais je suis ravie d'y être parvenue » ou encore « je m'attendais à ce que ça se passe mal, parce que je n'avais pas envie de venir et ne me sentais pas d'humeur à faire du sport, mais tout s'est déroulé sans anicroche »...

J'aurais toutes les raisons du monde pour me dispenser de faire de la gym tous les jours. D'abord, je suis déjà en bonne forme, j'aime mon aspect physique et je me sens bien. Un jour ou deux sans exercice ne peuvent me faire grand mal. Mes cuisses ne vont pas tripler de volume. Je pourrais aussi invoquer l'excuse du surmenage et, croyez-moi, je ne manque pas d'arguments dans ce domaine. Il faut toujours que je me prenne par la main et que je commence doucement, jusqu'à ce que je sois prête à intensifier mon effort physique. Et je me sens toujours une autre femme quand je termine ma séance d'exercices. Chaque fois. L'autre jour, à la fin d'un cours, après une heure de concentration, d'énergie, de combustion des graisses, j'ai regardé mes élèves et j'ai dit : « Connaissez-vous un euphorisant aussi efficace et moins cher ? »

Pour profiter au quotidien des bienfaits de l'exercice physique, il faut d'abord apprendre à moduler l'intensité de son effort. Augmenter son intensité équivaut à augmenter sa difficulté, et vice versa.

L'unique différence entre les niveaux de forme réside dans le niveau d'intensité auquel on travaille. Au niveau avancé, on effectue les exercices correctement en s'oxygénant pendant trente minutes, en les modifiant pour des raisons physiques. Vous l'aurez compris, c'est là exactement ce que doit faire une personne pesant 180 kilos. Où est la différence ? me demanderez-vous. Il n'en existe pas, sauf qu'une personne en excellente forme physique adoptera un rythme de travail plus intense. Pas parce qu'elle est « meilleure » que la débutante qui pèse 118 kilos, mais simplement parce qu'elle possède plus de force musculaire pour remuer, moins de graisse, ce qui facilite ses mouvements, et un cœur mieux entraîné, capable de supporter un effort physique plus intense pendant le même laps de temps.

Vous allez commencer à un faible niveau d'intensité afin d'acquérir la force nécessaire pour passer au suivant, puis au suivant, puis encore au suivant, jusqu'à ce que l'image que vous renvoie votre miroir vous plaise... et que vous vous sentiez bien dans votre corps. Alors, il ne vous restera plus qu'à entretenir ce capital.

C'est si simple ! Pourquoi tout le monde s'ingénie-t-il à compliquer les choses ? (Je souligne parce que je crie.)

Les méthodes de régulation de l'intensité de l'effort sont elles aussi simplissimes (peut-être aurais-je dû intituler ce livre : *Livre des principes simples* ?). Une ou deux choses peuvent l'augmenter ou la diminuer instantanément. Je vais prendre comme exemple la marche à pied, mais ma démonstration vaut pour toutes les activités physiques.

Commençons par le rythme, un des moyens d'intensifier votre effort. Vous marchez dans la rue. Comme c'est facile ! On ose à peine appeler cela un sport. Et si vous essayiez d'accélérer le pas? Vous pouvez passer d'un pas lent à un pas rapide, voire à un jogging. Je ne suis pas en train de vous suggérer de jogger et je ne le ferai jamais car je déteste cela. Et il est inutile de jogger car il existe une foule de moyens de transformer votre petite promenade en un exercice physique intensif. De même, si la natation vous paraît trop facile, nagez plus vite pendant trente minutes. Si ce tapis de marche défile trop lentement, augmentez sa vitesse. Si vous considérez la bicyclette comme un sport de retraités, essayez de pédaler plus vite.

L'autre moyen d'intensifier votre effort musculaire consiste à élargir vos mouvements. J'enfourche là un de mes dadas car je ne saurais vous dire combien de fois j'ai vu dans des salles d'aérobic des femmes super-entraînées qui affichaient une expression d'ennui, comme si aucun exercice au monde ne parvenait plus à stimuler leur goût de l'effort. Mais je remarquais la faible ampleur de leurs gestes.

Or, plus on fait des mouvements larges, plus l'exercice devient difficile et l'effort intense, car on sollicite plus les muscles qu'on fait travailler. Comme la dépense énergétique dépend de l'activité musculaire, cela signifie qu'on atteint plus vite le niveau de travail recherché. Il faut essayer d'élargir ses mouvements pour comprendre la différence que peut engendrer une extension supplémentaire de deux centimètres. Demandez aux danseurs. Regardez-les lever une jambe, la tendre et conserver cette position. Quand on sait quelle force, quelle endurance et quel effort intensif cela demande, leur performance force le respect.

Revenons à notre exemple du début. Vous marchez ; vous avez accéléré le pas, mais cela ne vous suffit toujours pas. Élargissez vos gestes. Au lieu de balancer les bras sans réfléchir, imprimez-leur un grand balancement régulier. Dans le même temps, allongez vos enjambées. Il faut aussi faire travailler le bas du corps. Vous saisissez ?

Vous nagez sans effort, même en accélérant la cadence ? Faites des mouvements plus amples, aussi amples que vous le pouvez. Vous allez sentir les muscles de vos flancs se tendre. Je vais même vous montrer comment. Posez ce livre un instant et, sans bouger de votre siège, levez le bras droit à la verticale. Tendez-le vers le ciel. Ne bloquez pas votre coude, ça ne sert à rien sur le plan musculaire et vous risquez de vous faire mal ; gardez toujours des articulations souples. Continuez à tendre le bras, sans oublier d'abaisser votre épaule : vous cherchez à faire travailler votre bras, pas à rentrer la tête dans les épaules. Montez votre main deux centimètres plus haut. Gardez la position, ou, si vous ne le pouvez pas, modifiez le mouvement et rabaissez le bras en le secouant avant de le redresser. (Il est normal que vous éprouviez le besoin de modifier ce mouvement, car vous manquez encore d'endurance. Bientôt vous pourrez garder le bras en l'air de plus en plus longtemps. Alors, ne vous inquiétez surtout pas.) À présent, imaginez que vos doigts sont vivants (d'ailleurs, ils le sont), puis à travers eux, dirigez votre énergie vers le plafond. Bras tendu, épaule basse, coude souple, touchez en pensée le plafond.

Savez-vous ce que vous venez de faire ? Un mouvement efficace, parce que vous avez utilisé plus de muscles que cette femme super-entraînée qui lance ses bras en l'air et les laisse retomber.

Autre exemple : élargir un mouvement de flexion peut en faire une véritable torture. Baissez-vous ou relevez-vous (attention, ne bloquez pas vos genoux) de deux centimètres de plus que d'ordinaire.

C'est merveilleux comme on s'habitue vite aux choses, même aux plus étonnantes.

Edith Nesbitt, 1902

Autre jour, autre truc. Si vous voulez encore intensifier votre activité physique parce que aucun rythme ne vous paraît assez rapide, ni aucun mouvement assez ample, il reste encore une solution : essayez d'ajouter un élément de résistance. La résistance rend résistant : jolie maxime, non ? Soulever ou repousser quelque chose est bien plus difficile qu'agiter bras et jambes en tous sens, comme les fanatiques de l'aérobic.

Très bien, allez-vous me le dire, mais quel équipement employer ? Je vous propose la boue. Pensez à de la boue : oui, de la boue.

Vous marchez toujours, vite, à grands pas et en balançant vos bras. À présent, imaginez que vous marchez dans de la boue, que vos jambes doivent l'écarter pour progresser, qu'elle se presse contre vos bras. Plus la boue sera épaisse, plus elle offrira de résistance.

Quand vous nagez, inutile d'ajouter de la boue, car l'eau constitue déjà la meilleure des résistances. J'ai récemment lu un article au sujet d'une grande découverte : marcher dans une piscine brûle plus de graisses que de marcher à l'air libre. Il y avait des paragraphes et des paragraphes sur la marche dans l'eau (dans l'eau, pas sur l'eau : une seule personne peut pratiquer ce dernier sport), sans expliquer pourquoi. Et moi, assise dans mon siège d'avion, je hurlais en mon for intérieur : *Dites-leur pourquoi ! Expliquez à vos lecteurs le concept de résistance. Dites-leur que grâce à cela ils peuvent retrouver la forme sans suivre de stupides cours d'aérobic. Dites-le-leur ! Dites-le-leur !*

L'article passait sous silence les raisons de l'efficacité supérieure de la marche dans l'eau et ne disait pas comment en tirer parti au quotidien pour changer de corps.

On peut rajouter de la boue à l'infini. Et je possède encore quelques petits trucs du même style en réserve. Ainsi, sur un tapis de marche, vous pouvez ajouter un peu d'élévation. Oui, inclinez-le un peu et marchez à grands pas avec de larges mouvements... vous verrez.

Marchez autour d'un stade. Après deux tours, gravissez quelques marches. Inutile de courir. Puis refaites deux tours de stade. Recommencez, et ainsi de suite. Vous n'imaginez pas combien cela augmentera l'intensité de l'exercice.

Revenons à nos lectrices candidates à une remise en forme. Gandhi, à moins que ce ne soit un autre sage, disait que chaque geste a une finalité. Je vous ai d'abord expliqué comment intensifier votre effort pour une raison précise : dès lors que vous savez comment l'intensifier, vous savez comment le modérer. Les mêmes principes s'appliquent dans les deux sens.

Si vous marchez et vous sentez essoufflée, vous pouvez ralentir le pas, adopter un rythme moins intense, jusqu'à ce que votre respiration se régularise ; alors vous pourrez de nouveau accélérer. Si, au cours d'une séance d'aérobic, vous perdez le souffle, diminuez l'ampleur de vos mouvements. Ainsi, vous solliciterez une masse musculaire plus faible et donc modérerez votre effort. Une foule d'autres solutions s'offrent à vous : vous pouvez dégager vos bras de la boue ou même, si vous haletez toujours, interrompre vos mouvements de bras. Oui, vous avez bien lu : vous pouvez supprimer les mouvements de bras le temps de reprendre votre souffle.

Voilà. À présent, vous possédez la clé de la forme. Maintenant que vous connaissez ce secret, vous êtes libre. Libre de vous remettre en forme, de brûler vos graisses excédentaires et d'acquérir force et vigueur. Libre d'envoyer au diable le prochain professeur qui se permettra d'essayer de vous faire faire un mouvement que vous savez stupide, inefficace et dénué de tout intérêt sur le plan musculaire. Libre, libre, enfin libre.

Impatiente de commencer ? Voyez la variété de choix qui s'offre à vous. Voyez comme j'ai vite fait de vous des expertes. Vous savez maintenant que chacun peut conduire son corps à la forme, quel que soit son état physique. Vous comprenez à présent pourquoi je ne supporte pas le monde de l'aérobic ? Personne ne m'avait parlé de cela ; à vous non plus d'ailleurs. Nous n'avions aucune chance de remodeler notre corps puisque personne ne nous expliquait comment procéder. Vous n'êtes pas paresseuse et vous ne manquez pas de volonté, seulement vous ignoriez que faire. Mon histoire n'a rien d'unique : des milliers de gens ont suivi le même chemin. Vous pouvez en faire autant si vous vous conformez aux principes que je vous ai indiqués.

Je vais vous raconter une anecdote. J'ai assisté récemment à un cours sur bicyclettes d'exercice ; on appelle cela cours de « pédalage ». Imaginez la scène : une vingtaine de vélos, de la musique assez forte et des femmes qui pédalent à qui mieux mieux.

Je suis plutôt en bonne forme physique. D'accord, je n'ai jamais raffolé de la bicyclette, mais si cela nécessite une bonne endurance cardiaque, cela ne devrait pas poser de problème. Donc, nous commençons à pédaler, d'abord lentement, pour nous échauffer, puis plus vite à mesure que nous entamons la phase aérobic. Toujours pas de problème, jusqu'à ce que le professeur se mette à faire des choses insensées.

Vous voyez ce bouton « résistance » sur votre vélo ? Eh bien, resserrez-le jusqu'au point où la boue vous paraîtra de la barbe à papa... Il vous semblera pédaler dans du sable mouvant. Pour corser les choses, pédalez donc en danseuse. Puis, comme si cela ne suffisait pas, sans toucher au bouton, augmentez votre cadence de pédalage. Et là, je dis « stop ». Êtes-vous donc devenue folle, madame le professeur ? Il ne s'agit plus d'exercice, mais d'exploits bioniques !

Pourtant, cette femme nous a saluées à notre arrivée, mon amie et moi, et nous a demandé si nous étions de nouvelles pédaleuses. Le vocable comme l'accueil m'ont favorablement impressionnée. Elle nous a aidées à régler nos sièges et s'est montrée chaleureuse, chose rare pour un professeur d'aérobic.

Mais, au-delà de ses qualités certaines, cette femme affichait une forme surhumaine. J'ai vu beaucoup de choses au cours des dernières années, mais rien, je vous l'assure, de comparable à sa force, à son endurance et à son tonus cardiaque. Ne me demandez même pas de vous décrire son corps, mince, bronzé, ferme, musclé à la perfection... En tout cas, nul ne lui arrivait à la cheville en termes de forme, moi pas plus que les autres.

Il m'a donc fallu accepter le fait qu'à côté d'elle je n'étais qu'une pauvre mollassonne, chose difficile à admettre pour une « pro » de la forme qui passe à la télévision. Mon ego en a souffert, quoique brièvement car j'étais trop occupée à modifier chaque exercice de manière à ne pas tomber en miettes sous ses yeux.

Ce premier cours m'a fait le même effet que ma première marche à pied ou ma première séance d'haltères. Comme moi, vous vivrez beaucoup de nouveaux départs, tout au long du chemin qui conduit à la forme. Jamais vous ne cesserez d'appliquer le principe de modification, soit dans le sens d'une intensification des mouvements, soit dans le sens d'une modération. Alors commencez dès maintenant et persévérez.

> *À présent, je me sens merveilleusement bien : je mange tout le temps, je mincis et je porte des vêtements dans lesquels je ne rentrais plus depuis des années. Hourra ! En résumé : je mange, je respire, je bouge et ça marche ! Ça marche vraiment.*
>
> ***Une cliente***

Laissez-moi maintenant vous parler de Bill. Pour Bill, la voie de la forme était semée d'embûches : il pesait 180 kilos, habitait à une heure et demie de mon centre et travaillait de nuit, à un poste qui exigeait qu'il reste debout pendant huit heures d'affilée. Il ne pouvait donc assister qu'aux cours du matin.

Sa vie était devenue un cauchemar. Son poids lui interdisant toute activité physique, il ne possédait plus aucune énergie, se sentait en permanence mal à l'aise et mourait de honte quand il entendait les amis de ses filles ricaner sur son passage et se moquer de son obésité.

Un jour, Bill s'est effondré en larmes dans mon bureau en me disant que son poids gâchait sa vie. Il m'a avoué qu'il ne parvenait même plus à se laver seul car il ne pouvait plus atteindre son propre dos. Voir un être humain plein de qualités comme lui pleurer à cause de son obésité m'a mise en rage. Si vous vous interrogez sur l'origine de mon zèle missionnaire, voici un des exemples qui le motivent.

J'ai décidé d'aider Bill à reprendre son corps en main. Peu à peu, en travaillant à son niveau de forme et en contrôlant son effort, il a commencé à brûler de la graisse, à retrouver de la vigueur, à tonifier son cœur... et à reprendre goût à la vie. Bill souriait de nouveau, riait, et se sentait mieux chaque jour. Il avait compris que pour remodeler son corps il devait, comme moi, et comme vous, apprendre à manger, à respirer et à bouger. Il n'existe pas d'autre solution.

Un jour, Bill m'a appelée, affolé : il s'était blessé au genou et ne pouvait marcher. Il se moquait de souffrir mais se désolait de devoir momentanément renoncer à la seule chose qui lui apportait un peu de bien-être, ses séances de gym.

Bill me connaissait mal : arrêter de faire de l'exercice pour une simple blessure au genou ? Jamais de la vie ! Je ne lui ai posé que trois questions : « Peux-tu boiter jusqu'à ta voiture et venir ici ? À quelle heure ? Possèdes-tu des petits haltères ? » Il ma répondu : « Oui, 2 heures et oui. » Puis il a éclaté de rire en me demandant ce qu'il fallait pour me faire renoncer à la gym. Ma réponse est la suivante : à moins d'être emprisonné dans un poumon d'acier, on peut toujours bouger et, dès que l'on bouge, on oxygène son organisme. Tout mouvement ou presque peut être modifié, alors ne nous laissons pas abattre et continuons à traquer cette graisse.

À deux heures, Bill est venu au centre. Je l'ai installé sur une chaise et lui ai fait travailler le haut de son corps, à l'aide d'haltères de 500 g. Si vous croyez qu'on ne peut accélérer son rythme cardiaque en demeurant assis, faites donc un essai. Vous ne tarderez pas à transpirer et à brûler votre graisse. À la fin de la séance, Bill est reparti en nage – et ravi.

Comme dans la plupart des domaines, j'ai appris cela par expérience. En effet, j'ai su faire travailler Bill assis sur une chaise parce que c'est exactement ce que j'ai dû faire moi-même pendant des mois. Si vous vous posez des questions sur le sport en fauteuil roulant, appelez-moi. Enchantée de ma nouvelle vie et de mon nouveau corps, je venais de commencer à enseigner l'aérobic selon Susan quand je n'ai rien trouvé de mieux que tomber et de me briser les deux pieds. Résultat des courses : deux plâtres et toujours deux fils à élever. Facile quand on ne peut pas marcher... Me voilà donc à l'aube de mon expérience n° 1 000 076, dont je me serais volontiers passée.

À mon réveil à l'hôpital, une seule préoccupation me taraudait l'esprit. Nourrir mes enfants ? Payer mes factures ? Maintenir la maison en ordre ? Non, rien de tel : je ne pensais qu'au moyen d'éviter de regrossir. Aucune fracture, aucune opération ne pouvaient me terrifier autant que la perspective de reprendre mes kilos perdus.

Je demeurais prisonnière de mon obésité d'antan. Je passais beaucoup de temps à en repousser le spectre et j'y réussissais plutôt bien, mais je n'en étais pas encore délivrée. Mon corps était mince, vigoureux et plein de santé, mais mon esprit n'avait pas encore enregistré cette métamorphose.

Après l'opération, on m'a mise sous morphine. Vous savez comment cela se passe : on vous branche un cathéter dans le bras, muni d'une petite pompe. Dès que vous souffrez, vous actionnez la pompe et quelques gouttes de morphine se mélangent à votre perfusion. Un instant plus tard, vous nagez dans le bonheur. Plus je m'inquiétais de regrossir, plus j'actionnais ma pompe. Pendant deux jours, je n'ai fait que cela : penser, paniquer et m'injecter de la morphine pour endormir la douleur et l'angoisse.

Mais très vite, mon état s'est amélioré suffisamment pour que je quitte l'hôpital et j'ai dû faire face à ma peur de regrossir, car, malgré mes supplications, les médecins ont refusé de me laisser emporter la pompe à morphine...

J'en savais trop long sur la nutrition pour m'affamer afin de tenir les kilos à distance, mais la poursuite de mon programme habituel me paraissait difficilement praticable. Manger : pas de problème; j'avais toujours été championne en la matière. Respirer : pas de problème non plus, je n'aurais rien d'autre à faire de mes journées. La difficulté se situait au niveau du troisième volet : bouger. Je maîtrisais bien les techniques de remise en forme et savais comment les appliquer, mais de là à remarcher... Et pour moi, à l'époque, bouger impliquait de marcher.

J'ai fait part de mes craintes à mon médecin et lui ai demandé conseil. Il s'est presque moqué de moi. « Femme hystérique », lisais-je écrit sur son front. Alors j'ai changé de médecin. Vous auriez dû voir sa tête pendant que son ex-obèse de patiente immobilisée par ses plâtres le chassait sans autre forme de procès.

Il fallait avant tout m'occuper de ce problème de kilos (on trouve des médecins à chaque coin de rue). Après mûre réflexion, le mercredi suivant, deux semaines après mon intervention chirurgicale, jour de mon cours pour hommes, je me suis traînée jusqu'à ma voiture et me suis rendue à la salle de gym où j'enseignais. Mon médecin en aurait fait une crise cardiaque car il m'avait interdit de conduire, mais cette règle ne s'appliquait plus, puisque je n'avais plus de médecin traitant. Arrivée devant le centre, je me suis hissée dans mon fauteuil roulant (ce qui m'a pris une éternité), puis j'ai roulé jusqu'à la salle où officiait ma remplaçante. Je l'ai remerciée d'avoir assuré mes cours depuis mon accident, puis lui ai dit que ce ne serait plus nécessaire. Mes élèves masculins n'en attendaient pas moins de ma part, mais vous auriez dû voir l'expression abasourdie de la remplaçante, qui ne me connaissait pas, à la vue du phénomène au crâne rasé et en fauteuil roulant qui l'assurait de son rétablissement et de son intention de reprendre ses activités...

J'ai donné mes cours en exécutant les mouvements du haut du corps et en demandant à l'un de mes élèves de montrer aux autres les exercices que mon état ne me permettait pas d'effectuer.

J'ai repris un peu de poids, 7 kilos pour être précise. J'étais passée d'une cadence quotidienne de cinq cours à la station assise avec forte consommation d'antalgiques (moins efficaces que la morphine, bien sûr, mais cela allait). Mon métabolisme a fonctionné en mode ralenti, ce qui explique que j'aie repris du poids. Cependant, comme je continuais à manger, respirer et bouger, mon corps a continué à se développer. En attendant de pouvoir remarcher, je me suis concentrée sur le haut de mon corps. Je pouvais travailler d'excellente manière car, une fois à terre, mes plâtres m'y maintenaient fort efficacement (on devrait songer à conserver à cet effet un stock de plâtres dans les salles de gym).

Mon expérience de pieds cassés me sert chaque jour, chaque fois que je rencontre une personne affligée d'un problème physique. Je lui dis, comme à vous : on peut toujours arriver à bouger. Prenez une chaise et mettez-vous au travail. Si vous voulez intensifier votre effort, servez-vous d'haltères.

COMMENT COMMENCER

Pour commencer, il faut savoir un certain nombre de choses, notamment au sujet de la respiration. Vous vous rappelez l'oxygène, source de vie ? Bien.

Un coup de fatigue ? Au lieu d'avaler une tasse de café, essayez plutôt un exercice respiratoire. Vous ressentez des pulsions meurtrières ? Je connais un exercice de respiration profonde qui vous aidera à surmonter cette crise.

Avant tout, il faut reprendre l'habitude de respirer. La meilleure méthode consiste à respirer en vous concentrant cent fois par jour.

Voici l'exercice respiratoire de Susan Powter : cent fois par jour, interrompez votre activité, concentrez-vous et respirez. Ne vous préoccupez pas de considérations techniques. Inspirez par le nez et expirez par la bouche. Recommencez. Encore. Voilà : faites cela cent fois par jour.

RESPIRATION ABDOMINALE

Si vous voulez aller un peu plus loin, essayez la respiration abdominale, simple et puissante. Cette fois, il faut respirer avec votre ventre et non plus avec votre cou et votre gorge, comme vous le faites probablement.

Pour bien respirer avec votre ventre...

1. Asseyez-vous sur une chaise.

2. Placez votre main droite sur votre poitrine et la gauche sur votre ventre.

3. Inspirez.

4. Si votre main droite se soulève plus que la gauche, cela signifie que vous respirez avec votre thorax.

5. Oh, au fait, expirez...

6. Inspirez de nouveau en vous concentrant sur votre main gauche. Elle doit se soulever lorsque vous inspirez. Cela vous paraîtra étrange, au début, mais persévérez. Vous verrez comme vous apprendrez vite.

Je peux aussi vous proposer une autre méthode, qui consiste à s'allonger par terre avec un annuaire téléphonique.

1. Allongez-vous sur le dos et posez l'annuaire sur votre abdomen.

2. Inspirez.

3. Efforcez-vous de soulever l'annuaire.

4. Expirez et sentez-le peser sur votre ventre.

Très vite, vous pourrez vous passer de l'annuaire car la respiration abdominale vous sera devenue si naturelle que vous ne parviendrez même plus à respirer autrement.

Quand ? Deux fois par jour, idéalement une fois le matin et une fois le soir, mais ne vous tourmentez pas pour respecter ce programme ; il n'est qu'indicatif. Pratiquez cet exercice respiratoire quand vous le pouvez et quand vous y pensez. L'oxygène étant un facteur essentiel de bien-être, plus souvent vous le ferez, plus vite votre corps prendra de la vigueur.

Où ? Où vous le pourrez. Dans votre voiture, sur le chemin du bureau, coupez la radio pendant deux minutes et respirez. Peu importe ce que les autres automobilistes penseront de vous.

RESPIRATION PROFONDE

Voici à présent le Valium de la respiration, à pratiquer dès que vous vous sentez sur le point d'exploser. La respiration profonde chasse le stress. Au premier abord, la Valium semble plus efficace et plus facile d'accès, mais, après quelques séances de respiration profonde, vous verrez qu'il n'en est rien. Enfin un calmant efficace, gratuit et dépourvu d'effets secondaires !

Procédez de la manière suivante...

1. Expirez à fond. Pratiquez votre respiration

abdominale en la poussant au maximum pour vider vos poumons.

2. Inspirez en gonflant d'abord l'abdomen, puis le thorax, puis les épaules, jusqu'à ce que vous sentiez vos poumons remplis d'air à ras bord. Inspirez aussi longtemps que vous le pourrez.

3. À présent, expirez lentement selon le processus inverse : d'abord les clavicules, puis le thorax et enfin l'abdomen en contractant doucement les muscles de la paroi abdominale, du haut vers le bas, jusqu'à ce que vous ayez chassé la dernière goulée d'air de votre corps.

Expirer détend. Repensez au dernier grand soupir que vous avez poussé. Peut-être s'agissait-il d'un soupir d'aise pendant que vous contempliez l'océan en dégustant votre petit déjeuner, ou, si votre vie ressemble à la mienne, d'un soupir de soulagement au moment où vous vous êtes enfin allongée dans votre lit, hier soir.

D'après les experts en respiration, l'expiration doit durer deux fois plus longtemps que l'inspiration. Prenez le temps de pousser ce profond soupir de la gorge jusqu'à votre abdomen.

Quand ? Dès que vous vous sentez fatiguée, énervée, à bout de nerfs ou que vous rêvez d'un moment de calme sans pouvoir vous offrir ce luxe. Aussi souvent que vous le souhaitez. Respirer à fond est un luxe à la disposition de tous, à tout moment.

Où ? N'importe où. Prenez juste garde à un détail : vous vous sentirez si bien que vous risquez de fermer les yeux de bien-être... Alors évitez de pratiquer cette technique au volant ou dans toute autre situation réclamant votre attention.

Vous pouvez profiter de ces exercices respiratoires pour vous répéter quelques principes utiles...

- **Qui dit exercice dit énergie.**
- **Bouger brûle des graisses.**
- **Bouger donne de la force.**
- **Bouger accélère le métabolisme.**
- **Bouger rendra votre corps mince, vigoureux et sain.**

Réfléchissez à cela tout en respirant. Pourquoi ne pas faire d'une pierre deux coups ? Votre corps ne s'en remodèlera que plus vite.

EXERCICE PHYSIQUE

Quand doit-on en faire ? Lorsque votre emploi du temps le permet, pratiquez l'activité d'aérobic de votre choix pendant au moins trente minutes d'affilée.

À quelle fréquence ? Cinq ou six fois par semaine (à raison d'une fois par jour) si vous avez de la graisse à brûler et un corps à remodeler.

Trois fois par semaine pour maintenir votre corps tel qu'il est.

Quatre fois par semaine si vous voulez juste accélérer un tantinet votre métabolisme.

Comment diable faire de l'exercice si vous êtes affaibli, gros, ou croulez sous les problèmes physiques ?

En travaillant toujours à votre propre niveau. En veillant à toujours bien vous oxygéner. En modulant l'intensité de votre effort tout au long des séances de sport, aussi souvent que nécessaire. En pensant à ce que vous faites.

– Vous bougez pour alimenter en oxygène les 75 billions de cellules et les multiples muscles qui composent votre corps.

– Vous bougez pour brûler de l'énergie et des graisses.

– Vous ne cherchez à vous mesurer avec personne.

– Vous faites exactement la même chose que toutes les personnes qui aspirent à devenir minces, vigoureuses et en pleine santé.

Et cela marche.

CHAPITRE 6

Savoir bouger

Il n'est jamais trop tard pour changer, ni dans les romans ni dans la vraie vie.

Nancy Thayer

À présent, vous savez comment fonctionne votre corps. Vous savez aussi, quelle que soit votre condition physique, vous oxygéner trente minutes.

Cela vous suffira sans doute au début, mais bientôt vous me supplierez de vous en dire plus. Vous voudrez passer aux niveaux de forme supérieurs et la meilleure façon d'y parvenir est d'apprendre à bouger correctement.

En effet, selon que vous exécuterez bien ou mal vos mouvements, votre séance de gym se révélera efficace ou nulle.

Faire de l'exercice ne signifie pas qu'on répète une série de gestes jour après jour. Le but recherché est d'utiliser un mouvement pour remodeler le corps. Pour y parvenir, chaque exercice nécessite concentration, travail en force et travail d'extension.

Quand j'ai commencé à reprendre mon corps en

main, j'ai découvert le principe de la modification. Un peu plus tard, j'ai appris à utiliser la résistance avec ma théorie de la boue... puis j'ai compris que d'autres éléments entraient en jeu : la manière dont on exécute un mouvement, la concentration et l'extension. Quel changement pour moi...

J'ai vu des débutants complets, au cœur quasi atrophié, qui, grâce à la conjonction de ces éléments, progressaient plus vite que d'autres élèves, en bien meilleure forme, mais qui sautaient en tous sens.

Il faut donc apprendre à exécuter correctement les mouvements. Pour ce faire, vous devez vous assurer que vous utilisez bien les muscles que le mouvement est supposé faire travailler, sans vous pencher, vous balancer ou vous disperser en gestes inutiles.

Pour vous enseigner l'art de bouger, je vais vous donner quelques exemples *a contrario* : prenons les relevés de buste pour fortifier les abdominaux. Là, les mauvaises positions ne manquent pas. La plupart des gens tendent le cou en étirant la nuque, au lieu de contracter les abdominaux, ce qui produit un mouvement absolument inefficace, quoique fatigant. Et vous en verrez faire des séries entières de relevés en soufflant et en grognant sans jamais faire travailler leur sangle abdominale.

Regardez autour de vous dans une salle de musculation. Voyez les adeptes du StairMaster, vous savez, cet appareil que tout le monde veut utiliser. Ils montent dessus et gravissent marche après marche : excellent pour les jambes et le tonus cardiaque. Regardez à présent le haut de leur corps : la plupart d'entre eux sont avachis, essoufflés, et fournissent un effort beaucoup trop intensif pour leur niveau de forme. Ils ne s'oxygènent donc pas, ne brûlent pas de graisses et ne se préoccupent pas du haut de leur corps, qui en aurait pourtant le plus grand besoin. Pourquoi ne pas optimiser ces séances d'exercices ? Tout en escaladant vos marches, faites aussi travailler votre dos et vos épaules. Pour y parvenir, une seule solution : vous concentrer sur chacun de vos gestes.

Montez sur le StairMaster et tenez-vous droite. Mieux, posez ce livre et levez-vous. En position verticale, il faut tout d'abord veiller à garder les épaules basses. Pour comprendre ce que je veux dire, haussez-les au maximum, puis rabaissez-les. Vous sentez l'effet que font des épaules basses ? Retenez-le bien, vous vous en servirez souvent.

En second lieu, redressez-vous à l'aide de vos abdominaux. Vous vous tenez debout, épaules basses. Maintenant, contractez vos abdominaux. Ne vous inquiétez pas si vous ne sentez rien parce que vos muscles sont quasi inexistants : ils ne tarderont pas à se raffermir. Concentrez-vous et n'oubliez pas de garder les épaules basses. En effet, au début, votre premier réflexe sera de vous redresser en relevant les épaules. Voilà un excellent exemple de ce ce que donne un mouvement détourné par l'utilisation d'autres muscles à la place de ceux qu'on cherche à faire travailler. Relever les épaules ne renforcera jamais votre sangle abdominale.

Reprenons. Vous vous tenez debout, épaules basses et abdominaux contractés. À ce stade, la plupart des gens oublient de respirer. En général, on contracte en retenant sa respiration. Désormais, vous le ferez tout en respirant.

Détendez vos articulations. Un exercice bien exécuté se fait avec les articulations souples. Commencez par détendre vos genoux. Il ne s'agit pas de les plier, mais juste de les garder souples. Enfin, basculez le poids de votre corps vers l'arrière, de façon qu'il repose sur vos talons.

Récapitulons : poids sur les talons, genoux souples, bassin légèrement basculé vers l'avant, abdominaux serrés, épaules basses et vous respirez comme un dragon. Voilà. À l'aise ? Bien.

Ne croyez pas que vous allez demeurer plantée là. Vous allez marcher, dans cette position. Marcher correctement est beaucoup plus efficace. Cela aidera votre corps à se remodeler dix fois plus vite qu'une marche ordinaire. La plupart du temps, nous marchons d'un bon pas, mais dans quelle position... dos rond, estomac sorti, bras ballants. Vous verrez la différence quand vous expérimenterez la position que je viens de vous enseigner à la lumière des autres conseils de ce chapitre.

Pensez à faire la même chose quand vous nagez ou pédalez sur votre vélo d'appartement, autre mine de positions défectueuses. Je vois sans cesse des personnes pliées en deux, comme endormies sur leur guidon, pendant qu'elles pédalent comme des folles. Exercice efficace, n'est-ce pas ? Concentrez-vous aussi lorsque vous utilisez un tapis roulant de marche : rentrez le ventre, gardez les genoux souples, baissez les épaules, tenez-vous aussi droite que possible et respirez.

Ne comptez pas réussir tout cela lors de votre prochaine promenade. Cela fait beaucoup de choses à surveiller, mais peu à peu, à force de contracter le ventre par-ci et de baisser une épaule par-là, vous améliorerez l'efficacité de votre exercice... Vous finirez experte en forme.

Quelle que soit l'activité que vous pratiquez, marche, natation ou autre, les mouvements corrects constituent un préambule indispensable, mais cela ne suffit pas. Il faut aussi utiliser un peu de boue.

Boue signifie résistance, c'est-à-dire l'élément qui vous permettra d'intensifier votre effort physique quand vous en éprouverez le désir. C'est aussi l'un des éléments qui rendent un exercice efficace. Pensez à de la boue, à des sables mouvants, à de l'eau, à ce que vous voulez, pourvu que cela oppose une résistance. Pendant ce temps, au lieu de se balancer bêtement le long de votre corps, vos bras repoussent vers l'avant, puis vers l'arrière, la masse des sables mouvants. Vos jambes en font autant, ainsi que votre buste. Imaginez que l'air qui vous entoure est fait de sables mouvants. Tout en conservant une posture correcte, frayez-vous un passage à travers ces sables mouvants : vous verrez comme votre effort s'intensifiera.

Vous remarquerez qu'à chaque étape votre séance de marche à pied devient plus efficace.

Note importante. Vous avez peut-être remarqué que quand j'évoquais le travail de vos bras dans les sables mouvants, j'ai parlé de pression vers l'avant puis vers l'arrière. Il s'agit d'un secret de la forme que la plupart des professeurs soit ignorent soit omettent de transmettre à leurs élèves. Chaque mouvement se décompose en deux parties : pression vers l'avant et retour en arrière, ou poussée vers le haut et pression vers le bas. Reprenons l'exemple des relevés de buste dont je vous parlais tout à l'heure : les gens tendent le cou, puis se laissent retomber en arrière. De ce fait, primo, ils n'utilisent presque pas leurs muscles abdominaux, puisqu'ils tirent sur leur nuque avec leurs bras et se lancent en avant, et secundo ils occultent totalement la deuxième partie du mouvement, qui consiste à redescendre en position allongée... ce qui le rend à peu près aussi efficace sur le plan abdominal que de lever un doigt. En revanche, il étire inutilement et parfois dangereusement les muscles des épaules et du cou.

Si vous voulez tirer le bénéfice maximal d'un mouvement, pensez à en effectuer les deux parties correctement et en luttant contre une résistance imaginaire.

Si vous voulez vraiment apprendre à bouger, vous allez également devoir apprendre à vous contrôler.

Pour contrôler un mouvement, il faut se concentrer. Vous ne voulez plus agiter vos bras et jambes en tous sens. Penser à une mer de boue vous aidera sûrement à ne plus le faire, mais seul le contrôle vous assurera de ne plus jamais retomber dans cette ornière. Pour exercer un contrôle sur vos mouvements, il vous faudra d'abord les effectuer plus lentement. Nous mettons là le doigt sur un autre gros problème posé par les programmes d'aérobic. Entre le rythme de la musique et l'absence d'encadrement, il est quasiment impossible de contrôler quoi que ce soit. Pourquoi ne peuvent-ils pas ralentir un peu ? Ils doivent bien savoir qu'intensifier l'effort n'est pas une question de vitesse. Plus un mouvement est fait avec concentration, plus efficace il sera. Et il est impossible de veiller à la correction de la posture, de penser aux sables mouvants et de contrôler son effort avec une musique aussi rapide.

Si en l'exécutant vous pensez au mouvement que vous faites et visualisez les muscles qu'il sollicite, il devient aussitôt plus efficace. Pour ma part, je ne connais que les muscles les plus importants : biceps, triceps, abdominaux (pas trop difficiles à situer), quadriceps (les grands sur le devant de vos cuisses) et fessiers. Qui se soucie des autres ? Ne vous donnez pas la peine de les apprendre par cœur. Il suffit de penser aux muscles que vous voulez utiliser et à l'endroit où vous les sentez. Ainsi, si vous sollicitez un muscle situé sous votre bras, concentrez-vous sur le « muscle sous le bras » ; peu importe son nom officiel. Les jambes ? Pensez « jambes ». Et ainsi de suite jusqu'à ce que vous soyez familiarisée avec votre corps.

Lever le bras sollicite des muscles dans le dos, les épaules et la poitrine. Vous le saurez parce que c'est là que vous ressentirez l'effort que vous fournissez. Inutile d'en savoir plus, pourvu que vous vous attachiez à effectuer le mouvement correctement, dans les sables mouvants et en vous contrôlant.

À présent que vous maîtrisez ces trois éléments, que diriez-vous d'en ajouter un quatrième, l'extension ? Étendez le mouvement au maximum, sans toutefois bloquer vos articulations. Assimilez cela et vous pratiquerez votre exercice, quel qu'il soit, mieux que la plupart des gens. C'est là mon objectif... enfin, l'un de mes objectifs. Oui, je veux que vous tiriez le meilleur parti possible de vos séances d'exercices, mais je veux aussi que vous impressionniez à mort les autres élèves et vos professeurs !

Exemple d'extension : vous poussez vers l'avant dans la boue, puis vous revenez en arrière, toujours en résistant. Votre position est parfaite. Alors vous vous étirez (deux ou trois centimètres supplémentaires suffisent). Quand vous marchez, étendez vos jambes autant que vous le pouvez. Ne vous contentez pas de marcher : tendez les jambes et allongez vos foulées.

Que faites-vous ? « J'utilise plus de muscles ! » me criez-vous en retour. Étirez vos bras vers le plafond. Plus haut, le plus haut possible. Que faites-vous ? Criez avec moi : *J'utilise plus de muscles pour accomplir mon mouvement !* Allez-y, posez ce livre et faites des pas de côté, droite gauche, droite gauche, comme si vous ignoriez le sens du mot extension. Un mouvement de rien du tout. Recommencez en étendant vos jambes. Élargissez vos pas de quelques centimètres ou, comme je le conseille chaque jour à mes élèves, d'une latte de parquet. J'ai installé dans mon centre un plancher qui m'a coûté une véritable fortune et je compte en tirer tout le parti possible. J'utilise ses lattes comme points de repère. On appelle cela joindre l'utile à l'agréable : le mariage parfait.

Le mariage parfait... voilà une image qui me déprime, car c'est un équilibre que je n'ai pas encore trouvé. Y parviendrai-je jamais ? J'essaie, le ciel m'en est témoin, mais j'échoue toujours. Je continue mes efforts avec mon présent mariage car il, ou plutôt mon mari, en vaut la peine, mais...

Vous savez maintenant comment vous nourrir, vous connaissez l'importance de l'oxygène pour votre organisme et vous venez d'apprendre comment bouger sans risque et de manière efficace. Croyez-moi, vous en savez plus long que la plupart des déesses de l'aérobic. Et ça marche !

Faites ce que vous pouvez, quand vous le pouvez. Soyez patiente avec vous-même et n'attendez pas la perfection car elle n'est pas de ce monde. La meilleur méthode consiste à progresser étape par étape. Si vous exécutez les mouvements correctement et pensez à travailler en résistance, mais omettez la partie extension, ce n'est pas grave. Il ne s'agit pas de faire tout ou rien. Il s'agit de faire ce que l'on peut faire, puis de progresser la fois suivante. Ne comptez pas assimiler tous ces nouveaux concepts en une nuit, même s'ils hantent vos rêves, ce qui risque d'arriver. Une de mes clientes m'a ainsi rapporté un cauchemar dans lequel un fou la poursuivait. Elle courait, terrifiée (vous connaissez ce genre de rêve) et pourtant, malgré sa peur, elle se concentrait sur ses mouvements pour courir correctement. À son angoisse de se faire tuer par son poursuivant se mêlait la crainte de courir « mal » et donc de faire un exercice inefficace !

Je n'avais jamais considéré la force comme un objectif désirable. Cette idée est nouvelle pour moi.

Une cliente

TRAVAIL DE LA FORCE

Ne vous affolez pas. Je sais mieux que personne que vous ne voulez surtout pas une activité susceptible d'accroître encore le volume de votre corps. Si on m'avait conseillé, lorsque je pesais 118 kilos, de pratiquer la musculation, j'aurais cru à du sadisme.

J'aurais dû faire de la musculation dès le début et c'est ce que vous devez faire. Ajoutez-la à vos exercices cardio-vasculaires. Vous obtiendrez des résultats plus rapides.

Comment? Je m'étonne toujours des mythes et des craintes qui entourent les exercices exécutés avec des poids. Les femmes sont terrifiées à l'idée de ressembler à celles qu'on voit dans les magazines de musculation. Comment le leur reprocher? Malgré tout le respect que je leur dois, je trouve les femmes «body building» hideuses. Leurs corps ne sont pas beaux et je ne voudrais pas leur ressembler. Pas de muscles hypertrophiés, de régimes hyperprotéinés, d'huile pour le corps ni de poses ridicules pour moi, merci. Je veux juste me sentir bien et aimer mon corps, et la musculation ne m'intéresse que dans la mesure où elle peut m'aider à atteindre ce but.

Parlons un peu des muscles avant de revenir au problème le plus important : se forger un corps superbe. Il faut des muscles puissants, bien développés et bien oxygénés pour mener à bien ses tâches quotidiennes. Chaque mouvement, chaque déplacement d'un centimètre, chaque fontion du corps sollicitent des muscles. Plus ils sont vigoureux, mieux ils fonctionnent.

Entretenir sa musculature ne diffère guère de l'entretien du système cardio-vasculaire. Cela exige un effort bien dosé et correctement effectué, ainsi qu'une bonne oxygénation, le tout pendant une période suffisante pour obtenir les résultats recherchés. Là aussi il faudra définir votre niveau de forme et vos objectifs. Vos progrès suivront le même processus que pour l'amélioration du tonus cardiaque.

J'ai compris ce que la musculation pourrait m'apporter en lisant des livres écrits par des stars du body-building. Bien sûr, ils ne s'adressaient pas à des femmes fortes et ne prévoyaient pas de modification des exercices à leur intention. D'ailleurs, qui pense jamais qu'une «grosse» puisse désirer faire du sport ? J'ai malgré tout essayé d'exécuter certains des exercices décrits (vous pouvez me traiter de rebelle, je revendique ce titre) et obtenu des résultats probants.

Pourtant, j'ignorais à l'époque une chose primordiale : que les muscles consomment de l'énergie, beaucoup d'énergie. Il ne s'agit pas d'une combustion rapide, mais elle se poursuit très longtemps et l'un de ses carburants n'est autre que... remplissez l'espace blanc ; je sais que vous connaissez la réponse... *la graisse* !

Augmenter la masse musculaire grâce à la musculation produit plusieurs effets. D'abord, cela accélère la combustion de la graisse corporelle excédentaire, qui représente tout de même le principal objectif et, en second lieu, cela facilite la vie. Ces sacs que l'on rapporte du supermarché une ou deux fois par semaine paraissent bien plus légers lorsqu'on dispose de muscles vigoureux. Idem pour les enfants qu'il faut porter dans ses bras. Si vous souffrez de douleurs dorsales, essayez de raffermir vos abdominaux : le résultat vous surprendra. De douleurs dans les jambes ? Vous n'imaginez pas combien des jambes musclées facilitent l'existence.

Vous aurez remarqué que je vous invite à acquérir plus de force et non des muscles saillants. Ne vous inquiétez pas : à moins d'y travailler comme une forcenée, vos muscles conserveront un aspect normal. Savez-vous à quelles tortures les adeptes du body-building se soumettent pour parvenir à leur aspect physique ? Elles soulèvent des poids d'une centaine de kilos, s'entraînent en permanence et suivent des régimes draconiens. Si l'on récompensait les efforts en matière de régimes, leurs murs seraient tapissés de médailles... Vous n'aurez nul besoin d'en passer par ces épreuves pour acquérir une musculature harmonieuse.

Vous cherchez à maigrir. Les muscles consommant plus de carburant que les autres tissus, l'augmentation de votre masse musculaire vous aidera à atteindre votre objectif.

La musculation présente un dernier avantage. Brûler sa graisse ne suffit pas ; il faut simultanément développer les muscles qu'elle enrobe, de manière que, une fois disparue, elle laisse la place à un joli bras, une jambe déliée ou un postérieur ferme (par opposition à des membres gélatineux et dépourvus de force).

> *Mes bras, mes jambes et ma taille commencent à ressembler à quelque chose. Je suis impatiente de voir la suite des événements. Tout me paraît possible, désormais !*
>
> ***Linda, une cliente***

Laissez-moi vous confier un nouveau petit secret, tout à fait fascinant. Parlez-en à votre nutritionniste, la prochaine fois qu'il voudra vous faire suivre un régime à 1 000 calories. Un kilo de muscles pèse le même poids qu'un kilo de graisse... Quand vous perdez du poids grâce à votre régime à 1 000 calories, vous perdez de l'eau, que vous reprendrez dès que vous boirez, et du muscle. Quand vous reprendrez du poids, vous le ferez sous forme de graisse.

Mettons que vous pesiez 68 kilos, dont 25 % de graisse. Vous n'aimez pas votre corps et entamez un régime à 1 000 ou 1 200 calories par jour, en clair, vous vous affamez. Admettons que vous trouviez le courage de le suivre assez longtemps pour perdre 9 kilos. Bravo, vous avez perdu 9 kilos. Si, comme 98 % d'entre nous, vous regrossissez dès l'arrêt de votre régime, en six mois vous pèserez de nouveau 68 kilos... mais cette fois la graisse représentera 26 % de votre poids. Recommencez l'expérience et ce chiffre passera à 31 %, etc. On ne « prend » pas de muscles, il faut les bâtir, je le répète. Et chaque fois, on se sent plus flasque, plus lourde, plus volumineuse... et on l'est.

Si vous décidez de suivre mes conseils et choisissez de perdre de la graisse tout en augmentant votre masse musculaire, vous verrez votre graisse fondre et vos muscles se raffermir.

Revenons à notre démonstration. Je vous disais tout à l'heure qu'un kilo de muscles pesait le même poids qu'un kilo de graisse ; en revanche, un kilo de graisse représente cinq fois le volume d'un kilo de muscles. La graisse ne sert à rien et tient de la place, beaucoup de place.

Je continue. Vous brûlez votre graisse corporelle en ne faisant pas de régime et en réduisant la part des lipides dans votre alimentation. Et vous développez votre masse musculaire grâce à la musculation. Vous vous retrouverez plus mince que vous ne l'avez jamais été. Et pendant ce temps, votre nouvelle musculature continuera à consommer de l'énergie. Sans même vous en rendre compte, vous vous transformerez en machine à brûler les graisses.

Maintenant que je suis mince, musclée et en pleine santé, je brûle plus d'énergie sans rien faire que je n'en consommais en faisant de la gym, à l'époque où je pesais 118 kilos. Ceci parce que mon corps actuel est une machine beaucoup plus efficace, riche en tissus métaboliquement actifs, c'est-à-dire en muscles. De ce fait, je brûle plus de carburant. Mon corps est un incinérateur à graisse et le vôtre peut le devenir. Il suffit de vous muscler comme vous allez le voir d'après les croquis des pages suivantes.

Imaginez à quoi vos fesses ressembleront quand vous aurez brûlé la graisse qui les enrobe, développé les muscles adéquats et enfilé un joli short. Entraînez-vous avec nous. Vous êtes fatiguée? Entraînez-vous avec nous. Vous voulez acquérir force et vigueur, et dire adieu à tous vos maux? Entraînez-vous avec nous.

> *Je n'ai compris à quel point j'étais peu en forme que quand j'ai essayé de le redevenir.*
>
> ***Une cliente***

Mon amie Beverly, fanatique de l'aérobic, aurait pu porter le surnom de « Mme Forme ». Elle connaissait tous les professeurs de la ville, suivait tous les cours possibles et maîtrisait tous les mouvements. Pour son malheur, Beverly avait hérité de sa mère des jambes affreuses, épaisses comme des poteaux. Malgré les régimes et les cours d'aérobic, ses vilaines cuisses et ses vilains mollets déparaient son corps par ailleurs superbe. Comme on ne peut rien contre son héritage génétique, Beverly avait appris à faire contre mauvaise fortune bon cœur. Quand elle rencontrait quelqu'un, elle se présentait de la manière suivante : « Salut, je m'appelle Beverly, j'ai des jambes ignobles, mais je ne peux rien y faire. »

J'ai commencé par changer son régime alimentaire, une priorité, à mon sens. Puis elle a entamé un programme de musculation pour ses jambes. En « pro » de la forme, elle a pris cette recommandation de ma part comme une preuve supplémentaire de ma folie douce. Mais, pour une raison quelconque, sans doute le désespoir, elle a persévéré. Alors elle a vu sa graisse corporelle fondre d'une manière qu'elle n'aurait jamais crue possible et, en plus, ses jambes ont commencé à se remodeler. Son heure de gloire est venue lorsque au bout de quelques mois d'efforts une autre élève est venue lui dire : « J'admire vos jambes depuis le début du cours. Je rêve d'avoir les mêmes. »

Depuis, au grand dam de sa famille, Beverly a abandonné ses autres activités pour enseigner la forme aux foules, celle des jambes en particulier. Jolie fin pour mon histoire, non ?

Pratiquer la musculation ne coûte pas cher. Il suffit pour cela d'une paire de petites haltères. Et cela marche. Grâce à ces exercices, vous développerez votre musculature.

TRAVAIL EN RÉSISTANCE POUR AMÉLIORER L'ENDURANCE ET LE TONUS MUSCULAIRE

Accessoires nécessaires :

– une chaise à dossier droit
– un miroir mural (en option)
– petites haltères (travail du haut du corps)
  • *niveau débutant :* 1 kg, 1,5 kg et 2 kg
  • *niveau moyen :* 2 kg, 3,5 kg et 4,5 kg
  • *niveau avancé :* 4,5 kg, 5,5 kg et 7 kg
– poids pour les chevilles (travail du bas du corps)
  • *niveau débutant :* non (servez-vous du poids de votre jambe)
  • *niveau moyen :* 1 à 2 kg
  • *niveau avancé :* 2 à 4,5 kg

Avant d'entamer ce programme, il faut se familiariser avec quelques termes de base :

– série : un nombre déterminé d'exercices enchaînés ;

– repos : courte pause (soixante secondes environ) entre les séries pour permettre aux muscles de se reposer. Il faut trois minutes à un muscle pour refaire le plein complet de TPA (c'est-à-dire reconstituer ses réserves énergétiques). En soixante secondes, il en récupère 80 %.

Vous pouvez pratiquer ces exercices un jour sur deux, pas plus souvent.

INDICATIONS D'ORDRE GÉNÉRAL

– Tous les exercices pour le haut du corps doivent être exécutés poitrine sortie et épaules détendues. Vous devez avoir l'impression que vos omoplates cherchent à se toucher. Gardez la colonne vertébrale bien droite en vous étirant comme si vous vouliez touchez le plafond avec votre tête.

– Évitez de laisser vos épaules basculer vers l'avant ou remonter vers les oreilles.

– Conservez une courbure lombaire normale. Évitez de trop faire basculer votre bassin vers l'avant, ce qui tire sur la colonne vertébrale et engendre des douleurs lombaires, ou vers l'arrière, ce qui provoque une cambrure excessive et une mauvaise posture générale. Contractez les abdominaux et gardez les hanches souples.

– Une série peut comporter jusqu'à dix répétitions de chaque exercice.

– Faites une pause de soixante secondes entre chaque série de dix mouvements.

– Vous pouvez faire jusqu'à trois séries de chaque exercice.

– Quand vous pouvez faire facilement trois séries de dix mouvements avec les plus légères de vos haltères (ou bracelets lestés pour les chevilles), passez au poids supérieur. Par exemple, si vous avez commencé avec des poids de 1,5 kg, passez à 2 kg.

– Concentrez-vous sur le muscle que vous faites travailler.

– Quand vous vous baissez pour ramasser vos haltères, rappelez-vous de plier les genoux et non la taille.

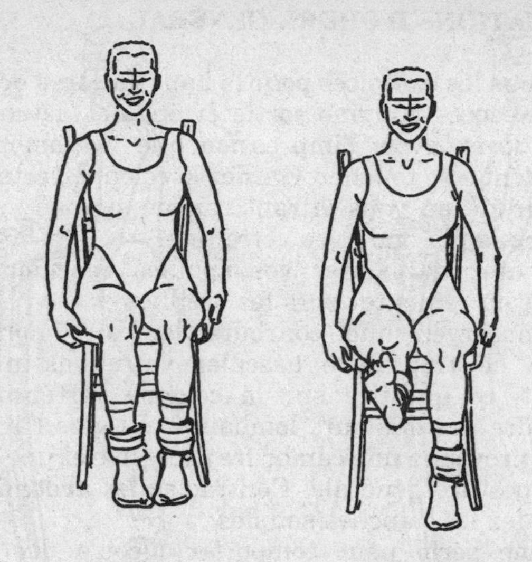

1. *EXTENSION DES JAMBES*
pour les quadriceps

Position de départ :

– Ajoutez des poids à vos chevilles si vous désirez intensifier votre effort.

– Asseyez-vous sur la chaise, les pieds posés à plat sur le sol.

– Tenez-vous au dossier ou au siège de votre chaise. Cela vous aidera à conserver votre équilibre.

Mouvement :

– Tendez une jambe vers l'avant au maximum, en contractant le quadriceps.

– Relâchez et revenez à la position de départ.

– Répétez le mouvement dix fois, puis changez de jambe. Faites trois séries de dix mouvements pour chaque jambe.

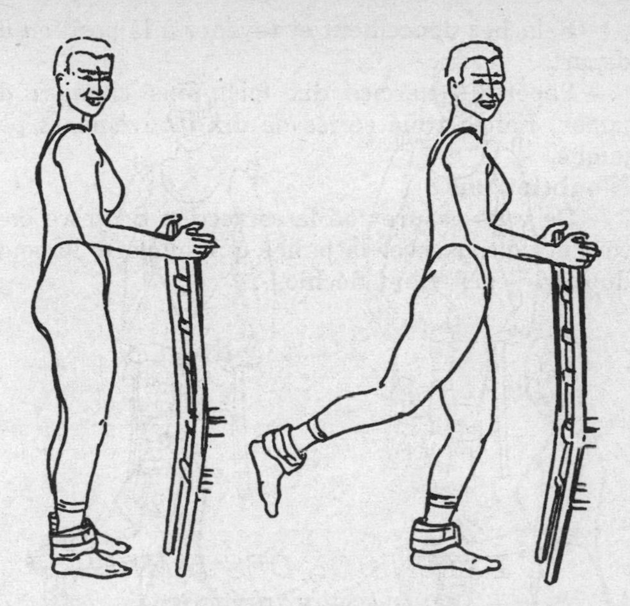

2. *EXTENSION DES HANCHES*
pour les fessiers

Position de départ :

– Ajoutez des poids à vos chevilles si vous désirez intensifier votre effort.

– Mettez-vous debout face au dossier de votre chaise.

– Pour conserver votre équilibre, posez les mains sur le dossier de la chaise.

– Écartez les pieds de la largeur des épaules, genoux souples.

– N'oubliez pas de contracter les abdominaux, de sortir la poitrine et de détendre les épaules. Rapprochez vos omoplates.

Mouvement :

– Fléchissez le pied et tendez lentement la jambe vers l'arrière en contractant les fessiers.

– Relâchez doucement et revenez à la position de départ.

– Répétez l'exercice dix fois, puis changez de jambe. Faites trois séries de dix mouvements par jambe.

N'oubliez pas :

– De vous assurer de la correction de votre posture et de conserver la jambe qui supporte le poids du corps légèrement fléchie.

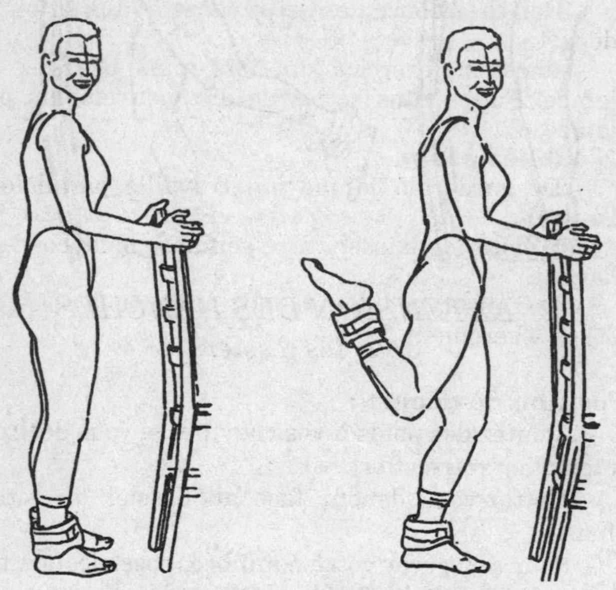

3. FLEXION DE LA JAMBE
pour les muscles du dos des cuisses
(grand adducteur, demi-tendineux, biceps fémoral)

Position de départ :

– Ajoutez des poids à vos chevilles si vous désirez intensifier votre effort.

– Mettez-vous debout face au dossier de votre chaise.

– Pour conserver votre équilibre, posez les mains sur le dossier de la chaise.
– Écartez les pieds de la largeur des épaules, genoux souples.
– La jambe qui travaille est pliée au genou, orteils reposant sur le sol.

Mouvement :

– Tout en fléchissant le pied, levez le talon vers votre fesse en contractant les muscles du dos de la cuisse.
– Relâchez doucement et revenez à la position de départ.
– Répétez l'exercice dix fois, puis changez de jambe. Faites trois séries de dix mouvements par jambe.

N'oubliez pas :

– De garder la jambe qui travaille parallèle à l'autre.
– D'éviter de laisser votre genou se balancer vers l'avant.
– De conserver la jambe qui supporte le poids du corps légèrement fléchie.

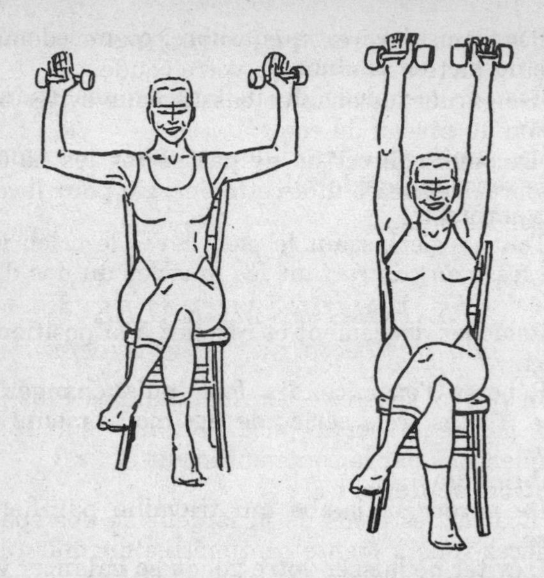

4. EXTENSION DES BRAS
pour les deltoïdes et les triceps

Position de départ :

– Asseyez-vous sur la chaise, pieds posés à plat sur le sol.

– Sortez la poitrine, contractez les abdominaux et détendez les épaules.

– Prenez vos haltères, les paumes tournées vers l'avant.

Mouvement :

– Levez les haltères aussi haut que possible sans bloquer les articulations des coudes. Il s'agit de contracter les deltoïdes, pas les coudes.

– Revenez à la position de départ et faites trois séries de dix mouvements.

N'oubliez pas :

– D'expirer en levant les bras et d'inspirer en les baissant.

– De vous assurer que votre poignet demeure toujours juste au-dessus de votre coude.

– De garder les épaules basses pour éviter toute tension au niveau du cou.

– De vous efforcer de ne pas serrer les haltères trop fort. Utilisez plutôt cette énergie pour lever et baisser les bras.

5. POMPES MURALES
pour les pectoraux et les triceps

(On voit ici l'exercice pour débutantes. Plus tard, vous pourrez, comme moi, le faire sur le sol. Commençons par le commencement :)

Position de départ :

– Écartez les pieds de la largeur de vos épaules et placez-vous à trente centimètres du mur (notez que plus on s'éloigne du mur, plus le mouvement devient difficile).

– Posez les mains sur le mur, à la hauteur de vos épaules, et un peu plus écartées que vos épaules.

– Tournez vos paumes légèrement vers l'intérieur, pour mieux faire travailler vos pectoraux. Avec les doigts à la verticale, vos triceps travailleront plus.

Mouvement :

– Sans décoller les talons, penchez votre buste en avant jusqu'à ce qu'il touche presque le mur.

– Gardez le corps droit et poussez sur le mur pour le relever en position verticale.

– Ne bloquez pas vos coudes.

– Faites trois séries de dix mouvements.

– Intensifiez votre effort en éloignant un peu vos pieds du mur. Après, vous pourrez l'intensifier encore en vous tenant debout sur une caisse, avant de passer aux exercices au sol.

– N'oubliez pas de choisir un mur solide !

Exercice niveau avancé :

– Mettez-vous en position sur le sol.

– Placez vos mains comme pour le premier exercice.

– Si vous devenez vraiment très forte, vous pourrez faire de vraies pompes, sur les orteils et non plus sur les genoux. N'oubliez jamais de contracter les abdominaux pour soutenir le bas de votre dos.

– Abaissez tout votre corps vers le sol, pas uniquement votre buste. Remontez lentement. Faites trois séries de dix mouvements.

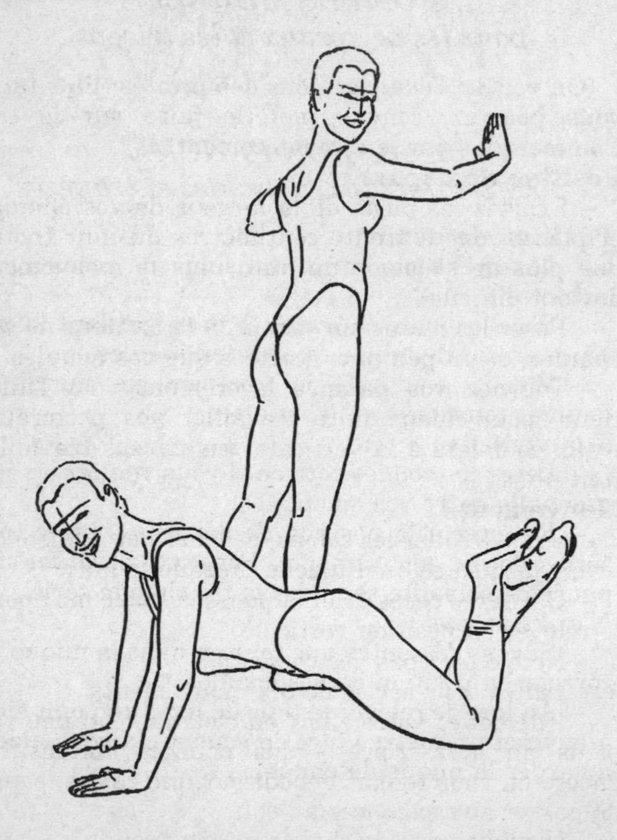

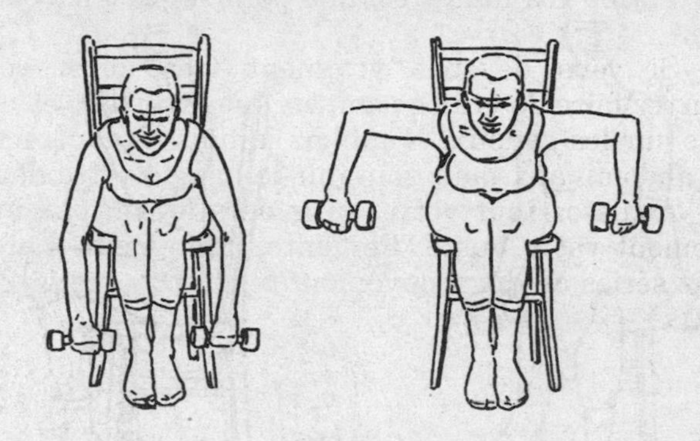

6. AVIRON PENCHÉ
pour les dorsaux, deltoïdes et trapèzes

Position de départ :

– Asseyez-vous sur la chaise, pieds posés à plat sur le sol.

– Penchez-vous en avant tout en gardant la poitrine sortie. Évitez de relever les épaules.

– Prenez une haltère dans chaque main, les paumes tournées vers l'arrière.

Mouvement :

– Levez les coudes comme si vous vouliez écraser une balle entre vos omoplates.

– Revenez à la position de départ et faites trois séries de dix mouvements. Pensez à observer une pause de soixante secondes entre chaque série.

N'oubliez pas :

– Si vous ressentez une tension dans la nuque, de corriger la position de vos épaules.

– Au lieu de relever la tête, de fixer un point situé à environ un mètre vingt de vous. Cela vous aidera à garder la nuque détendue.

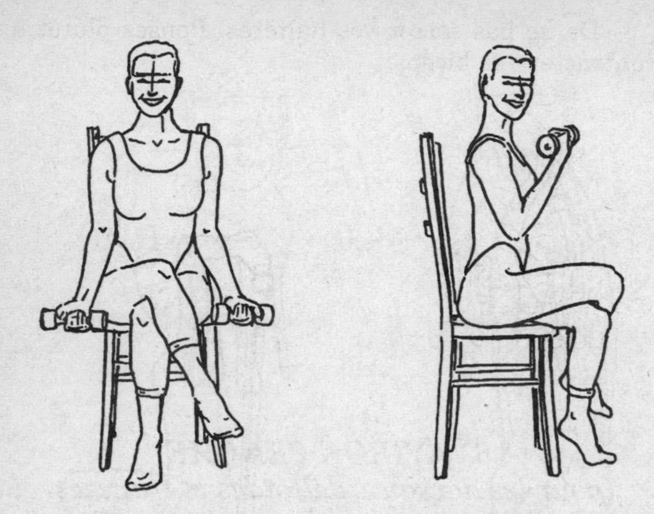

7. *FLEXION DU BICEPS*
pour les biceps

Position de départ :

– Asseyez-vous sur la chaise, abdominaux serrés et poitrine sortie. Étirez bien votre dos.

– Prenez une haltère dans chaque main et laissez vos bras pendre de chaque côté de votre corps, paumes tournées vers l'avant et coudes près de la taille.

Mouvement :

– Soulevez les haltères vers les épaules en contractant les biceps.

– Relâchez lentement et revenez à la position de départ.

– Faites trois séries de dix mouvements.

N'oubliez pas :

– D'éviter de laisser retomber brutalement les haltères.

– De garder le buste immobile. Ne vous balancez pas d'avant en arrière.

– De ne pas serrer vos haltères. Pensez plutôt à contracter vos biceps.

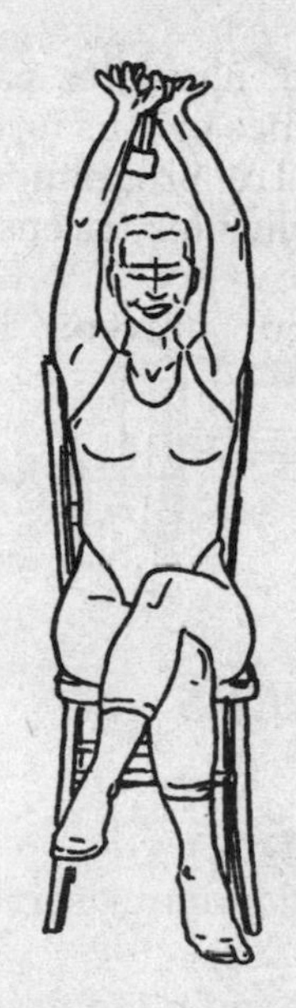

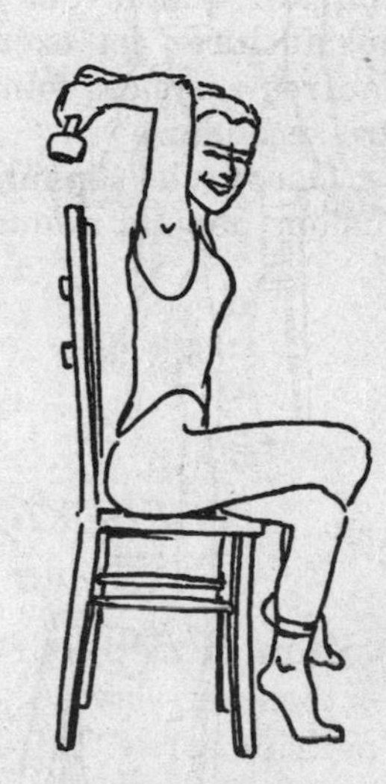

8. EXTENSION DU TRICEPS
pour les triceps

Position de départ :

– Asseyez-vous sur la chaise, pieds posés à plat sur le sol.

– Prenez une haltère en la maintenant à l'aide de vos pouces entrelacés, les paumes ouvertes et face au plafond.

– Étendez les bras au-dessus de votre tête, en gardant les coudes bien collés aux côtés de la tête.

– Vos coudes sont légèrement fléchis.

Mouvement :

– Pliez les coudes vers l'arrière pour faire descendre l'haltère vers le sol.

– Contractez les triceps en remontant vos paumes ouvertes vers le plafond.

– Faites trois séries de dix mouvements.

N'oubliez pas :

– Si ce mouvement vous fait mal, n'insistez pas. Plus tard, quand vous serez plus mince et plus forte, vous inclurez cet exercice dans votre programme. D'autres exercices font aussi travailler les triceps à titre secondaire.

– Gardez les épaules basses pour prévenir les tensions dans la nuque.

9. EXTENSION LATÉRALE
pour les dorsaux et les obliques

Position pour débutantes :

– Asseyez-vous sur la chaise, poitrine sortie, abdominaux serrés et dos droit comme si on avait attaché une ficelle au sommet de votre crâne pour le tirer vers le plafond.

– Levez le bras droit et tendez-le vers le plafond.
– Maintenez la position pendant trente secondes.
– Répétez le mouvement pour le côté gauche.

Position niveau avancé :

– Dieu merci, on s'assied par terre !
– Assise sur le sol, étendez la jambe gauche et pliez la droite de façon que le pied droit touche le genou gauche.
– Tenez-vous bien droite.
– Levez le bras droit et tendez-le vers le plafond. Penchez-vous lentement vers la gauche.
– Maintenez la position pendant trente secondes, puis changez de côté.

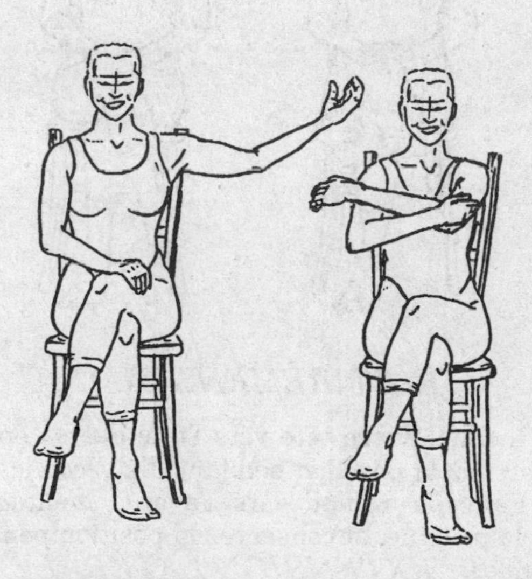

10. ÉTIREMENT DU HAUT DU DOS ET DES ÉPAULES
pour les trapèzes et les deltoïdes

– Asseyez-vous sur votre chaise.
– Tendez le bras droit sur le côté, puis ramenez-le vers le centre de votre corps.

– Placez votre main gauche entre votre épaule droite et votre coude droit, à l'extérieur.

– À l'aide de votre main gauche, ramenez votre bras droit vers votre poitrine. Sentez comme cela tire au milieu du dos et derrière l'épaule.

– Maintenez la position pendant trente secondes, puis recommencez pour l'autre bras.

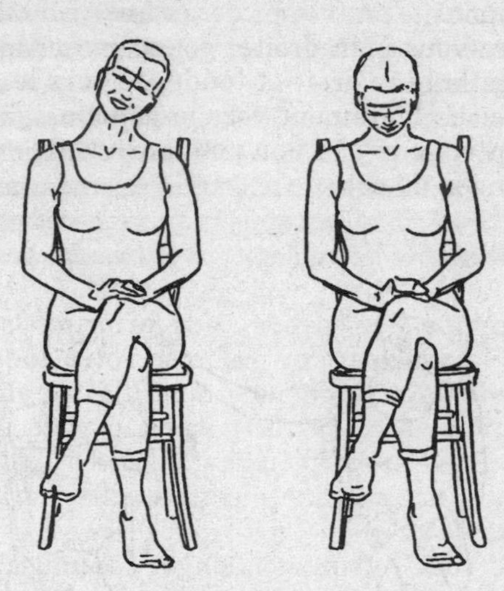

11. ÉTIREMENT DU COU

– Inclinez votre tête vers l'une de vos épaules et maintenez la position pendant dix secondes.

– Faites-la rouler vers l'avant, menton pointé vers la poitrine, et conservez la position pendant dix secondes.

– Faites-la rouler ves l'autre épaule et maintenez la position pendant dix autres secondes.

– Répétez ce mouvement autant de fois que vous le souhaitez.

– Veillez à conserver une bonne posture.

Vous avez deux solutions : vous arrêter ici, certaine d'en savoir assez pour remodeler votre corps, ou me suivre à l'étape suivante pour encore plus de bien-être.

TRAVAIL DE LA SOUPLESSE

Tout se décline en termes de travail ? Eh bien, oui, en effet, mais vous travaillez pour chasser les mauvaises habitudes.

Pourquoi travailler sa souplesse ? Quel intérêt ? Quel rapport entre le fait de pouvoir toucher ses orteils et l'amincissement ? Pas grand-chose, en effet. Certains d'entre nous naissent capables de toucher le sol de leur front ; d'autres pas (la plupart).

Voici ce que j'en pense. Vos priorités sont de brûler de la graisse, de renforcer votre tonus cardiaque et de vous forger une musculature digne de ce nom, car ce sont ces activités qui vous permettront de voir votre corps changer. Et le fait de voir fondre vos kilos excédentaires est aussi gratifiant que motivant.

D'abord, vous étirez et allongez les muscles que vous contractez : excellente chose. Pendant ce temps, l'oxygène afflue dans vos muscles, ce qui les garde flexibles. Vous vous en féliciterez à quatre-vingts ans, lorsque vous serez la seule capable de vous baisser pour ramasser les boules de croquet ! Enfin, ce n'est pas pour cela que je vous conseille d'ajouter un peu de travail de la souplesse à votre entraînement, mais parce que cela fait du bien. Je ne vous parle pas des mouvements désordonnés que certains pratiquent avant d'aller courir, mais de stretching sérieux. Il s'agit de s'étirer et de garder la position, tout en surveillant sa posture (comme toujours). Cela fait un bien fou et constitue un parfait complément aux exercices cardio-vasculaires.

Le stretching prévient également les blessures

(sauf, bien entendu, si vous dégringolez d'un mur de trois mètres de haut) en réduisant les risques de claquage et d'entorses. Mais ce n'est pas encore pour cette raison que je vous le conseille. Je pense qu'après chaque séance de combustion des graisses vous devriez consacrer un moment à vous étirer parce que cela vous aidera à reprendre contact avec votre corps. Pendant quelques minutes vous pourrez vous concentrer en silence. Vous pouvez même, si vous le souhaitez, essayer de visualiser votre corps tel que vous souhaiteriez le voir devenir.

Au début, je ne m'intéressais guère au stretching. Je me moquais bien de savoir si je pourrais un jour toucher mes pieds car j'étais bien trop occupée à essayer de trouver le moyen de passer d'une taille 52 à n'importe quelle autre taille inférieure. Puis, la forme venant, j'ai commencé à pratiquer un peu de stretching de temps à autre. Pas une mauvaise idée pour une femme née aussi raide qu'un piquet. Pourtant, jusqu'à mon premier cours de yoga, si l'on m'avait interrogée, je me serais définie comme « assez souple ». Un bon conseil, les filles, si vous vous croyez souples, assistez à l'un de ces cours.

Au début du cours, le professeur a frappé un grand gong et entonné une étrange mélopée. Tout le monde a fermé les yeux, sauf moi, qui ne pouvais m'empêcher d'entrouvrir une paupière pour regarder autour de moi. Gong, chant dans une langue inconnue ; puis elle nous a invitées à nous asseoir sur nos petits tapis de laine d'agneau. (La laine d'agneau conduit l'énergie, le saviez-vous ?)

Cinq minutes plus tard, j'étais prête à appeler le cirque Barnum. Les gens qui m'entouraient avaient à l'évidence raté leur vocation il aurait suffi de ranger le gong et de les habiller de justaucorps pailletés pour que le public se presse pour admirer leurs acrobaties. Je n'en revenais pas. Et le professeur me suggérait d'en faire autant... Elle est d'ailleurs très gentiment venue aider le pauvre bout de bois (moi). La douceur fait partie des qualités indispensables pour enseigner le yoga. Elle m'a proposé des postures alternatives, des modifications. Aussitôt séduite, j'ai failli lui suggérer de changer de style vestimentaire pour se reconvertir dans l'aérobic, domaine où une personne maîtrisant le principe de la modification serait la bienvenue, même s'il s'agissait d'un yogi déguisé. Quand elle m'a proposé d'effectuer une version simplifiée de la position « jambe autour du cou » je lui ai répondu que, pour y parvenir, il me faudrait d'abord subir une intervention aux hanches.

Depuis, j'ai appris le secret de la salutation au soleil et de quelques autres mouvements simples, mais je ne peux pas dire que le yoga m'enchante. Cela dit, cette expérience m'a inculqué le respect de la souplesse et des yogis.

En revanche certaines pratiques des centres d'aérobic et autres salles de gym me mettent en fureur. Je pense notamment aux planches abdominales ; vous savez, ces appareils sur lesquels on s'allonge, les pieds coincés sous une barre rembourrée. Les mouvements pour se redresser puis se rallonger sont censés renforcer les abdominaux... En fait, ils ravagent surtout le bas du dos. Et, d'ordinaire, on voit un « entraîneur privé » debout à côté de la personne qui s'abîme méthodiquement le dos, qui compte « 8... plus haut... 9, bien... encore... » Au secours !

Le stretching tel qu'on le pratique dans ce genre d'endroit me déplaît tout autant. Les gens assis, la tête penchée sur les genoux qui s'étirent en vitesse une fois ou deux, ou debout, bras levés, qui se penchent deux fois vers la gauche, deux fois vers la droite, se redressent et se penchent deux fois en avant pour étirer... quoi, grands dieux ? Que croient-ils étirer ?

On confond souvent stretching et échauffement. De ce fait, nous avons toutes appris quelques exercices de stretching sur place à effectuer avant toute séance de sport : des étirements des jambes (si vous êtes capable de descendre aussi bas). Tirez ici, poussez là, gardez la pose quelques secondes, et hop ! on passe à la suite. Hop ! hop ! hop ! vous voilà prête pour passer aux choses « sérieuses », comme de brûler vos graisses, sans risque de blessure, grâce à votre « échauffement ».

Mesdames et messieurs les professeurs d'aérobic, vous savez aussi bien que moi que le meilleur moyen d'échauffer un muscle consiste à y faire affluer sang et oxygène. Donc, à le faire bouger. Doucement. Commencez au ralenti pour échauffer vos muscles et votre cœur, et trouver votre rythme sans vous essouffler. Cela fait, vous pourrez intensifier votre effort et entamer la partie « aérobic » de votre entraînement, qui doit durer trente minutes au minimum. Après quoi vous ralentirez doucement votre rythme selon le processus inverse. Et, à ce moment, vous devez étirer vos muscles. Il faut étirer les muscles à chaud, et non à froid.

Les yogis le savent bien, qui mettent le chauffage dans leurs salles en toutes saisons. Il y fait aussi chaud que dans un sauna, car ils veulent que les muscles et le corps soient chauds. Les spécialistes de l'effort le savent aussi. Alors pourquoi les professeurs d'aérobic ne tiennent-ils pas compte de cette réalité physiologique ? Et à quoi riment ces ridicules étirements des jambes ?

Voilà la marche à suivre :

– Échauffez vos muscles par des mouvements au ralenti.

– Intensifiez votre rythme.

– Brûlez vos graisses.

– Ralentissez votre rythme.

– Puis étirez-vous, étirez-vous, étirez-vous et transformez-vous en yogi.

Récapitulons les principes de base de l'exercice physique :

1. *Posture.*
   Quand : chaque fois que vous bougez, surveillez votre posture.
2. *Extension.*
   Quand : chaque fois que vous bougez.
3. *Concentration.*
   Quand : chaque fois que vous bougez.

Travail de la force

Il faut développer votre masse musculaire pour :
– brûler plus de graisses,
– acquérir la force nécessaire à votre bien-être,
– posséder un joli postérieur une fois que la graisse aura fondu,
– ne pas vous retrouver avec des sacs vides en guise de bras, jambes et abdominaux.

Quand : dans l'idéal, un jour sur deux, trois fois par semaine... Faites au mieux.

Travail de la souplesse

– Pas de mouvements brusques, je vous en supplie.
– Étirez-vous après votre séance d'aérobic, quand vos muscles sont bien chauds.
– Surveillez votre posture et maintenez-la pendant au moins vingt à trente secondes.
– Pensez à votre corps, aux muscles que vous venez de faire travailler, qui s'étirent et s'allongent.

Quand : dans l'idéal, après chaque séance d'aérobic. Si c'est impossible, essayez de pratiquer le stretching au moins deux fois par semaine. C'est important et en plus cela fait beaucoup de bien. Ne vous refusez pas ce plaisir.

Je me rappelle qu'après mon premier cours de gym (abondamment modifié) je me sentais à la fois heureuse et triste. Heureuse d'avoir réussi à « tenir » une séance entière mais triste et honteuse d'être devenue aussi grosse et affaiblie.

Une cliente

LES ABDOS

Le chapitre consacré à l'exercice physique s'achève. Vous vous dites : brûler les graisses excédentaires ? Entendu, c'est une priorité. Développer sa masse musculaire ? Excellente idée, surtout maintenant que j'en comprends les enjeux. Améliorer son tonus cardiaque ? Sans hésiter. D'accord pour nettoyer les filtres et stimuler les pompes de ma machine corporelle, mais, Susan, chère Susan... *et mon estomac ? Que dois-je faire ?*

Pendant que vous reprenez votre souffle après cet éclat, laissez-moi vous signaler que vous évoquez la partie du corps que les femmes détestent le plus. Cette région du corps qui, d'après votre obstétricien et le mien, ne devait jamais retrouver son aspect d'antan après nos grossesses. Cette région sur laquelle tous les exercices semblent demeurer sans effet, passé l'âge de trente-cinq ans. Vous paieriez volontiers une fortune pour qu'on vous l'aplatisse et pour revoir les petits os de vos hanches poindre de chaque côté. Pour cette raison, je vais consacrer une section entière de cet ouvrage aux abdominaux.

Ne vous affolez pas, nous allons résoudre le problème. Vous connaissez ma devise : traiter les symptômes ne sert à rien si l'on ne résout pas les problèmes dont ils découlent.

Procédons donc par ordre. Cette chose qui recouvre votre ventre est de la graisse. Un seul moyen pour brûler cette graisse comme celle qui enrobe le reste de votre corps : pratiquer une activité d'aérobic. Alors, cette graisse *va* fondre.

N'oubliez pas que la lecture des chapitres 4 et 5 vous a appris comment ne plus fabriquer de graisse et comment la brûler. Vous n'aurez plus de graisse pendouillant de votre ventre quand les graisses ne représenteront plus que 15, 16, 17 ou 20 % de votre poids et que vous serez mince, vigoureuse et en pleine forme. Cette partie de votre corps fondra comme toutes les autres.

Alors, pendant vos séances d'aérobic, consacrez quelques exercices à la graisse qui recouvre votre estomac. Visualisez un ventre plat et musclé, tel que vous le rêvez. Vous pouvez faire en sorte que ce rêve devienne réalité.

La deuxième étape vers le ventre idéal passe par le raffermissement des muscles qui dorment sous cette couche de graisse. Des relevés de buste ? Surtout pas. Vous allez tout simplement réapprendre à utiliser votre sangle abdominale pendant vos séances de gym, en voiture, assise à votre bureau, ou en tout autre endroit. Oui, vous avez bien lu : vous pouvez faire travailler vos abdos à tout moment. Il suffit de vous concentrer et de les contracter.

En voiture, contractez vos abdominaux et maintenez-les ainsi même si vous ne sentez rien. Ne retenez pas votre respiration (c'est un réflexe courant quand on serre les abdos). Continuez à respirer tout comme vous pensez à garder les épaules basses en marchant. Au début, vous ne pourrez sans doute pas garder cette position bien longtemps. Peu importe. Cela signifie juste que votre sangle abdominale manque de tonus. Commencez donc à la faire travailler sans forcer. Au fur et à mesure qu'elle se raffermira (et que votre graisse brûlera), vous pourrez la contracter plus longtemps. Plus la graisse qui recouvre votre abdomen fondra, plus il deviendra facile de le contracter (non seulement il pèsera moins lourd, mais il sera plus musclé !).

Dès que vous le pouvez, chaque fois que vous

bougez, pendant chaque séance d'exercices, contractez votre sangle abdominale. Pensez à cette partie de votre corps qui revient peu à peu d'entre les morts et raffermissez-la, débarrassez-la des graisses qui la recouvrent.

Quand vous serez prête physiquement et moralement à faire de « vrais » exercices d'abdominaux, voici la marche à suivre :

– Allongez-vous par terre, sur le dos.

– Pliez les genoux.

– Talons fermement plantés dans le sol.

– Bassin légèrement basculé.

– Mains derrière la tête ou bras allongés le long du corps, suivant votre niveau. Poser les mains derrière la tête renforce la difficulté de l'exercice. Si vous choisissez de poser vos mains derrière votre tête, prenez soin de ne pas croiser les mains. Votre tête doit reposer dans vos mains. Une tête pèse lourd (jusqu'à 5 ou 6 kilos), alors utilisez-la comme résistance pour vos mouvements abdominaux.

– Soulevez le buste pour décoller vos épaules du sol. Aussitôt, vous allez sentir les muscles de votre cou et de votre nuque se tendre. C'est ce qui arrive quand on possède une sangle abdominale trop faible. Au lieu de soulever le buste à l'aide des abdominaux, on essaie de le faire en tirant sur le cou et sur la nuque. Le seul moyen de perdre cette mauvaise habitude est de vous constituer une sangle abdominale digne de ce nom.

– Décollez votre buste du sol à l'aide de vos abdominaux. Inutile de le soulever très haut : quelques centimètres suffisent. Redescendez lentement, abdominaux toujours contractés. Commencez par faire des séries de mouvements de deux ou trois centimètres d'ampleur. Soulevez, rabaissez, soulevez, rabaissez, etc. N'oubliez pas de veiller à garder le cou et la nuque détendus. Concentrez-vous sur vos abdominaux et faites-les travailler.

– Si vous voulez rendre l'exercice plus ardu, levez

la jambe gauche, genou replié vers l'abdomen pour protéger le bas du dos.

– Soulevez votre buste de deux ou trois centimètres en direction de votre genou.

– Redescendez doucement.

– Recommencez avec l'autre jambe.

À présent, essayez de le faire avec les deux jambes :

– Levez les deux jambes en gardant les genoux souples.

– Levez le buste en direction de vos pieds.

– Contractez vos abdominaux.

– Détendez le cou et la nuque.

– Respirez.

– Redescendez.

– Décollez les épaules du sol, redescendez.

La position « une jambe ou les deux en l'air » augmente l'effort demandé aux abdominaux. Le mouvement devient aussitôt plus difficile, plus intense.

Les débutantes commenceront par garder les deux pieds posés sur le sol. Dès que vous vous en sentez la force, levez une jambe, puis les deux. Effectuez quelques mouvements ainsi, puis revenez à la position pieds au sol.

Comment sentir quand on peut passer à l'étape supérieure ? Dès que le mouvement pieds au sol vous paraît facile. Comme pour tout exercice, surveillez votre posture, concentrez-vous, étendez-vous et imaginez une résistance, de façon à en tirer le maximum de bénéfice et à éviter de vous blesser. N'ayez pas peur d'intensifier votre effort. Si jamais vous constatez que vous avez surestimé vos capacités physiques, vous pourrez toujours le réduire.

Mon ventre représentait mon problème principal. Je me revois dans le salon de mon château, contemplant en larmes les bourrelets de graisse qui recouvraient mon estomac en me demandant si je parviendrais un jour à m'en débarrasser et, sinon, comment je supporterais leur vue pendant le restant de mes jours. J'ai travaillé dur pour perdre ma graisse superflue et mon ventre a minci en dernier... mais il a fini par fondre. Hourra! Je consacre toujours beaucoup de temps à renforcer ma sangle abdominale, parce que mon but dans la vie est de posséder les abdos les plus durs au monde. Une de mes plus grandes joies dans l'existence est de suivre un cours d'abdos de haut niveau et d'en sortir avec encore de l'énergie à revendre. Quel que soit l'aspect de mon corps, quand mon ventre manque de force, il me semble que tout mon corps s'affaiblit. Comme c'était la partie de mon corps la plus grosse, la plus molle et la plus haïssable, cela demeurera à jamais mon baromètre personnel.

Si je vous dis combien de fois par jour je contracte mes abdominaux pour le simple plaisir de les sentir, vous allez me prendre pour une maniaque. J'admets que c'est un peu excessif... mais j'ai eu tant de mal à les acquérir ! Il n'existe qu'un seul moyen d'obtenir un ventre plat, c'est de raffermir les muscles qui le soutiennent. Rien ne peut remplacer cela, ni la chirurgie plastique ni la liposuccion. Seule une activité d'aérobic fait fondre les graisses. Tout le reste est de la littérature. À ce propos, je voudrais m'insurger contre la théorie qui prétend qu'un muscle blessé ne retrouve jamais sa vigueur. Un muscle blessé cicatrise tout comme les autres tissus corporels et, si vous le faites travailler, il regagnera en force.

Non, mettre au monde des enfants n'implique pas que vous conserviez une sangle abdominale distendue pendant le restant de vos jours. Certaines femmes retrouvent leur ventre plat quasi instantanément. Cela dit, 99 % d'entre nous n'ont pas cette chance. Il vous faudra sans doute travailler plus dur que ces privilégiées, dotées d'un ventre naturellement plat, mais vous pouvez vous forger l'estomac de vos rêves en raffermissant vos abdos et en brûlant la graisse qui les masque. Car c'est de la graisse qui couvre votre estomac, pas une mutation génétique liée à la maternité. L'aspect de votre ventre ne résulte pas de vos grossesses, mais de la conjonction d'un excès de graisse et d'une insuffisance musculaire.

Quels que soient votre âge et votre personnalité, sentir de nouveau les os de vos hanches après une période d'obésité vous rendra euphorique. Moi, je me suis mise à danser en tous sens... et je crois que je peux en toute honnêteté classer ce jour parmi les plus heureux de ma vie. Oui, je suis adulte, j'ai connu la naissance, la mort, deux mariages, et je persiste à ranger la réapparition des os de mes hanches parmi les événements les plus importants de ma vie. Terrifiant, non ? Et vous lisez un livre écrit par la femme qui avoue cela ; ça me paraît encore plus inquiétant...

CHAPITRE 7

Jouir de chaque étape

C'est merveilleux de vivre dans un corps de femme.

***Karen** **Katafiasz**,*
Programme** **Célébrez votre féminité

Linda m'a appelée cette semaine de Floride. Elle a dit à mon assistante, Sally, qu'elle souhaitait me parler. Je ne crois pas qu'elle s'attendait à ce que je la rappelle, parce qu'elle a failli s'évanouir en entendant ma voix. Elle voulait savoir ce qu'elle pouvait raisonnablement attendre de quelques mois de programme. Il lui fallait absolument se remettre un peu en forme avant une série d'événements et elle voulait savoir quand les effets commenceraient à se faire sentir.

J'ai eu avec elle une conversation passionnante au cours de laquelle Linda est passée du stade « quand cela va-t-il arriver ? » à une compréhension totale du processus qui allait changer sa vie. Alors j'ai pensé que vous et moi nous pourrions reprendre ce dialogue à notre compte.

Qu'attendre de la trilogie manger-respirer-bouger ? Question fort raisonnable. Eh bien, dès l'instant où vous la pratiquerez, vous allez revivre, revenir d'entre les morts (la plupart d'entre nous menions une vie de zombies). Bientôt vous acquerrez une force et une puissance nouvelles. Des choix inconnus s'offriront à vous.

Je pourrais vous dire que vous en retirerez bien plus que de tous les régimes divers et variés que vous avez pratiqués jusqu'alors... mais ce serait trop facile car, en général, vous n'en avez tiré que faim et reprise de poids catastrophique. Chasser les idées reçues de votre vie ne vous fera pas souffrir et ne vous ruinera pas ; cela ne vous mettra pas non plus au ban de la société.

Plus jamais vous ne devrez regarder les autres manger en disant : « Non, merci, je ne mange pas. Je ne me nourris que de milk-shakes diététiques parce que je suis incapable de contrôler mon appétit, je hais mon corps et je suis mon millionième régime, regardez-moi échouer comme les 999 999 fois précédentes... »

Comme vous donnerez à votre corps les éléments nécessaires à son fonctionnement, il se sentira mieux que depuis des années et embellira de jour en jour. Et ce n'est pas tout : les changements internes qui résulteront de l'évolution de votre métabolisme et de votre masse musculaire, de la combustion de votre graisse, et du sang et de l'oxygène qui afflueront dans vos 75 billions de cellules, rendront les changements externes définitifs.

Au bout de trois semaines, j'ai demandé à Linda comment elle se sentait. Voici ce qu'elle m'a répondu :

– Autrefois, quand je me levais le matin, il me semblait que mes membres étaient de plomb. Ils me paraissent déjà moins lourds. L'autre jour, je suis allée faire des courses avec une amie. Quand nous

nous sommes arrêtées pour nous reposer, il était 18 heures ; je ne m'étais pas sentie fatiguée.

Eh bien, Linda, j'en suis ravie. Mon objectif dans la vie est de faire découvrir à autant de personnes que possible combien les choses peuvent changer en trois semaines. Que demander de plus ?

Le plus beau restait pourtant à venir.

– Avant, a poursuivi Linda, je pensais le moins possible à mon corps ; je ne me demandais jamais à quoi j'aimerais qu'il ressemble. Il ne m'inspirait que haine et j'avais l'impression de vivre à l'intérieur d'un ennemi.

Là, j'ai fondu en larmes. Entendre quelqu'un dire « vivre à l'intérieur d'un ennemi » m'a désolée. Comment pouvons-nous en arriver à le haïr ? Et pourtant, j'entends ce type de propos tous les jours.

– Maintenant, a repris Linda, je commence à voir mon corps comme une personne avec qui je pourrais travailler (point de vue un brin schizophrénique, mais compréhensible).

– Au fait, Linda, combien pèses-tu ?

– 180 kilos pour 1,60 m.

– Pourquoi ce soudain désir de remodeler ton corps en quelques mois ?

Vous avez bien lu, chers lecteurs : à 180 kilos, elle vise la perfection en quelques mois.

– Une réunion de famille à laquelle tout le monde assistera. Je sais que le fait de réapprendre à manger, à respirer et à bouger constitue la solution à mes problèmes et je veux leur montrer à tous que j'en suis capable.

Alors là, je tire le signal d'alarme. *Danger, danger, danger.* Un bon conseil à toutes les Linda : annulez votre réunion familiale. Invoquez la grippe ou n'importe quelle autre excuse. Mentez mais n'y allez pas. Fuyez cette réunion comme la peste.

Profitez de cette délicieuse sensation – sentir vos pieds s'alléger de jour en jour – pendant un peu plus longtemps avant d'affronter le genre de tempête émotionnelle qui risque de vous inciter à vous jeter sur toute nourriture qui passe à votre portée. Consacrez encore quelques mois au plaisir égoïste de regarder vos vêtements flotter sur votre corps en pleine évolution. Laissez l'énergie vous envahir et ramener vers elle l'espoir dans votre vie.

L'espoir n'est pas une solution abstraite et inaccessible. Ce n'est pas non plus quelque chose qui nous tombe du ciel. Pour ma part, j'ai construit et entretenu mon espoir pour en faire un élément tangible de ma vie auquel je puisse me raccrocher.

Les changements intervenus au niveau de mon corps comme à celui de ma vie ne sont pas dus au hasard. Dieu sait que je n'ai pas vraiment commencé par résoudre mes problèmes d'ordre émotionnel. Je me suis d'abord attaquée à mes problèmes physiques et, une fois mon corps remis en marche, j'ai senti l'espoir revenir en moi.

Tout comme vous, je pensais ne pouvoir retrouver l'espoir qu'une fois atteint mon but de toujours, devenir mince. Je me disais : « Quand je serai mince, tout ira bien. » Je trouve qu'une fois écrite cette déclaration paraît encore plus stupide. Quel rapport entre la minceur et l'espoir ? Par malheur, on nous a éduquées à nous focaliser sur le résultat final au lieu de nous apprendre à aimer et à apprécier le processus qui mène à lui.

Plus mon corps se remodelait, plus l'espoir renaissait en moi. Chaque petite victoire le nourrissait. Je me sentais enfin capable de devenir mince, vigoureuse et en pleine santé. Comment cela se mesure-t-il ? me demanderez-vous. Au premier vêtement dans lequel vous flotterez, à la première séance de gym que vous réussirez à accomplir en entier, à la première personne qui sursautera en vous croisant car vous ne ressemblez plus à ce qu'elle se rappelait, tous ces indices qu'un processus s'est mis en marche, un processus exaltant.

Peu à peu, je retrouvais l'espoir, les rêves et la joie

de vivre perdus depuis si longtemps dans la tourmente de mon existence.

Quels conseils vous donner en la matière? L'espoir est la chose la plus intangible au monde, car personne ne sait au juste d'où il vient. On connaît l'effet qu'il produit et, bien entendu, le vide que laisse derrière lui la perte de tout espoir, mais de quoi s'agit-il au juste? Comment l'apprivoiser? Au risque de paraître simpliste, j'aimerais vous conseiller de tenter quelque chose pour briser le cercle vicieux de la haine de soi et de son corps : commencez par donner à votre corps ce qu'il réclame et apprécier le bien-être que cela suscite en vous.

Le résultat final importe peu au regard du processus de renaissance que vous allez vivre. Peu à peu, à votre insu, vous reprendrez le contrôle de votre destin.

Croyez-vous qu'un corps harmonieux aide en quelque manière lorsqu'on se retrouve devant trois caméras de télévision pour une émission en direct (qu'il s'agisse de votre première ou de votre deux millième prestation)? Ou quand un éditeur vous verse une somme d'argent à titre d'avance et qu'il faut en échange écrire un livre? Ce n'est pas un corps svelte qui vous donnera l'énergie nécessaire pour vous lever à 5 heures chaque matin pour taper quelques pages avant d'accompagner vos enfants à l'école et d'entamer votre journée de travail. C'est la force physique, le fait de posséder un corps capable de fonctionner à plein régime pendant de longues périodes.

En fin de compte, que signifie mon nouveau corps? Quand on m'arrête dans un aéroport pour me demander conseil, ma satisfaction se mêle d'espoir : espoir de répondre ce que la personne a besoin d'entendre, espoir de toucher les femmes que je veux informer, de présenter mes idées de manière convaincante et d'amener des changements dans leur vie. Si ce livre vous redonne espoir, je vous incite du fond du cœur à lui faire confiance. Pariez sur lui car cela marche.

Pour ma part, j'ai retrouvé l'espoir lorsque j'ai obtenu des informations compréhensibles et utilisables sur le plan pratique. Les résultats, du premier regain d'énergie jusqu'à l'achat de mon bikini noir, m'ont confortée dans l'idée que je pouvais reprendre le contrôle de mon destin.

Mon amie Jill, que j'aie vue se muer d'adolescente boulimique en une femme superbe et sereine, m'a conseillé de vous répéter d'apprécier chaque instant de votre processus de remise en forme car c'est le seul moyen de retrouver l'espoir.

Pour la première fois de ma vie,
je tourne vers l'avenir des yeux
pleins d'impatience et d'espoir.

Une cliente

Alors, chère Linda, évite tout ce qui peut te distraire du processus que vit ton corps. Tu ne fais cela ni pour ta famille (qu'ils aillent au diable) ni pour ton mari. Oublie ce que les gens peuvent penser de toi. Qui s'en soucie ? Ton but n'est pas de les impressionner, mais de retrouver la santé et la forme.

Une fois que vous aurez regardé en face l'étendue des dégâts et entamé le processus visant à les réparer, vous connaîtrez peut-être le doute. Les résultats qui couronnent vos tout premiers efforts ne compteront guère aux yeux d'une société friande de succès instantanés. Nous sommes insensés au point d'espérer recouvrer sveltesse et santé en une nuit, même si nous pesons 180 kilos et parvenons à peine à nous déplacer.

Voici comment conférer de la valeur à vos premiers succès : posez-vous chaque jour les questions suivantes, cent fois par jour s'il le faut. Faites-le pendant que vous respirez ; vous ferez ainsi d'une pierre deux coups.

1. Est-ce que je me sens mieux ?
2. Est-ce que je ressens un regain d'énergie ?
3. Suis-je plus vigoureuse ?
4. Est-ce que je fonds ?
5. Cela en vaut-il la peine ?

Si vous répondez par l'affirmative à au moins l'une de ces questions, continuez. Continuez, et ne regardez pas en arrière. Allez de l'avant.

Une autre suggestion, qui s'inscrit dans le cadre de la surveillance de votre corps, et cela va vite devenir une seconde nature : regardez votre corps.

Pendant vos séances de sport, mettez des vêtements qui vous permettent de voir votre corps bouger. Cela vous aidera à apprécier vos efforts.

Mes clientes portent toutes des tenues de sport moulantes : des collants, des brassières découvrant le ventre... Toutes choses difficiles à trouver jusqu'à ce qu'une ex-obèse, moi, crée des vêtements conçus pour que les autres puissent regarder leur silhouette se raffermir. Il ne s'agit pas de mode, mais d'un état d'esprit. Pas d'élastiques qui compriment, ni de tissus qui brident ou qui glissent. Vos vêtements doivent bouger avec vous, pas contre vous. Ne vous inquiétez pas, je ne vais pas vous faire un cours sur l'art de choisir un justaucorps.

Mon propos est de vous expliquer pourquoi vous devez montrer votre corps. Si un regain d'énergie constitue pour vous une expérience fascinante, si vous vous émerveillez de retrouver un peu de force et de vous sentir le pied plus léger... attendez de vivre *la* véritable sensation forte : découvrir ses côtes. Quant à l'apparition des clavicules, elle dépasse ce que la parole peut exprimer. Aucun spectacle n'égale celui de votre corps se débarrassant peu à peu de la graisse qui l'enveloppe. Seulement, si vous vous cachez sous un survêtement, vous ne verrez rien. Alors découvrez-vous. Vous savez que vous êtes trop grosse et en mauvaise forme ; cela va devenir faux sous vos yeux. Jouissez de ce processus.

Quand je pesais 118 kilos et ne connaissais d'autre indicateur de mon aspect physique que ma balance, ma vie tout entière dépendait du chiffre que j'y lisais. Une livre supplémentaire suffisait à gâcher ma journée et à déclencher des mesures draconiennes dans le seul but de perdre cet excédent de poids avant le lendemain matin. Ces jours sont révolus pour moi. Et pour vous. Désormais, vous surveillerez le résultat de vos efforts d'une autre manière.

J'ai passé une partie de la matinée avec Beth. Un exemple parfait de femme qui vit intensément chaque instant du processus de remodelage de son corps. Quand j'ai connu Beth, ses vêtements taille 64 la serraient ; à présent, elle porte du 48. Je l'ai trouvée plantée devant une glace en pied, vêtue d'un jean et d'une chemise blanche, qui s'admirait.

– Maintenant, j'adore les miroirs, m'a-t-elle déclaré. Chaque fois que je le peux, je me regarde. D'ailleurs, je pense que je vais me faire photographier par un professionnel... Connaissez-vous celui de la galerie marchande ?

En la voyant, le souvenir de ma première paire de jeans post-obésité m'est revenu en mémoire. Je crois que seul un ex-obèse ou une personne en cours d'amincissement peut comprendre le bonheur que représente le fait de rentrer un chemisier dans son pantalon. Quant à remettre une ceinture...

Cela suscite des émotions voisines de ce que l'on ressent au cours d'une grossesse, quand on attend avec impatience la naissance de son bébé. On se pose les mêmes questions :

– À quoi va-t-il/elle ressembler ?
– Combien mesurera-t-il/elle ?
– Quelles relations entretiendrons-nous ?
– L'aimerai-je autant que je le pense ?

On pense ensuite à des interrogations plus spécifiques :

– Porterai-je des ceintures ?

– Une chaînette ?

– Découvrirai-je mon ventre chaque fois que je le pourrai ?

– Me le ferai-je tatouer ?

– Demanderai-je à mon mari de le badigeonner de crème fouettée, puis de la manger ?

Vous trouvez que je vais trop loin ? À vous d'en juger !

Beth s'est séduite elle-même. La voir s'admirer dans la glace, si fière de ses progrès, m'a rappelé certaines de mes plus grandes victoires vestimentaires : essayer des maillots de bain, par exemple, la pire des épreuves pour la plupart des femmes. Nulle n'apparaît à son avantage sous les horribles lumières fluorescentes des cabines d'essayage. Après mon expérience californienne et le maillot qui me donnait l'air d'une baleine échouée, je m'étais juré ne plus jamais en approcher. Puis, un jour, partie pour acheter du pain, je me suis retrouvée dans un magasin qui ne vendait que des maillots de bain de toutes les formes, couleurs et tailles raisonnables (pour une fois, on ne chassait pas les clientes excédant la taille 44). Et moi, je me demandais ce que je faisais là.

J'ai enclenché le programme « ne t'affole pas, Susan » et, recourant à ma double personnalité, je me suis mise à parler toute seule, comme une folle : « Tu as bien travaillé, beaucoup amélioré ton aspect physique, tu te sens bien, et ta confiance en toi ne dépend en rien du verdict de ces bouts de tissu. Quoi qu'il puisse arriver dans ce magasin, cela n'y changera rien. »

Je me sentais comme un soldat prêt à charger un ennemi sans merci. Effrayée, embarrassée et inquiète avant même le premier essayage. D'instinct, je me suis dirigée vers le rayon 44-46. Bien sûr, j'avais changé de corps. Je le sentais et je le savais... mais il s'agissait de maillots de bain, de petites choses qui révèlent plus qu'elles ne vêtent. Aucune force au monde n'aurait pu me convaincre de me tourner vers les « petites » tailles.

Il me semblait que tout le monde dans le magasin me regardait, que chacun devinait en me voyant que j'avais pesé 118 kilos et que l'achat d'un maillot de bain était une épreuve insurmontable.

Tout en regardant les modèles exposés, je m'exhortais au calme : « Comporte-toi comme si tu possédais un plein tiroir de ces fanfreluches et que tu cherchais juste à ajouter une pièce à ta collection. » Rassemblant tout mon courage, j'ai pris une poignée de maillots taille 44 et, dans un sursaut de courage, un ou deux en 42, juste pour voir si par hasard l'un d'entre eux m'irait. Me disant qu'après tout je serais seule dans la cabine, j'ai même osé prendre un bikini noir, en 42. Personne n'en saurait rien.

J'ai pénétré sous les lumières blafardes et refermé sur moi les portes de la cabine. Mon moment de vérité était venu...

Le maillot taille 44 est tombé par terre quand je l'ai enfilé. À cet instant j'ai fait vœu de toujours démarrer mes essayages par une taille dont je savais qu'elle glisserait ainsi de mes hanches. Quelle merveilleuse façon de commencer la journée ! La taille 42 s'est elle aussi révélée bien trop grande, de sorte que j'ai dû appeler une vendeuse pour qu'elle m'apporte mon bikini noir en 40. Elle m'a jeté un regard curieux, à l'évidence étonnée que j'aie essayé du 44 et du 42, et m'a suggéré de passer directement au 38, voire au 36. Je suis demeurée interdite : moi, du 36 ou du 38... ?

La jeune femme est revenue avec les bikinis et devinez... Le 38 était trop grand ! Rien ne saurait exprimer mon bonheur d'acheter un maillot de bain taille 36... À dire vrai, je suis restée pendant un bon quart d'heure à considérer mon corps sous tous les angles, d'un œil incrédule. Incroyable, ces quatre minuscules triangles de tissu reliés par des ficelles m'allaient bien. Et en plus, les bourrelets et autres amas graisseux qui recouvraient mon corps avaient totalement disparu. Je pouvais sauter à pieds joints (et je ne me suis pas gênée pour le faire dans la cabine) sans que mon corps tressaute comme s'il était en gélatine. Et j'étais indéniablement sexy !

Comme le disait Beth, la vie d'une femme change du jour où les miroirs deviennent ses amis. Pour moi, cela s'est produit dans cette cabine d'essayage et grâce à un bikini noir.

Il ne me restait plus assez d'argent pour payer mes remboursements d'emprunt du mois, mais j'ai quand même acheté le maillot. Je me rappelle m'être demandé si la styliste faisait venir son tissu du fin fond du Tibet, tant il m'avait paru cher. Et pourtant, pas une seconde je n'ai envisagé de quitter le magasin sans lui. J'aurais préféré vendre ma voiture plutôt que de renoncer à l'acheter. D'ailleurs, je ne crois pas que quiconque pourrait m'accuser de ne pas l'avoir rentabilisé, car j'ai dû le porter au moins dix millions de fois. Et même usé, impossible de le jeter ; chaque fois que j'ouvre mon tiroir à sous-vêtements, ce bikini noir tout effiloché m'arrache un sourire.

J'adore quand ma sœur me dit : «Dis-moi, Jo, qu'as-tu fait de l'autre moitié de toi ?»

Joanne, Connecticut

Juste après la naissance de mon second fils, une amie m'a conseillé de profiter de cette période, car elle ne reviendrait jamais et je l'oublierais peu à peu. Je lui ai jeté un coup d'œil interloqué, me demandant comment on pouvait éprouver l'envie de se rappeler qu'on a mis au monde deux bébés coup sur coup.

Imaginez ma situation à l'époque : au bord du divorce, terrifiée par l'avenir, en plein déséquilibre hormonal...

Une fois de plus, il m'a fallu des années pour comprendre les propos de mon amie, mais j'ai fini par y parvenir. En effet, je n'ai pas su profiter de la petite enfance de mes fils et je le regrette infiniment.

Tout à coup, au cours d'une récente réunion de travail, j'ai compris que savoir profiter de l'instant était un état d'esprit indépendant de la nature des expériences que l'on vit. Ce jour-là, un richissime (et j'entends par là riche au-delà de tout ce que vous et moi pouvons imaginer) homme d'affaires m'a dit : « Susan, ce que vous faites est fantastique. Votre démarche respire l'honnêteté et l'intégrité, et en plus, vous faites preuve d'un sens aigu des affaires et de l'organisation. J'espère seulement que vous vous rendez compte que le combat est beaucoup plus amusant que la victoire. Rien n'égale en exaltation la lutte pour la réussite et je souhaite que vous sachiez en profiter. »

Sur le moment, au beau milieu d'une négociation serrée, la sagesse de ce conseil ne m'a guère frappée. Je l'ai poliment remercié de l'intérêt qu'il me portait, tout en pensant : « Passionnant, mais pour l'instant je m'intéresse surtout à ton argent, sans lequel je ne pourrais continuer à prêcher la bonne parole aux millions de femmes qui en ont tant besoin. Alors, après cet aperçu philosophique, peut-être pourrions-nous revenir à nos moutons. »

À présent, je comprends ce qu'il voulait dire. Qu'il s'agisse de changer de corps, de mettre au monde un enfant ou de financer un projet, c'est le processus qui importe. Pendant ce temps, on prend des forces et de l'assurance, et on acquiert de l'énergie. Ainsi, dans mon cas, réduire le changement au fait que je porte aujourd'hui du 36 équivaudrait à oublier tout le processus. Il faut noter surtout :

– le jour où j'ai découvert que mes cuisses ne se touchaient plus,

– les objectifs atteints à chaque étape de ma remise en forme ; un bonheur intense, chaque fois,

– la disparition de la terreur que m'inspirait l'avenir et l'apparition de lueurs d'espoir de plus en plus fréquentes,

– la découverte que mon incapacité à maigrir ne venait pas de moi mais de l'inanité des régimes proposés...

Nancy ! je comprends ce que tu voulais dire. Je suis un génie, un être exceptionnel !

Comme je l'ai déjà dit un million de fois, si vous pouvez passer d'une taille 62 à une taille 54, pourquoi ne pas passer de la taille 62 à celle que vous souhaitez ? La démarche est la même. C'est là tout le secret et c'est merveilleux. Montrez-vous plus fines que moi. Imitez Beth et les autres, et jouissez de chaque minute du processus. Vous ne porterez plus jamais du 64, alors regardez bien votre corps ; regardez-le changer. Mettez-vous à son écoute et émerveillez-vous de le voir réagir et se remodeler. Si j'avais disposé des mêmes informations que vous et bénéficié du même soutien et des mêmes encouragements, j'aurais noté chacune de mes sensations. J'aurais pris une photo de moi nue et en pied, avant et après le processus, et je me serais attachée à m'en remémorer chaque étape.

Voulez-vous « voir » quelqu'un changer ? Dans ce cas, regardez le tableau tenu par une de mes clientes. Elle pesait au début, voici quatre mois, 140 kilos pour 1,60 m, pouvait à peine bouger et se sentait très mal. Comparez ses mensurations de l'époque aux actuelles :

Date	Avant 19.01.93	Après 15.04.93	Différence
Triceps :	*45,5 cm*	*43 cm*	*– 2,5 cm*
Poitrine :	*127,5 cm*	*119,5 cm*	*– 8 cm*
Taille :	*117,5 cm*	*112,5 cm*	*– 5,5 cm*
Hanches :	*167,5 cm*	*162,5 cm*	*– 5 cm*
Cuisses :	*91,5 cm*	*85,5 cm*	*– 6 cm*
Pectoraux :	*118 cm*	*115 cm*	*– 3 cm*

Elle est passée d'une proportion de graisse dans la masse totale du corps de 66,9 % à 58,6 %. Sa masse musculaire s'est développée, de même que son endurance cardiaque, et elle pratique son activité physique à un rythme dont elle ne se serait jamais crue capable.

Maintenant, il lui faut juste continuer son programme et regarder sa graisse fondre et ses muscles se raffermir. Elle ne s'en lasse pas.

> *Au fur et à mesure que nous répétons un acte jusqu'à en faire une habitude, nous tressons ensemble des fils invisibles, si bien qu'ils finissent par former un énorme câble qui nous lie irrévocablement.*
>
> ***Orison Swettt Marden***

Regarder votre corps se transformer, oublier le passé pour vous tourner vers le présent et l'avenir, améliorer votre forme physique... toutes choses plus faciles à dire qu'à faire, pensez-vous peut-être.

Alors, je vais m'efforcer de vous simplifier la tâche au maximum.

Il existe des exercices pour le corps et des exercices pour l'esprit – pour modifier votre état d'esprit. Je ne connais rien au basket-ball ; pourtant, j'ai réussi, grâce à cette méthode, à améliorer le jeu de mes deux fils.

Les athlètes professionnels connaissent bien cette technique et l'utilisent constamment. Vous aussi vous pouvez vous entraîner chaque jour. Pourquoi ne pas suivre leur exemple ? Cela vous donnerait peut-être juste l'impulsion qui vous manque pour atteindre vos objectifs. Qu'avez-vous à perdre ? Au fond, fort peu de choses vous séparent d'un athlète olympique : vous vous entraînez tous deux, vous vous efforcez tous deux de brûler vos graisses excédentaires, de développer votre masse musculaire et d'améliorer votre tonus cardiaque.

Un coureur olympique passe de longues années à entraîner son corps mais aussi son esprit. Si vous l'interrogez, il vous dira que ce deuxième volet compte presque plus que le premier pour remporter une victoire. Il consacre beaucoup de temps à visualiser la course, son effort, à imaginer les cris des spectateurs, le poids dans ses jambes à la fin de la course, les battements accélérés de son cœur. Enfin, il essaie de « voir » la ligne d'arrivée, le ruban qui la marque, d'entendre les vivats... Sur ce point, je ne vous donnerai qu'un conseil : si vous devez visualiser un parcours ou une scène, faites les choses en grand ! Faites sonner les trompettes ; moi je ne vise rien d'autre qu'une médaille d'or !

Mary Lou Retton, la première Américaine médaille d'or de gymnastique à titre individuel, a évoqué sa préparation mentale au cours d'une interview : « Exécuter en pensée les mouvements m'aide beaucoup. Par exemple, comme j'ai souvent des problèmes de réception au sol après un saut, je répète dans ma tête mon enchaînement aux barres parallèles et je me visualise le terminant par un saut périlleux parfait. » Pourquoi ne pas appliquer la même technique à vos exercices ? Si cela a aidé Mary Lou Retton, le même phénomène devrait se produire pour vous. Il s'agit d'entraîner votre esprit en même temps que votre corps.

Bambi ne m'a jamais parlé de cette technique. À vrai dire, maintenant que j'y pense, Bambi ne m'a jamais parlé du tout.

Inutile de courir au monastère tibétain le plus proche : il s'agit d'un procédé très simple qui ne requiert pas dix années de méditation.

J. Krishnamurti a dit :

Un esprit qui médite est silencieux
Non pas du silence d'un soir paisible
Mais de celui qui se produit lorsqu'on chasse
Toute pensée, image, réfléxion et sensation.

Bravo, Krishnamurti ; bien dit. Dès lors que votre esprit s'apaise et que vous vous détachez, même un instant, de toute perception du monde extérieur, vous pouvez remplir votre cerveau d'images nouvelles et différentes.

Je voudrais juste vous suggérer de songer à reprogrammer une nouvelle conception de la beauté physique, ou un objectif final tenant compte de la réalité.

Voici comment j'ai procédé : pendant ma convalescence, car c'est ainsi que je vois mon processus de remise en forme, je consacrais trois à cinq minutes par jour à visualiser mon objectif final. Je commençais par chasser les modèles que la société et les médias essayaient de m'imposer, puis je me concentrais sur *mon* objectif. Sur ce que j'attendais, *moi*, de ce processus.

Comme je voulais un corps plus mince, j'imaginais mon corps aussi mince que je le souhaitais (je dois tout de suite vous avouer que c'était très, très mince). La vigueur physique comptait aussi pour moi, car je ne supportais plus mes douleurs. J'essayais donc de visualiser la force émanant d'un corps musclé. Le corps de mes rêves devait également posséder plus d'énergie qu'il n'en fallait pour mener à bien mes tâches quotidiennes. En outre, j'habillais ledit corps des vêtements que je me promettais un jour d'acheter : robe noire moulante, talons aiguilles, maillots de bain (notamment le fameux bikini noir), après quoi je le projetais dans des situations où des personnes accoutumées à me voir grosse et laide s'émerveillaient de ma nouvelle silhouette.

Il m'a fallu un certain temps avant d'y réussir. Au début, quand je songeais à mon corps futur, je ne parvenais pas à imaginer mon propre corps. Je voyais ma tête accolée à une autre silhouette, vue dans un magazine ou à la télévision. Malgré tous mes efforts, je n'arrivais plus à concevoir mon corps aminci tel que je le rêvais. J'ai connu de vrais moments d'inquiétude. Je tentais de me concentrer mais, à la place de mon corps remodelé, je voyais ceux des top models du moment.

J'ai cependant continué à consacrer à cet exercice deux minutes environ par jour (une longue période pour qui élève seule deux bébés) et ma persévérance a été récompensée. Peu à peu, mon esprit s'est réconcilié avec mon corps : Susan, 118 kilos, déprimée (même si je commençais à me sentir un peu mieux) et en très mauvaise forme. Enfin, j'ai commencé à me retrouver sans qu'à tout moment viennent s'intercaler les images parasites de corps de mannequins. Ne croyez pas que ce processus se soit déroulé sans à-coups. Les combats qui se livraient à l'intérieur de mon cerveau auraient pu faire les choux gras de la presse populaire sous le titre : *Mère au foyer texane lutte contre des envahisseurs*.

Deux facettes de ma personnalité s'opposaient sans relâche : d'un côté, Susan I, qui voulait à toute force recouvrer forme et santé, et de l'autre, Susan II, qui doutait d'y parvenir un jour. Pour mon malheur, Susan II, qui ne cessait de rappeler à sa consœur les échecs passés et refusait obstinément d'envisager que les choses puissent évoluer différemment, occupait le terrain la plupart du temps. Je me suis mise à la considérer comme un monstre à abattre.

– Réveille-toi, Susan. S'il t'était possible de mincir, tu y serais arrivée, depuis le temps que tu essaies sans succès tous les régimes et tous les programmes de gym existants. Pourquoi veux-tu que la méditation se révèle plus efficace ? Tu crois que cela va tout changer, pauvre idiote ? Ce serait trop facile !

– Susan ! Tu ne trouves pas que ce corps ressemble un peu trop à celui de Cindy Crawford ? Remets tout de suite le tien à sa place.

En somme, la confusion la plus totale m'habitait. C'est pourquoi, quand je vous conseille de méditer un peu pour vous réconcilier avec votre corps, je ne prétends pas un seul instant qu'il s'agisse d'un remède miracle. Je vous propose seulement une technique utile. C'est gratuit, c'est facile, et cela marche. Tout comme l'oxygène, il suffit d'apprendre à s'en servir pour atteindre ses objectifs plus vite et dans de meilleures conditions : apprendre à calmer le monstre qui sommeille en vous et à neutraliser les images négatives qui cherchent à envahir votre esprit.

Je me plantais devant mon miroir et là, au lieu d'appeler la mort à la vue de mes énormes cuisses et de la tâche à accomplir, je me concentrais sur ce que je faisais pour changer les choses et j'admirais les premiers résultats de mes efforts.

Chaque jour, en marchant, je visualisais mes progrès et mes objectifs. J'imaginais l'oxygène abreuvant mes cellules d'un flux bienfaisant, le raffermissement progressif de mes muscles et l'aspect que mon corps offrirait un jour.

Pendant les phases de méditation pour me réconcilier avec mon corps, je pleurais, ou plutôt je sanglotais. Toute la détresse que je cachais si soigneusement depuis si longtemps remontait à la surface.

Une cliente

Vous pouvez pratiquer d'autres exercices mentaux : apprendre à vous concentrer sur un muscle particulier pour le contracter ou le détendre. Cela accroîtra l'efficacité de vos mouvements.

Ma question va peut-être vous paraître étrange : depuis quand n'avez-vous pas pensé à vos chevilles ? J'ai fait pratiquer des exercices de visualisation à beaucoup de femmes. Imaginez la scène : trente femmes obèses allongées par terre ou assises sur une chaise, paupières closes, qui s'efforcent de se concentrer. Puis je leur pose cette question et la moitié d'entre elles rouvrent les yeux et me dévisagent l'air inquiet. « Pourquoi devrais-je penser à mes chevilles ? » se demandent-elles. Pourquoi, en effet ? Réfléchissons ensemble pendant une minute à ce que vos chevilles font pour vous. Pendant toute la journée et une partie de la nuit, elles soutiennent un poids respectable. Pour vous, ces petites chevilles se plient, tournent et vous permettent de marcher. En fait, elles fournissent un effort considérable et vous attendez d'elles qu'elles le fassent sans que vous leur accordiez une seconde d'attention. Consacrer chaque jour quelques minutes à penser à son corps permet de se remémorer que l'organisme humain ne fonctionne pas envers et contre tout.

Une fois que vous pensez à vos chevilles, rien de plus facile que d'apprendre à les détendre. Relâchez votre articulation. Vous y parvenez ? Dans ce cas, pourquoi ne pas remonter le long de votre mollet pour le détendre ou le contracter ?

En clair, vous commencez par visualiser ce que vous attendez du processus. Puis vous prenez conscience de parties de votre corps auxquelles vous n'aviez jamais porté la moindre attention, vous vous concentrez sur vos muscles, ce qui vous conduit à les faire travailler plus efficacement.

Pendant que je remodelais mon corps, je me suis demandé où je voulais en venir.

Voici les images sur lesquelles je méditais :

– Moi, plus attirante que la petite amie de mon ex-mari.

– Moi, mince et sexy, me pavanant en micro-robe noire.

– Moi, la plus mince d'une assemblée.

– Un tel afflux d'invitations masculines que je pouvais décliner celles qui ne me tentaient pas.

– Mes bras, aussi jolis à voir que ceux des mannequins, dépassant d'une robe d'été.

– Mon estomac extra-plat, voire, si possible, concave.

– Faire l'amour.

– Des gens qui m'avaient connue grosse sursautant à la vue de ma nouvelle silhouette.

– Mon ex-mari me suppliant de lui pardonner et de lui donner une seconde chance.

Vous remarquerez qu'aucun de mes sujets de méditation n'avait le moindre rapport avec la santé. Seule m'intéressait l'amélioration de mon aspect physique. Mes objectifs, je les ai atteints et même dépassés. Alors je lève mon verre au quatuor manger-respirer-bouger-visualiser.

Dans le secret de votre esprit, vous pouvez vous montrer franche et précise. Concentrez-vous sur vos objectifs et imprégnez-vous-en. Travaillez-les comme vous le feriez pour votre endurance cardiaque ou votre puissance musculaire. Il n'existe pas de but irréalisable, à part mesurer 1,80 m quand on plafonne à 1,50 m. Si vous ne parvenez vraiment à visualiser que le corps d'une autre personne, envisagez de joindre une thérapie à votre programme. Cela ne peut pas vous faire de mal, car, au fond, nous en avons souvent besoin.

Il faut d'abord s'installer confortablement car une position douloureuse ne favorise guère la concentration. À part cela, peu importe où et comment vous vous asseyez.

Fermez les yeux. Prenez quelques profondes inspirations. Imaginez que vous vous nettoyez l'organisme. Vous inspirez de l'oxygène et expirez avec l'air vicié toutes vos tensions, anxiétés, angoisses et images négatives. Tout en respirant, dressez le tableau de ce que vous attendez du processus de remise en forme.

Si vous voulez un corps plus mince, imaginez-le tel que vous le rêvez. Si vous voulez gagner en vigueur, visualisez un corps puissant. Suivez le contour de vos muscles, regardez-les se dessiner sous la peau de vos cuisses, de vos fesses, de vos bras et de votre dos. Sentez leur force. Contractez-les en pensée. Imaginez-vous capable de courir, de bondir, de soulever sans effort dix sacs de supermarché. Introduisez le maximum de détails possible dans votre parfait idéal.

Si votre priorité concerne le tonus cardiaque, efforcez-vous de visualiser la circulation de l'oxygène dans votre corps. Sentez l'énergie emplir votre organisme. Imaginez-vous dans la peau d'un coureur olympique à qui il reste encore de l'énergie à l'issue du sprint final. Sentez votre corps se remettre en un clin d'œil après un effort violent. Imaginez que vous courez après votre fils de deux ans, les bras chargés de linge et sous une chaleur étouffante, sans vous essouffler. Peu importe la scène pourvu qu'on y retrouve les détails les plus révélateurs à vos yeux.

Au bout de quelque temps, au lieu de simples images, je me suis mise à créer de véritables courts métrages. Je me voyais arriver à une réception dans ma petite robe noire, perchée sur mes talons aiguilles. Bien entendu, j'étais la plus mince et la plus musclée de toutes les femmes présentes et chacun s'extasiait sur mon passage. Soudain, je me trouvais nez à nez avec mon prince et sa petite amie. Pas de chance, ce soir-là elle avait les cheveux ternes et le teint brouillé, et ne m'arrivait pas à la cheville. Mon prince se jetait à mes pieds, en larmes, et me suppliait de lui revenir car son bonheur était à ce prix. Il implorait mon pardon pour toutes les souffrances qu'il m'avait infligées... Moi, je les dépassais d'un pas nonchalant pour rejoindre un homme superbe, moderne, doté d'un corps parfait qui baisait le sol que je foulais... Le scénario continuait, enrichi à chaque séance de méditation.

« Il n'existe qu'un moyen de se défaire de ses mauvaises habitudes : les remplacer par des bonnes. » J'ai entendu cet adage dans un film traitant des ravages de la drogue. Son bon sens m'a frappée. J'ai résolu de l'appliquer à mon processus. Pour remplacer mes mauvaises habitudes, il m'a fallu apprendre à connaître mon corps et appliquer au quotidien les méthodes nécessaires à son remodelage et aussi découvrir le plus grand nombre possible d'outils et de techniques (appelez-les comme vous voudrez) susceptibles de m'aider à aller de l'avant.

Mon retour à la forme n'a pas éliminé toutes mes mauvaises habitudes ; pour cela, il faudrait un miracle. En revanche, je continue à m'efforcer de me créer de meilleures habitudes. L'un des moyens les plus efficaces et les moins onéreux pour y parvenir consiste à me demander ce que je veux, en définir les conséquences, puis à y consacrer chaque jour quelques minutes de méditation.

J'ai connu une femme qui avait assimilé en quelques instants les volets manger, respirer et bouger de mon programme, mais qui butait sur les exercices mentaux. Elle n'arrivait pas à s'imaginer autrement que grosse et en piteux état physique. Puis, au bout de deux semaines d'efforts, elle m'a annoncé : « Ça y est, j'ai enfin réussi à détacher ma tête de votre corps pour la replacer sur le mien. »

Wendy ne ressemble plus à la morte-vivante que j'ai rencontrée voilà six mois. Elle a atteint ses objectifs initiaux en matière de forme et travaille désormais sur de nouveaux. À présent, quand elle veut accomplir quelque chose, elle réunit l'information nécessaire, se concentre, visualise le but recherché... je crois qu'en ce moment elle envisage de devenir présidente des États-Unis ! Attention, peuple américain, elle en est capable !

Il faut faire ce que l'on se croit incapable de faire.

Eleanor Roosevelt, 1960

CHAPITRE 8

Questions et réponses

Considérez avec patience les problèmes sans réponse qui habitent votre cœur et tâchez d'aimer vos interrogations.

Rainer Maria Rilke

J'ai passé ces quatre dernières années à arpenter de long en large ce pays pour prononcer des discours et animer des séminaires sur le bien-être devant tous les types de groupes imaginables, des foules nombreuses aux petites assemblées, dans des villes de taille variable, et dans les locaux les plus divers, comme des temples, des églises ou des hôpitaux. La partie de mon intervention que je préfère est la session de questions et réponses qui la clôture.

Comme je l'ai dit à la télévision et à tous ceux qui ont bien voulu m'entendre, je n'ai pas d'orgueil et je veux tout raconter de ma vie. Je réponds à toutes les questions. Il arrive que la partie « questions et réponses » dure plus longtemps que le discours qui la précédait. Un extraordinaire courant d'amour et de respect passe entre toutes ces femmes et moi.

1. Combien de fois par semaine dois-je faire de la gym ?

Votre corps a besoin d'oxygène chaque jour et vos muscles aussi. Trente à soixante minutes par jour ne me paraissent pas représenter un effort insurmontable au regard des immenses bienfaits que vous retirerez d'une activité physique régulière, notamment sur le plan de l'énergie. J'espère que vous ne voyez plus l'exercice sous le même angle que quand vous avez entamé la lecture de ce livre. Sans jamais vous épuiser, prenez le temps, chaque jour, de bouger à votre rythme. Même si vous n'êtes pas au mieux de votre forme parce qu'une dure journée s'annonce ou parce que vous couvez la grippe ou un rhume, vous pouvez tout de même bouger. Pensez simplement à ajuster votre rythme à ces données. Peut-être vaudra-t-il mieux, en pareil cas, substituer une marche de quinze minutes à vos habituelles trente minutes de StairMaster ou autre. Si vous ne vous sentez pas la force de marcher pendant quinze minutes, ne marchez que cinq minutes.

2. Je pratique une activité physique depuis deux semaines et je n'ai pas perdu un gramme. Au bout de combien de temps commence-t-on à perdre du poids ?

Vous perdrez du poids dès que votre organisme commencera à puiser dans ses réserves de graisse. Plus vous dépenserez d'énergie, plus vous brûlerez de graisse, et plus vous perdrez du poids.

Les pertes pondérales rapides se composent en majorité d'eau et de muscles. Là, vous perdez du poids vite et, en général, vous le reprenez tout aussi vite. Perdre ses graisses excédentaires relève d'un processus différent. Rangez votre balance et oubliez-la ; ainsi vous ne penserez plus en termes de kilos. Désormais, vous évaluerez l'évolution de votre corps en vous posant les questions suivantes :

– Ai-je plus d'énergie ?

– Plus de force ?
– Est-ce que je fonds ?
– Est-ce que je me sens mieux ?

Ne vous inquiétez pas, votre graisse disparaîtra. Accordez-lui juste un délai un peu supérieur à deux semaines.

3. Combien devrais-je peser ?

Chaque fois que je vois un tableau indiquant les poids moyens idéaux par rapport à la taille, l'âge et la morphologie du sujet, je n'en crois pas mes yeux. Je me demande toujours comment les auteurs ont établi de tels chiffres. Oubliez-les.

Quand le pourcentage de graisse de votre poids total ne mettra plus votre santé en danger, quand vous posséderez une musculature suffisante pour vous sentir bien, quand l'image que vous renvoie votre miroir vous satisfera et que vous vous sentirez en pleine forme, alors vous pèserez votre poids idéal.

4. Que puis-je manger lorsque j'assiste à une fête ?

Bien souvent, mes clientes me disent : « D'accord, je comprends votre système et il me paraît plein de bon sens. Seulement, ma cousine se marie dans deux mois : que vais-je manger ? » Qui peut dire ce que vous aurez envie de manger dans deux mois ? Serez-vous à la veille de vos règles ? Fatiguée ? D'humeur à manger salé ? Sucré ?

De par les privations et la faim continuelle qu'ils induisent, les régimes incitent à considérer la nourriture comme une chose dangereuse contre laquelle il faut se prémunir et en font une obsession de tous les instants. Ces problèmes ne vous concernent plus. Vous mangerez ce que vous voudrez, ce qui vous fera envie, en privilégiant, bien entendu, les mets les moins riches en lipides qu'on vous proposera.

La nourriture n'est plus votre ennemie, mais votre carburant, alors appréciez-la. Mangez !

5. La course à pied ou la marche vont-elles me muscler ? Est-ce que je ne risque pas de me retrouver avec des jambes encore plus grosses ?

Dès qu'on utilise un muscle, il se raffermit et gagne en force et en endurance. Pour se forger des muscles saillants, il faudrait en plus les faire travailler à l'aide de poids très lourds et, le plus souvent, ajouter à cela une consommation régulière de stéroïdes. Cela ne vient pas sans effort : regardez les haltérophiles.

6. Et mes enfants, que dois-je leur donner à manger ?

La même chose qu'à vous. Je le répète encore une fois, il ne s'agit pas d'un régime. Vous allez perdre vos mauvaises habitudes alimentaires pour apprendre à vous nourrir de produits hautement énergétiques, rassasiants et pauvres en lipides. Qui, plus que nos enfants, a besoin de carburant de grande qualité ?

Nous parlons sans cesse d'éduquer nos enfants, de favoriser leur développement et pourtant, nous les laissons se nourrir de produits chimiques, de conservateurs et autres cochonneries en tout genre.

7. Le métabolisme ralentit-il avec l'âge ?

Oui. Toutefois, il s'agit d'un ralentissement relatif. Je connais des femmes de trente-cinq ans si peu actives et en si mauvaise forme que leur métabolisme fonctionne au même rythme que celui d'une femme de quatre-vingts ans. Si vous mangez bien, bougez régulièrement et respirez correctement, vous conserverez un mode de vie et un métabolisme sains. Ce n'est pas une fatalité de voir sa santé se détériorer à partir de cinquante ans.

8. Le petit déjeuner est-il réellement le repas le plus important de la journée ?

Le plus important ? Qui peut le dire ? Tous les

repas sont importants. Apporter à son organisme l'énergie nécessaire à son bon fonctionnement quand il le réclame, c'est important. À partir de là, chaque individu doit respecter ses propres rythmes. Moi, par exemple, je déteste manger quand je viens de me lever. Mais, après m'être agitée quelques heures, je dévore un énorme petit déjeuner.

Si le petit déjeuner signifie qu'on s'alimente à toute force dès le saut du lit, cela ne rime à rien. Et s'il s'agit de se nourrir pour la première fois de la journée parce qu'on a faim, alors ce n'est qu'un repas parmi d'autres. Une seule chose importe : que vous mangiez quand vous avez faim.

9. Combien d'eau dois-je boire ?

J'adore cette question. Réponse : buvez quand vous avez soif et préférez l'eau aux autres boissons.

S'il suffisait pour perdre du poids de boire de l'eau et si ces huit verres d'eau quotidiens que l'on conseille si souvent produisaient le moindre effet, je serais la première à vous les recommander et je me serais depuis longtemps transformée en sirène ! Ces histoires ont été, comme beaucoup d'autres préceptes a priori sensés, exagérées au point d'en être dénaturées.

N'attendez pas d'avoir la mousse aux commissures des lèvres pour vous verser un verre d'eau, mais si vous n'avez pas soif ne vous forcez pas à boire ; non seulement c'est idiot, mais en plus cela ne vous fera pas perdre un gramme.

Buvez quand vous avez soif et mangez quand vous avez faim ; voilà la sagesse.

10. Pourquoi mon médecin m'a-t-il prescrit un régime basses calories ?

À moins qu'il n'existe une raison médicale sérieuse, il l'a fait parce qu'il ne connaît rien à l'amincissement. Demandez-lui sur quelle source d'énergie vous êtes supposée subsister et s'il peut vous proposer une alternative au jeûne.

11. Combien de temps mon métabolisme mettra-t-il à se modifier ?

Il faut en moyenne six à huit semaines pour que le métabolisme s'accélère. Cela dit, un grand nombre de variables influent sur ce chiffre, comme des facteurs génétiques, le niveau de forme, l'intensité avec laquelle vous pratiquez votre activité physique, votre maîtrise de la méditation, ainsi, bien sûr, que votre alimentation et un éventuel traitement médicamenteux.

Je peux vous dire, et je parle d'expérience pour avoir côtoyé des milliers de personnes en cours de remise en forme, ces dernières années, que l'organisme humain réagit très vite quand on lui fournit un carburant de qualité et qu'on pratique une activité physique régulière à un rythme approprié. Alors, peu importe combien de jours exactement cela prend.

12. Est-il vrai que mon corps continue à brûler de l'énergie pendant un certain temps après une séance d'exercice ?

Absolument. Personne ne sait exactement pendant combien de temps, mais tous reconnaissent ce phénomène.

13. Dois-je compter mes calories ?

Les seules calories dont vous devez vous préoccuper sont celles qu'il faut impérativement consommer chaque jour pour ne pas affamer votre corps. Si cette réponse vous effraie, relisez le chapitre 4.

Je précise aussi que si vous ne faites rien, je dis bien *rien*, et absorbez 3 000 calories par jour, vous allez prendre du poids. Ce que vous ne consommez pas se transformera en graisse.

Sinon, oubliez les calories. Certains jours, vous mangerez plus parce que vous dépenserez plus d'énergie, d'autres vous n'aurez pas envie de manger et, enfin, d'autres jours seront « moyens ». Mangez quand vous avez faim.

14. Que faire pendant les vacances de Noël, lorsque les tentations m'environnent ?

Nous subissons tous au quotidien assez de stress pour mériter de passer un bon moment lorsque l'occasion s'en présente. Pour ma part, je trouve les fêtes épuisantes et jamais aussi belles que dans les pubs télévisées et, chaque année, je me promets de faire mieux l'an prochain. On pourrait écrire un livre entier sur les tensions qu'elles suscitent au sein des familles.

En ce qui concerne la nourriture, ne redoutez plus cette période de l'année. Choisissez des aliments pauvres en lipides. Si vous devez dîner chez des amis que vous savez encore regrettablement attachés à la civilisation de la graisse, mangez avant de partir. Bourrez-vous de vos « bons » aliments favoris jusqu'à ce que la simple idée de manger vous soulève le cœur. Là-bas, contentez-vous d'un verre de vin ou de bière (à moins que vous ne souffriez d'un problème d'alcool) sans toucher aux plats malsains étalés sur la table.

15. Puis-je perdre du poids sans faire de sport ?

S'affamer fait toujours maigrir. En revanche, si vous voulez brûler vos graisses corporelles excédentaires, il faudra combiner réduction de votre apport lipidique alimentaire et exercice physique. La pratique d'une activité sportive ne vise pas seulement à vous faire perdre du poids. Alors, si votre question est en réalité : « Puis-je devenir mince, musclée et en pleine forme sans faire de sport ? » la réponse est : « Certainement pas ! »

16. Qu'adviendra-t-il de ma cellulite ?

Voilà un mot autour duquel on a bâti bien des légendes. On trouve des crèmes, des appareils de massage électroniques et même des instituts de beauté spécialisés dans son traitement... alors qu'en vérité la cellulite est de la graisse ordinaire. Rien de plus compliqué que cela.

À 118 kilos, mon corps arborait plus de vallonnements caractéristiques de la cellulite que vous ne pouvez en imaginer. N'essayez pas ! Regardez plutôt votre cuisse. Au fur et à mesure que vous mincirez, cette graisse fondra.

17. Que penser de la liposuccion ?

Rien. Si aspirer toute votre graisse suffisait à remodeler votre corps, je vous recommanderais de le faire, je l'aurais moi-même fait et il ne resterait plus une femme trop grosse dans le monde car nous vendrions toutes jusqu'à notre chemise pour nous offrir cette opération. Je ne connais pas en détail la liposuccion, mais je peux vous dire qu'elle ne fera pas de vous une femme mince, musclée et en forme.

18. Que faire si j'ai faim une heure après un repas ?

Mangez ! Au fur et à mesure que votre corps gagnera en force, en santé et en muscles, et que vous le solliciterez plus, il réclamera plus de carburant. Certains jours, vous mangerez comme un ogre. Qui a décidé que nous devions prendre notre petit déjeuner, notre déjeuner et notre dîner selon des horaires imposés ? Sans doute les mêmes qui nous imposaient « trois repas par jour » et nous abreuvaient d'informations incorrectes.

19. Que penser des boissons « light » ? Sont-elles mauvaises ?

Mauvaises ? Est-ce qu'on ne nettoie pas le pont des bateaux à l'aide de Coca ? Rappelez-vous les expériences que vous faisiez à l'école en mettant une dent de lait à tremper dans un verre de Coca : deux jours plus tard votre dent s'était intégralement dissoute... Cela dit, si vous ne vous préoccupez que de votre consommation de lipides, buvez autant de sodas « light » que vous le souhaitez, puisqu'ils n'en contiennent pas.

En revanche, si vous vous inquiétez de votre santé et des effets des produits chimiques ou des colorants artificiels, fuyez-les.

20. Devrai-je suivre votre programme toute ma vie ? Devrai-je faire de la gym tous les jours ?

Pour ma part, je ne cesserai jamais. Je me sens si mal, quand par hasard je ne fais pas d'exercice, et si bien, quand j'en fais, que je n'arrêterai jamais. J'espère que vous changerez définitivement de mode de vie. Cela dit, remodeler un corps en friche et se maintenir en forme, cela n'exige pas les mêmes efforts. Ainsi, une activité physique trois à quatre fois par semaine suffit à entretenir votre bien-être.

21. Comment convertir mon mari, qui ne jure que par les steaks-frites, à votre programme ?

Très progressivement. Pas question de vider votre réfrigérateur et vos placards et de poser un plat de boulgour sur la table du dîner en vous exclamant : « Désormais, dans cette maison, nous mangerons sainement ! » Vous n'obtiendriez en échange qu'une rébellion organisée.

Au lieu de servir un pain de viande, préparez un pain de lentilles accompagné d'une sauce allégée en graisses : vos carnivores ne remarqueront même pas la différence. Si vous servez du poulet, débarrassez-le de sa peau et faites-le griller avec du citron. Accompagnez-le de salade de riz, et terminez le repas par un dessert pauvre en lipides.

Surtout, pas de changements brutaux. Veillez à

préparer des plats allégés mais savoureux, et n'en parlez pas. N'oubliez pas qu'il ne s'agit pas d'un régime.

22. Qu'en est-il des dérèglements alimentaires ?

Je souffrais d'un dérèglement alimentaire : on n'atteint pas 118 kilos sans cela. Il s'appelait « manger trop de graisses pour compenser ma colère, ma douleur et ma dépression ». Les Boulimiques anonymes détestent que je dise cela, mais pendant que vous discutez du nombre de fois où vous vous êtes fait vomir hier, profitez-en donc pour faire une promenade et oxygéner votre corps et votre esprit. Cela ne peut qu'aider à votre guérison.

Je ne suis pas thérapeute et je ne prétends pas l'être, mais je sais que l'excès de poids résulte aussi d'un processus émotionnel : la plupart d'entre nous viennent de familles « à problèmes ». C'est pourquoi je pense que nous pouvons nous comprendre et nous entraider.

99 % des obèses mangent trop d'aliments riches en graisses et ne bougent pas assez. C'est là le problème et il est facile à résoudre. Les symptômes sont quant à eux innombrables, mais si vous donnez à votre corps les bases du bien-être (manger, respirer, bouger), nombre d'entre eux disparaîtront.

23. Je souffre de syndrome prémenstruel. Ce programme va-t-il me soulager ?

Après la naissance de mon second fils, j'étais une pitoyable boule de nerfs. Trois jours avant mes règles, je commençais à souffrir de crises d'angoisse au point de m'enfuir du supermarché sans rien acheter. Mon syndrome prémenstruel était si aigu qu'on me faisait systématiquement des injections de progestérone une semaine et demie avant mes règles. Je sais donc que ce syndrome n'est pas un sujet de plaisanterie. Toute personne qui souffre de déséquilibre hormonal connaît le calvaire que l'on vit chaque mois.

Quelques pionniers ont mené à bien des recherches fructueuses dans ce domaine, mais une fraction trop importante de la communauté médicale ignore la réalité de cette affection féminine, quand elle ne la nie pas purement et simplement.

Une meilleure forme ne suffit pas à guérir de ce syndrome, même si elle ne peut qu'améliorer les choses. Cela dit, je souffre toujours d'un « sérieux » syndrome prémenstruel, mais l'affronter dans mon état actuel est beaucoup moins pénible que lorsque je pesais 118 kilos et détestais mon corps.

24. Pourrai-je remanger des graisses ?

Bien sûr, si vous en éprouvez encore l'envie. Il se produit une chose surprenante quand on élimine un poison de son corps, puis quand on en absorbe à nouveau une faible quantité. Trois mois après le début de ma nouvelle vie sans graisses, j'ai assisté à une réception. Comme j'ignorais la composition des mets du buffet, je me suis efforcée de sélectionner ceux qui me paraissaient les plus maigres. Quelques heures plus tard, je me tordais de douleur, en proie à la pire diarrhée de ma vie. Je me sentais pleine de graisse et malade. Depuis, je me nourris d'aliments pauvres en lipides parce qu'outre le fait que je ne veux pas en manger les graisses me rendent malade.

Très vite, votre corps se déshabituera des aliments malsains et s'empressera de vous faire savoir qu'il ne tolérera plus que vous l'en abreuviez.

25. Dois-je consulter mon médecin avant d'entamer une activité physique ?

Je recommence : non. En revanche, n'entamez aucune activité physique sans vous interroger sur votre niveau de forme, vos éventuels problèmes physiques, et demandez à votre instructeur de vous indiquer comment modifier les mouvements en conséquence.

N'en déduisez pas que si vous venez de subir une intervention chirurgicale à cœur ouvert, il est inutile de prendre l'avis de votre médecin avant d'aller courir. Si vous suivez un traitement à la suite d'une blessure, pour une maladie chronique, ou pour toute autre raison, et consultez régulièrement un médecin, bien sûr vous devez prendre conseil auprès de lui.

Sauf cas de maladie, votre médecin vous encouragera sûrement à oxygéner votre corps, à manger mieux et à améliorer votre tonus cardiaque. Ça ne peut que vous faire du bien.

26. Dois-je me convertir au végétarisme ?

Je n'ai pas mangé de viande depuis des années. Pas parce que j'éprouve une quelconque sympathie pour les vaches (désolée, amis des bêtes), mais parce que je ne digère pas la viande et qu'elle me dégoûte. J'ai traversé une période végétarienne, autrefois... et pris soixante kilos. Certaines des plus grosses de mes clientes étaient végétariennes. Quelqu'un qui mange des produits laitiers, des noix, du tofu, et tous les autres « produits végétariens » à haute teneur en lipides, peut grossir tout aussi aisément que les mangeurs de viande, au corps envahi de bactéries et de toxines animales et au côlon paresseux.

La « viande rouge maigre » n'existe pas. C'est même un non-sens. Un steak « maigre » de 225 grammes contient l'équivalent lipidique de huit cuillerées à café de beurre. Vous appelez cela maigre ? Et les graisses saturées des produits animaux nous tuent à petit feu. Retournez au chapitre 4 ; vous y trouverez les informations nécessaires pour décider si vous remangerez un jour de la viande. Moi, je n'en mange pas et ne le ferai plus jamais. Rappelez-vous seulement que devenir végétarienne ne suffit pas à assurer minceur et beauté.

27. Si c'est aussi simple, pourquoi tout le monde ne le fait-il pas ?

Je n'en ai pas la moindre idée. Je crois que les industries qui bénéficient des régimes à répétition s'ingénient, pour des raisons évidentes, à persuader leurs clients potentiels de la complexité de la tâche qui les attend.

28. Dois-je me fournir dans un magasin de produits diététiques ?

Si vous supportez ce genre d'endroit. Dans la plupart de ceux que j'ai fréquentés au cours de ma vie, les employés paraissaient soit affligés d'un cerveau incomplet, soit figés dans une attitude années 60 un rien déprimante. Pourquoi s'obstinent-ils à arborer des tee-shirts teints à la main et des tresses « rasta » ? Ne peuvent-ils pas vivre avec les années 90 et apprendre à gérer leur commerce de manière professionnelle ?

Ce n'est pas une obligation. Les supermarchés ordinaires commencent à comprendre que les consommateurs n'achètent plus n'importe quoi. Ils proposent donc presque tous des en-cas pauvres en lipides, des céréales et des marques qu'on ne trouvait auparavant que chez les détaillants de produits diététiques.

En revanche, je vous conseille d'acheter des légumes et des fruits issus de cultures biologiques, qui n'ont pas subi de traitements répugnants destinés à améliorer leur aspect ou accélérer leur mûrissement. Ce sont, sans conteste possible, des aliments de meilleure qualité.

29. Dois-je pratiquer une activité physique même quand je me sens fatiguée ?

Oui, pratiquez-la chaque jour. En revanche,

adaptez toujours l'intensité de votre effort à votre condition physique du jour. Si vous vous sentez fatiguée, ralentissez votre rythme, mais oxygénez-vous tout de même.

Chaque fois que je pratique une activité physique, je travaille en fonction de ma forme du moment, de ma fatigue éventuelle, d'un possible conflit avec mon mari, d'une douleur au pied gauche, de mon cycle menstruel... de tout. Vous ne vous exercerez pas chaque semaine six jours sur sept. Cependant, il faut à tout prix éviter de sauter une séance, car notre but est d'oxygéner notre corps tous les jours. Nul ne vous demande de vous transformer en turbine surpuissante chaque fois que vous lacez vos chaussures de sport.

30. Chaque fois que je perds et reprends du poids, il me semble devenir encore plus grosse. Suis-je folle ?

Non, pas du tout. Vous devenez vraiment de plus en plus grosse. Notez cela sur une feuille, montrez-la à votre conseiller en amincissement et demandez-lui si je mens. Dites-lui que c'est Susan qui vous envoie et préparez-vous à entendre des vérités qui vous donneront peut-être envie d'étrangler votre interlocuteur.

Quand vous perdez du poids en vous affamant, c'est-à-dire en suivant un régime, vous perdez de l'eau et des muscles, entre autres choses, parmi lesquelles votre santé. Et vous reprenez, à la place, de la graisse...

31. Susan, vous avez incroyablement changé, vous paraissez en pleine forme et dégagez une énergie impressionnante. Avez-vous subi des interventions esthétiques pour en arriver là ?

Grande question qu'on me pose très souvent. Laissez-moi vous expliquer une chose au sujet de la chirurgie esthétique. S'il existait une intervention capable d'ôter d'un corps soixante kilos, de raffermir ses muscles, de donner à son cœur un tonus accru et, en fait, de le remodeler entièrement tant de l'extérieur que de l'intérieur, j'aurais été la première à la subir.

Les choses ne se passent pas ainsi. J'ai remodelé mon corps en améliorant mon alimentation, en exerçant une activité physique modulée en fonction de l'évolution de ma forme, et en donnant à mon organisme l'oxygène qui lui manquait. Mon corps s'est alors peu à peu mué en une machine à brûler les graisses.

Maintenant, ai-je subi des interventions esthétiques ? Oui, absolument. Recommencerai-je ? Sans hésiter.

Environ un an après avoir changé mon corps, je me suis fait remodeler le ventre. J'ai pris cette décision pour plusieurs raisons : d'abord, on m'offrait l'intervention, un facteur décisif pour la plupart d'entre nous. Ensuite, mon corps me plaisait vraiment, à un seul détail près : la peau distendue de mon ventre, séquelle non pas de mon obésité passée, mesdames, mais de mes grossesses trop rapprochées. Vous savez de quoi je parle, de cette zone autour du nombril qui ressemble au ventre d'une femme de cent huit ans.

Je n'adapte pas mon corps à quelque canon de beauté défini par une société dominée par les mâles. Je ne le ferai jamais et nul ne peut m'y forcer. J'ai fait refaire mon ventre et l'une de mes oreilles, et j'agirai de même pour toute autre partie de mon corps pour laquelle je le jugerai utile.

Les discussions sans fin entre tenants et opposants de la chirurgie esthétique ne m'intéressent pas.

En revanche, je me sens concernée par les gens qui pensent qu'une intervention chirurgicale peut résoudre un problème d'obésité. Une liposuccion ne sert à rien si vous ne changez pas en même temps de style de vie. Vous faire remodeler le ventre parce que vous êtes grosse non plus. Vous serez encore grosse après et vous continuerez à grossir tant que vous ne changerez pas d'alimentation.

Une fois en forme, vous agirez comme vous le voudrez (comme moi).

Mon ventre plat et musclé ne représente qu'une toute petite partie de mon corps, ma nouvelle oreille n'a pas changé ma vie ; pourtant, je me félicite chaque jour d'avoir subi ces deux interventions.

Décidez vous-même de ce que vous ferez corriger à la pointe du bistouri, mais de grâce attendez d'abord d'avoir minci et regagné force et santé. Ainsi, vous serez encore plus belle, à moins que le chirurgien ne dérape (risque couru par quiconque passe sur le billard). J'estimais que le jeu en valait la chandelle et, Dieu merci, tout s'est bien passé. Je suis à présent débarrassée de la peau flasque qui entourait mon nombril et dotée de deux oreilles identiques (avant, l'une d'elles ressemblait à celles de Dumbo).

CHAPITRE 9

L'aube d'une nouvelle vie

Il m'est particulièrement précieux de conserver le souvenir de mes réactions aux changements, alors que je continue à progresser vers la lumière.

Tony McNaron

Perdez un peu de poids, gagnez de la vigueur, et toute votre vie s'en trouvera changée. Vous accomplirez des choses dont vous ne vous seriez jamais crue capable : voyager d'un bout à l'autre des États-Unis, passer à la télévision, écrire un livre, animer votre propre émission de télévision. Vous pensez que j'exagère ? C'est pourtant ce qui m'est arrivé...

Leslie (une de mes clientes) et moi sommes intervenues ensemble récemment dans une émission de télévision. Difficile de trouver deux personnes plus dissemblables.

Elle est originaire d'une petite ville du Sud, toute dévouée à son mari (non que je ne le sois pas, bien au contraire...), fille unique, a mené une existence hyper-protégée, elle est calme et a passé sa vie à éviter de faire des vagues, à aplanir les difficultés... Nous n'avions rien en commun, sinon notre obésité. Quand je l'ai rencontrée, Leslie pesait dans les 135-140 kilos. Physiquement, elle se portait mal. Toujours fatiguée, elle souffrait de tous les maux liés aux surcharges pondérales : articulations enflées, douleurs dorsales, malaise général permanent. Sur le plan émotionnel, elle paraissait plus solide, le genre de femme douce, gentille, tendre, accommodante, mais en fait, elle souffrait terriblement. Elle qui souhaitait mincir plus que tout au monde s'était résignée, après des années de régimes infructeux, à finir ses jours grosse.

Leslie s'est inscrite à l'un de mes séminaires. J'ai remarqué au milieu de la foule son ravissant visage. Quelques jours plus tard, elle est venue dans mon centre. Là encore, dans un groupe d'élèves obèses, en mauvaise forme et souffrant de problèmes de coordination, on ne voyait qu'elle, et cette fois pas à cause de son visage. Ce qui frappait, c'étaient son immense timidité, sa forme désastreuse (elle ne parvenait pas à garder les bras en l'air plus de quelques secondes) et sa terrible obésité. Certaines des femmes présentes pesaient plus lourd qu'elle mais sa petite taille la faisait paraître encore plus grosse que les autres. Et tellement mal à l'aise! Je m'efforce, quand je rencontre un nouvel élève, de ne pas chercher à prédire s'il ou elle saura ou non échapper au système et recouvrer la forme. Je dois cependant avouer que ce jour-là, en regardant Leslie, j'ai douté qu'elle y parvienne. La combinaison de ses problèmes physiques et de son caractère timide m'inspirait les plus vives inquiétudes.

L'avenir devait me donner tort.

Leslie a appris ce que vous êtes en train

d'apprendre et l'a mis en pratique mieux que la plupart des gens. Elle sait à présent manger, respirer, bouger. Son corps a changé du tout au tout. Elle a perdu dix tailles de vêtements et possède une vigueur musculaire qu'elle n'aurait jamais crue possible, un tonus cardiaque exceptionnel et de l'énergie à revendre. Et elle envisage de quitter son emploi pour travailler dans le secteur de la forme...

Leslie a beaucoup de choses à dire. Quand je lui ai proposé de les dire à la télévision, elle a acquiescé et est venue me rejoindre à New York.

Son récit a impressionné des millions de femmes. Ce charme poli et empreint de timidité des filles du Sud peut cacher une fermeté redoutable (ce que les femmes du Sud savaient déjà avant que je le leur fasse remarquer). Sans se départir de son doux sourire, Leslie a fustigé l'industrie de la minceur avec brio... méthode que je ne maîtrise pas encore, je l'avoue. Comme le dit le vieil adage, « on n'attrape pas les mouches avec du vinaigre ». L'assurance et le ton ferme et décidé de Leslie devant les caméras m'ont convaincue : on aurait cru qu'elle avait fait cela toute sa vie. Envolée, la jeune femme timide qui avait assisté à mon séminaire !

Vous vous demandez pourquoi je vous raconte cette anecdote ?

Leslie ne s'est pas contentée de parler devant une caméra et de se comporter comme une « pro ». Figurez-vous qu'elle n'avait jamais pris l'avion auparavant. Elle n'était jamais non plus venue à New York et avait passé toute sa vie dans une petite ville du Sud à entendre parler des multiples périls qui jalonnaient les rues des grandes métropoles.

Leslie n'avait jamais fait la plupart des choses qu'elle a faites au cours de ce voyage. Comment y a-t-elle réussi ? Est-ce sa nouvelle silhouette qui lui a insufflé le courage nécessaire pour prendre l'avion, se rendre seule à New York, s'installer à l'hôtel, faire une promenade à pied, seule, le soir, et participer à une émission télévisée ? Quelques kilos en moins... seulement ? Suffit-il de regagner un peu d'amour-propre pour accomplir tout cela ? Et la merveilleuse amitié qui unit deux contraires, Leslie et moi, résulte-t-elle seulement de notre perte de poids ?

Non.

> *Je me préoccupe plus de recouvrer la santé et la forme que de résultats esthétiques (même si je m'en réjouis aussi !). Je suis trop jeune pour me sentir âgée.*
>
> ***Une cliente***

Si on me parle encore une fois d'« amour-propre », je crois que je vais vomir. Tous les magazines, toutes les brochures traitant de l'amincissement s'en gargarisent.

Je n'ai pas gagné en amour-propre, et Leslie non plus. Elle a guéri. Il faut bien plus qu'un hypothétique regain d'amour-propre pour accomplir tout ce qu'elle a accompli. Si cela suffisait, toutes les théories absurdes sur la pensée positive fonctionneraient... « Plantez-vous devant votre miroir tous les matins et répétez-vous pendant cinq minutes que vous vous aimez. »

Au bout de quelques jours de cette technique, j'ai commencé à me dédoubler, ce qui donnait à peu près ceci :

– Je m'aime...

– Non, tu ne t'aimes pas ; tu es grosse et désespérée !

– Je suis contente d'être moi...

– Comment le pourrais-tu ? Tu ne parviens plus à te traîner, tu te sens mal et tu ressembles à un éléphant !

– Je suis satisfaite de ma vie, quelle qu'elle soit...

– Cesse de te mentir à toi-même ! Tu vendrais ton âme pour changer de corps et d'existence !

Dialogues intérieurs qui ne firent qu'aggraver mon déséquilibre émotionnel. Il se déroulait déjà bien assez de discussions dans ma tête...

J'étais malade, et Leslie aussi. Selon toute probabilité, si vous lisez ce livre, vous aussi vous êtes malade. *Et cela n'a rien à voir avec votre amour-propre !*

Il n'y a qu'une solution à votre problème. Quand on est malade, il faut se soigner pour guérir.

Nul ne sait mieux que Leslie que tout le monde peut guérir. Et nul ne connaît mieux que les Leslie de ce monde le mieux-être qu'apporte la forme, la force intérieure qu'on acquiert en reprenant son corps en main et en travaillant à le remodeler. On gagne cette force à la sueur de son front. Personne ne peut vous la donner et personne ne pourra vous la retirer.

Avant l'émission, Leslie a pris un solide petit déjeuner composé d'aliments pauvres en lipides (carburant), fait une promenade, et consacré un moment à réfléchir à l'émission et à ce qu'elle comptait dire. Ainsi, au moment de passer à l'antenne, elle était physiquement et mentalement prête.

Bien sûr qu'elle est fière d'elle ! Oui, son amour-propre est revenu au fur et à mesure que son corps se remodelait, mais ce n'est pas à lui qu'elle doit sa prestation brillante devant les caméras.

Et ce n'est pas mon amour-propre qui m'a aidée à bâtir mon centre (je sais, à m'entendre, on croirait que j'ai cloué moi-même les lattes du parquet) et à le faire fonctionner. Mon premier passage à la télévision a eu pour cadre une émission en direct. Jamais de ma vie je n'avais approché une caméra. Je suis venue tôt au studio, puis j'ai attendu dans un affreux salon jaune qu'un homme coiffé d'un casque hurle mon nom, m'emmène sur un plateau, me fasse asseoir et m'abandonne.

Là, ce n'est pas ma perte de poids qui m'a soutenue jusqu'à l'arrivée de l'animateur, ni pendant notre discussion devant cinq millions de téléspectatrices. Sans ma nouvelle condition physique, mon habitude de visualiser différentes parties de mon corps (fort utile quand il s'agit d'ordonner à votre cœur de cesser de battre à tout rompre), j'aurais péri d'une crise cardiaque avant le début de la séquence. Je n'aurais pas non plus réussi cette première expérience télévisée si j'avais eu la grippe. Tout devient plus difficile quand on est malade. Et c'est dans cet état que j'ai vécu si longtemps, et Leslie aussi.

Le corps d'une personne malade manque d'oxygène, de vigueur musculaire, de tonus cardiaque. Si en plus vous transportez des tonnes de graisse excédentaire, il vous sera encore plus difficile d'accomplir vos tâches quotidiennes. Atteindre vos objectifs et réaliser vos rêves, cela demande une énergie que vous ne possédez pas.

Moi, je ne trouvais même plus l'énergie de penser à mes rêves ; quant à Leslie, elle avait complètement oublié en quoi ils consistaient. Attendre un regain d'amour-propre pour changer de vie ne rime à rien. Cela n'arrivera jamais car nous avons trop de problèmes. Il n'existe pas de famille « normale ». Toutes comptent en leur sein un alcoolique, un drogué ou un adepte du chantage sentimental. Cela nous prendrait trop longtemps et nous coûterait trop cher de régler les problèmes hérités de notre enfance...

Ne parlons donc plus d'amour-propre.

Depuis six ans, je ne cesse de prendre du poids (surtout depuis mes grossesses, que j'ai vécues comme m'accordant un « permis de manger »). Aujourd'hui, je ne pense plus qu'à mon poids et je me juge en fonction de son évolution. Comme pour moi « succès » signifie mincir, je vois ma vie comme un « échec » total.

Une cliente

Parlons un peu de colère. Il y a quelques jours, un journaliste s'est mis à me harceler, téléphonant à tous mes amis, suivant mes enfants sur le chemin de leur école, s'installant devant chez moi, interviewant mon ex-mari, en somme faisant tout ce qu'il pouvait pour m'ennuyer.

J'adore mon corps, j'adore ma vie, mes enfants se portent bien, je paie mes factures sans problème et j'entretiens des relations cordiales avec le prince, mais soyons clairs, voir un imbécile fouiller votre vie dans l'espoir de remuer de la boue génère un stress certain. Je me suis découvert un respect nouveau pour l'acteur Sean Penn, qui boxe tous les journalistes qui croisent son chemin, car ces gens sont insupportables. L'énervement et l'angoisse que les agissements de ce personnage ont suscités en moi ne différaient guère, sur le fond, de ce que j'ai vécu à l'époque de mon divorce. La grande différence, c'est que, maintenant, je connais mille manières d'évacuer ces tensions ou de les assumer.

Au lieu de sangloter ou de me bourrer de nourritures malsaines, je me suis rendue à mon centre et j'ai fait une séance d'exercices. Pendant deux heures et demie, je me suis dépensée comme une folle.

Je n'aurais pas pu le faire quand je pesais 118 kilos. Je ne pouvais pas non plus emmener mes enfants faire un tour à bicyclette. Je me suis donné les moyens d'opter pour ces possibilités. Si des thérapeutes me lisent, peut-être penseront-ils que je simplifie à l'excès les problèmes de contrôle de son destin. Je ne partage pas leur opinion. Pourquoi ne pas s'employer à améliorer son état physique pendant que l'on travaille sur ses problèmes émotionnels et mentaux ? L'expérience m'a enseigné qu'on guérit assez vite de ses problèmes physiques, alors qu'il me faudrait au bas mot cinquante ans d'analyse pour trouver la paix de l'esprit et du cœur. En attendant, je me sens bien, me regarder dans une glace me réjouit et mon retour à la forme a beaucoup apporté à ma vie. Alors, pourquoi ne pas commencer par réapprendre à manger, à respirer et à bouger pour ramener votre corps d'entre les morts ? Vous tenez la clé d'une nouvelle vie entre vos mains. D'autres choses que votre poids vont changer.

Par pitié, que les magazines féminins cessent donc de nous rebattre les oreilles d'histoires de kilos et d'amour-propre. Traiter les symptômes d'un mal ne sert à rien si l'on ne s'attaque pas à ses racines.

> *Je me suis mise à avoir peur de la nourriture. Je la cachais et je mangeais en cachette. Dans mon coin, je me gavais ainsi jusqu'à m'en rendre malade. Peu à peu, je me suis mise à ne plus vivre que pour manger. J'ai pris du poids et mon poids est devenu une obsession... Il m'arrive encore d'éprouver de la frayeur à l'égard d'un plat ou l'envie de me gaver ou de m'affamer (je passe d'un extrême à l'autre).*
>
> ***Kathy, une cliente***

Ma vie de mère célibataire de 118 kilos, dont 43 % de graisse, ne ressemblait guère à celle que je mène à présent en femme indépendante, mince (14 % de graisse) et en pleine forme. Deux vies pour la même personne...

Ma vie a complètement changé depuis ma guérison. Un exemple : mes relations avec mes enfants. Je les adore (cela n'a pas changé) et suis le genre de mère qui sort son album de famille au supermaché en tenant pour acquis le fait que les caissières se passionnent pour les photos de ses enfants au berceau ou à la plage.

Mes fils étaient heureux et en bonne santé, mais cela ne signifiait pas qu'ils menaient une existence idyllique. Je n'exagère pas quand je dis que, jadis, bien souvent, le simple fait de me lever suffisait à épuiser mes réserves d'énergie. Je rêvais de les emmener jouer dans le jardin et d'avoir l'attitude des jeunes mères dont on parle dans les magazines et qu'on voit à la télévision... Pour essayer de me conformer à ce modèle, j'emmenais mes enfants propres et bien habillés au parc pour jouer au ballon, je leur lançais leur ballon une ou deux fois... et je me demandais si j'allais périr.

Mettez dans un chaudron la culpabilité, la honte et la frustration que suscitait en moi l'amère certitude de ne pas être la meilleure mère du monde, ajoutez à cela la haine et la fureur que m'inspiraient mon prince et sa princesse, assaisonnez le tout de déséquilibre hormonal : vous obtiendrez un mélange explosif... suffisant pour provoquer au moins une année d'orgies nocturnes de nourriture.

> *J'ai vécu une des plus grandes humiliations de ma vie quand ma fille de trois ans m'a appuyé sur le ventre en disant : «Maman, il faut faire plus d'exercice; tu es encore grosse.»*
>
> ***Lisa, Washington***

Le moment que je redoutais le plus était 2 heures du matin. Plus maintenant. Je détestais la nuit, car son silence me faisait plus douloureusement ressentir ma terrible solitude. Je savais que dans quelques heures à peine mes fils se réveilleraient et attendraient de moi bien plus que je ne pouvais leur donner. En fait, il me semblait n'avoir rien à leur donner. Aucun mot ne peut décrire la douleur d'une mère incapable de répondre aux besoins de son enfant ; seules les mères qui ont vécu l'horreur de 2 heures du matin le comprennent.

Savez-vous ce que 2 heures du matin évoquent pour moi, maintenant ?

Les garçons dorment évidemment bien mieux à neuf et dix ans qu'autrefois. Dieu merci. Pour ma part, à cette heure-là, je dors en général comme une souche car, avec mes journées surchargées, je m'écroule dans un semi-coma dès que je m'allonge. Quand je ne dors pas, c'est que j'écris, ou que je fais l'amour avec mon mari et que nous n'avons pas trouvé un autre moment depuis une semaine... C'est tard, mais voilà une excellente raison de demeurer éveillée, à mon avis. Parfois, aussi, je lis quelque chose que je n'ai pas eu le temps de lire, je réfléchis à un problème d'ordre professionnel (et Dieu sait que je n'en manque pas) ou bien je me prépare un petit en-cas parce que je ne parviens pas à dormir.

Comme autrefois ? Non, il y a une immense différence entre mes en-cas nocturnes d'alors et les actuels : aujourd'hui, je ne mange plus pour tromper ma solitude, mais parce que j'ai faim. Désormais, ces petits repas sont pour moi des moments de plaisir et je savoure mes rares instants de tête-à-tête avec moi-même.

Certaines nuits, mon mari vient s'assurer que je vais bien. Ne le dites à personne, mais cela compte beaucoup pour moi qu'une personne qui m'aime telle que je suis s'inquiète de mon bien-être. Je n'ai pas besoin de cela pour me sentir une personne à part entière : pour cela, ma propre attention me suffit. En revanche, j'apprécie qu'on m'aime, j'apprécie un bras tendre qui m'enlace quand je me recouche.

Il m'arrive encore de me réveiller inquiète au sujet de mes enfants, ou à propos du prince (après tout, il demeure le père de mes fils et nos opinions divergent sur beaucoup de points). L'énorme différence résulte de la multitude de possibilités qui s'offrent à moi pour affronter les émotions et les peurs... parce que je suis en pleine forme. Parce que je me sens bien, et belle. C'est aussi simple que cela.

Je ne prétends pas vous faire croire que toutes les nuits à 2 heures du matin mon mari et moi faisons passionnément l'amour. En revanche, j'affirme qu'à cette heure de la nuit mes occupations ne ressemblent en rien à celles d'autrefois.

Même heure, 2 heures du matin ; même personne, Susan Powter... Mais cela recouvre une réalité différente. La peur, la solitude et les orgies de nourriture malsaine ont fait place au repos, à l'amour, à la lecture ou, tout simplement, à la réflexion. Je n'ai plus peur car je possède un capital de bien-être que nul ne peut m'enlever. Je l'ai bâti et je vis dans le bonheur qu'il m'apporte. Vous pouvez en faire autant.

> *J'exerce un métier très actif et très physique, dans lequel des vêtements trop serrés et entravant les mouvements gênent beaucoup. Autrefois, je cachais mes kilos sous une blouse.*
>
> ***Billie, une cliente***

J'ai résolu peu après mon divorce de devenir une de ces femmes admirables qui parviennent sans quitter leur maison à créer une entreprise florissante, tout en étant belles, en forme et en s'occupant à la perfection de leur progéniture.

Premier essai : garder des enfants. Une activité idéale, n'est-ce pas, pour qui ne possède plus ni énergie ni force...

N'oubliez pas que j'étais :
- grosse comme une tour,
- mère célibataire de deux enfants en bas âge,
- très dépressive,
- terriblement seule,

– et que le simple fait de me lever le matin m'angoissait...

Pourquoi ne pas rajouter à mes deux fils une douzaine d'autres et me faire payer deux dollars par enfant ? J'en étais même arrivée à me persuader que j'avais toujours rêvé de m'occuper d'enfants...

Je n'avais guère le choix ; mon prince menait sa barque à sa guise, mais moi, je me contentais de faire mon possible pour survivre.

Après les gardes d'enfants qui ajoutaient à ma solitude en me bloquant à la maison, et à mon stress, tout en se révélant peu rentables, j'ai essayé de donner des cours de cuisine. Oui, je suis une bonne cuisinière. Pourquoi ne pas faire partager mon savoir ? J'ai cru avoir trouvé la solution, jusqu'à mon premier cours : quatre femmes dans ma cuisine qui me payaient pour leur fournir un enseignement et deux enfants qui couraient en tous sens. Je n'en dirai pas plus. Si vous voulez vivre un véritable stress, imitez mon exemple !

Je suis divorcée et mère de deux garçons. Autrefois, ma solitude me déprimait ; à présent, cela ne me paraît plus si grave. Je n'avais jamais joui d'une aussi bonne santé.

Linda, Texas

Quand mon prince et moi nous sommes enfin mis d'accord sur une pension alimentaire mensuelle, j'ai recouvré un semblant d'indépendance. Cela n'a pas résolu le problème, car vous n'imaginez pas combien il arrive souvent aux princes de ce monde d'oublier d'envoyer leur chèque ou de dire qu'ils ont des dépenses plus urgentes ce mois-ci. Alors j'ai continué à quémander, mais au moins je parvenais à vivre.

Je ne suis pas passée en une étape du stade « 118 kilos, supplie son ex-mari de lui donner de quoi nourrir ses enfants» au stade «dirige un centre de remise en forme». La première étape de ce processus a consisté à recouvrer la santé. Quand j'ai commencé la marche à pied, je ne cherchais pas à mincir pour ouvrir un centre sportif, je voulais juste devenir plus attirante.

J'ai cherché un travail quand j'étais grosse, puis après avoir minci. Laissez-moi vous dire (vous en ferez ce que vous voudrez) qu'il s'agit de deux expériences entièrement différentes. Aucun doute, il existe une énorme (pardonnez-moi ce jeu de mots douteux) discrimination à l'encontre des obèses. C'est scandaleux, certes, mais nous vivons dans un monde imparfait. Quand j'ai commencé à chercher du travail, je partais avec deux handicaps : mon poids et mon sexe.

Un exemple, si j'en juge par mon expérience personnelle. Nul ne veut d'une serveuse grosse, sauf à la rigueur pour travailler de minuit à 7 heures du matin dans une cafétéria. En revanche, une femme mince ne manque pas de propositions...

Qu'aurais-je pu faire d'autre ? Bibliothécaire ? Mal payé et très ennuyeux. Mannequin ? Non. Même si les agences créaient des sections «grandes tailles», je doutais qu'elles cherchent des filles d'un format tel que le mien.

J'ai repris mon corps en main, puis, quand je me suis sentie plus satisfaite de mon aspect physique, j'ai voulu mettre un peu d'ordre dans ma vie. Pour ce faire, j'ai pris une décision qui va sûrement horrifier nombre d'entre vous.

Depuis des années, je subissais l'inégalité entre hommes et femmes et admettais, bon gré mal gré, de voir la société appliquer des règles différentes à mon prince et à moi. Alors, j'ai résolu de retourner le système à mon profit.

Pourquoi servir des cafés quand on peut rester à la maison avec ses enfants et gagner beaucoup plus d'argent en dansant... les seins nus ?

Je vous accorde une minute pour reprendre votre souffle avant de vous expliquer mon geste.

Votre minute est écoulée... vous vous sentez mieux ?

Je rêvais d'indépendance financière pour ne plus passer ma vie à demander de l'argent à mon prince. Mais je voulais aussi pouvoir lire *Les Aventures de Dumbo* à mes fils et les emmener au parc, activité beaucoup moins fatigante et beaucoup plus amusante, je le souligne au passage, quand on se sent en forme et qu'on peut porter un short et un débardeur. Je voulais donc un emploi sans responsabilités, qui nécessite un temps de présence minimal, qui s'effectue à des heures nous convenant, à mes enfants et à moi, et qui rapporte un maximun d'argent.

Je n'étais plus grosse, certes, mais j'étais toujours une femme avec une foule d'obligations restreignant ses choix professionnels. Je ne cherche pas à me plaindre ; je constate juste qu'il ne s'offrait pas à moi mille possibilités. Un emploi de serveuse pouvait me convenir... un emploi de danseuse « topless » me convenait encore mieux.

Avant d'entamer cette nouvelle carrière, il me fallait régler quelques détails d'ordre pratique : primo, pour le cas où il m'arriverait quelque chose, signaler à au moins un membre de ma famille en quoi elle consistait. J'ai donc demandé à mon père de venir me voir. Ce ne fut pas une conversation facile, mais je lui ai expliqué que je tenais beaucoup à les soulager, lui et ma mère, de la nécessité de m'aider financièrement jusqu'à la fin de mes jours ou jusqu'à l'entrée de mes fils à l'université. J'ai choisi mon père parce que je le savais capable de garder un secret (j'ignorais à l'époque que je relaterais cet épisode dans un livre) et parce que je pensais que la nouvelle le choquerait moins que ma mère.

Il a réagi comme tout père en s'inquiétant d'une

part de ma sécurité et de l'autre, de mon équilibre mental. Il m'a posé quelques questions puis, mes réponses lui ayant révélé qu'il s'agissait d'une décision mûrement réfléchie, et, d'une certaine manière, plutôt sensée, il s'est incliné.

La seconde partie de mon plan consistait à m'assurer que nul ne reconnaîtrait dans la mère qui promenait ses deux fils la danseuse vue la veille sur scène. Oui, mesdames, je dois vous dire que beaucoup de vos maris fréquentent les clubs comme celui pour lequel je travaillais. Vous n'imaginez pas combien de clients dudit club j'ai ainsi croisés par la suite au restaurant, au cinéma ou dans des réceptions, accompagnés de leur femme ou de leur petite amie, qui, la pauvre, ignorait tout de son passe-temps.

J'ai donc couru m'acheter une perruque, expédition fort amusante pour quelqu'un qui n'a jamais possédé de beaux cheveux. J'ai essayé tous les modèles du magasin avant de porter mon choix sur une longue crinière blonde fort seyante et criante de naturel.

Enfin, troisième et dernière étape, il fallait engager une jeune fille pour garder mes enfants. Je voulais qu'elle plaise aux garçons et qu'elle puisse s'intégrer à notre famille. Au bout de longues recherches, j'ai trouvé la candidate idéale, droite et digne de confiance. Mes fils et elle se sont tout de suite adorés.

Ces détails d'intendance mis au point, je me suis attelée au travail.

Chaque jour, je quittais mes fils et leur babysitter pour me rendre au club. Aucun d'entre eux ne voyait jamais le grand sac posé sur la banquette arrière de la voiture. Il contenait ma perruque, quelques robes, mes strings et des quantités d'accessoires pour les cheveux : séchoir, laque, rouleaux, fer à friser, épingles et rubans (une telle crinière exigeait des soins attentifs).

Je me garais sur le parking d'un restaurant proche du club pour enfiler ma perruque (exercice acrobatique, dans une petite voiture), puis j'allais travailler. Aucune personne du club ne m'a jamais vue sans ma perruque. Pour les autres filles, les directeurs et les propriétaires, j'étais Bernadette, blonde à cheveux longs.

Ce n'est pas facile de parler de cette période car, pendant que je reconstruisais ma vie, je côtoyais la misère morale la plus terrible, celle des jeunes femmes qui travaillaient avec moi. Tant de filles font sans réfléchir de mauvais choix qui orientent définitivement leur vie (mais cela pourrait faire l'objet d'un autre livre) ! Et les hommes convenables qui habitent des maisons cossues, vont à la messe tous les dimanches et se pressent comme des brebis égarées (pardonnez-moi ce jeu de mots encore plus douteux que les précédents, pour lequel je grillerai sans nul doute en enfer) dans des lieux tels que celui pour lequel je travaillais méprisent et condamnent les femmes qui dansent devant eux...

J'ai dansé les seins nus et bien gagné ma vie grâce à cela, mais je n'ai jamais vécu comme les autres danseuses. Indépendamment des problèmes moraux que peut poser le fait de se faire payer pour dévoiler ses seins, j'ai vite compris quels dangers cette existence recelait. La plupart de mes collègues menaient une vie qui les tuait littéralement à petit feu, buvant sec, dépensant l'argent aussi vite qu'elles le gagnaient, se droguant à tort et à travers, faisant la fête avec les clients. Incapables de prendre leur destin en main ou de faire des projets précis, elles croyaient aux boniments que ces hommes leur débitaient... comme d'autres femmes croient aveuglément leur mari. J'avais déjà commis beaucoup des erreurs que je les voyais faire, certaines au cours de mon adolescence dissipée, d'autres dans mes relations avec mon prince, et je ne voulais pour rien au monde les refaire. J'accomplissais donc mes huit heures de travail au club, je bavardais avec les autres filles jusqu'à ce qu'elles soient trop saoules pour parler et, entre mes numéros, je lisais dans ma loge ou faisais mes comptes.

À mon sens, danser les seins nus figure assez bien la vie de la plupart des femmes : nous exhibons nos charmes devant les hommes, qui nous inspectent de la tête aux pieds, admirent ce qu'ils voient, dépensent un peu d'argent puis choisissent l'une d'entre nous, qui les suit, naïve et confiante. Quelle différence de fond entre cela et l'attitude de la plupart d'entre nous quand elles veulent décrocher un mari ? (C'est juste une remarque.)

J'aimais et je détestais cela tout à la fois. Cela m'irritait de me retrouver en situation de devoir faire ce métier. D'un autre côté, j'ai beaucoup appris de ce monde inconnu de moi. Et je revendique un choix librement consenti qui nous a donné une vie meilleure, à mes enfants et à moi. Cela dit, je suis très contente de ne plus danser et de pouvoir choisir de faire autre chose et enfin, surtout, j'espère de tout cœur que les filles avec qui je dansais se sont découvert d'autres intérêts que la danse ou les hommes, car aucun des deux ne dure éternellement.

L'autre jour, en faisant l'amour, mon mari m'a dit qu'il sentait que mes fesses se raffermissaient. Cela m'a fait vraiment plaisir.

Andra, une cliente

Je suppose qu'on peut dire que ma carrière dans l'aérobic a débuté quand j'étais la seule élève grosse du cours et que mes condisciples ont commencé à me demander conseil. Enseigner signifie partager son savoir et c'est ce que je faisais : je partageais le fruit de mes récentes observations.

J'ai donné mon premier vrai cours dans un grand club de gym à la mode qui se prenait très au sérieux (et continue). Je n'avais pas la moindre idée de ce qu'il fallait faire, vraiment aucune idée. La responsable de l'enseignement de l'aérobic m'avait engagée, séduite par mon histoire. Nous avons passé quelque temps ensemble à mettre au point un embryon de programme pour mes cours. Elle voyait cela comme deux professeurs travaillant ensemble, mais en fait, je m'efforçais de retenir tous les mouvements qu'elle indiquait dans l'espoir de parvenir à préparer des enchaînements à peu près cohérents pour mon premier cours.

Pour faire un bon cours d'aérobic, il faut avant tout de la bonne musique (chose que je ne possédais pas), un bon programme, une vocation de bête de scène (tout pour attirer l'attention : comptez sur moi pour cela), un corps correct (vous n'imaginez pas le nombre d'instructeurs en forme physique très moyenne), et c'est tout.

Pour devenir un bon *professeur* d'aérobic, il faut posséder en outre le désir d'aider ses élèves et de leur indiquer quelque chose de plus que de simples mouvements. Mon programme n'était peut-être pas le meilleur, mais il était simple, logique et facile à suivre (choses qui m'ont servi par la suite). Ma musique passait : j'avais dupliqué la cassette d'un autre professeur et cela se sentait. J'adorais attirer à tout prix l'attention et après des années à vivre environnée d'indifférents, cela m'amusait de me retrouver dans la position du professeur.

Mes élèves m'ont dit que mon cours se différenciait de tous les autres par l'énergie et la passion que je déversais sur toute la salle. Je les abreuvais d'informations : comment bouger, à quel rythme, comment modifier les mouvements, respirer, respirer, respirer et comment s'y prendre. Je leur expliquais tout ce que j'avais en mon temps voulu savoir sans trouver personne pour m'éclairer.

Appelez cela un cours encyclopédique d'une heure. La direction du club, qui trouvait mon programme trop sévère et « triste », m'a demandé de le modifier, mais mes élèves l'adoraient. Des centaines de personnes m'ont dit que c'était le premier cours où elles apprenaient quelque chose. Pour la première fois (il s'agissait de clientes riches et motivées), elles voyaient leur corps changer vraiment.

Pleine de force et d'idées, bien décidée à vivre ma vie, j'avais toujours rêvé d'apprendre à jouer de la guitare. J'ai une bonne voix et j'ai un peu chanté autrefois. Je me disais que si je pouvais m'accompagner à la guitare, je pourrais transmettre mon « message aux masses » en musique. Une chanson contre les marchands de forme irresponsables... De plus je trouvais que je ressemblais un peu à Joan Baez : cheveux courts, attachement à des causes nobles, et caractère que j'imaginais assez semblable. Il ne me manquait guère, à part sa voix angélique, que des cours de guitare. Alors je m'y suis inscrite.

J'ai donc débarqué dans le magasin de musique le plus proche et expliqué au vendeur que j'étais une jeune femme forte et indépendante qui venait prendre son premier cours de guitare. Soit ce vendeur n'avait pas dormi depuis trois jours, soit il n'avait pas de cerveau ; en tout cas, mes propos ne l'intéressaient pas. Il m'a juste dévisagée d'un œil vide. J'ai donc regardé derrière lui et aperçu, au fond du magasin, un autre homme qui jouait merveilleusement du jazz. Et si sa musique avait été la seule belle chose en vue... Non, l'homme qui jouait de la guitare ressemblait à un dieu grec, traits réguliers, incroyablement attirant. J'ai feint l'indifférence.

Mais, ô surprise, quand je suis ressortie, il était encore là. Les genoux flageolants, j'ai traversé le magasin (vous ne me croyiez pas capable d'avoir les genoux qui tremblent ? À vrai dire, moi non plus). Il se tenait près de la porte et examinait une guitare. Le propriétaire du magasin m'a parlé de guitare (après tout je venais chez lui pour apprendre à en jouer), puis s'est adressé au bel inconnu ; et nous avons commencé à discuter. Le regarder suffisait à me troubler violemment ; je ne vous raconte pas mon état quand je lui ai parlé. Il s'est révélé intelligent, drôle (très important, à mes yeux) et sa conversation, passionnante. Envoûtée par ses yeux, son sourire et ses propos, je suis restée à bavarder ainsi pendant près de trois heures avant de me rappeler l'existence de mes enfants, de ma maison, de mes projets... Qu'importait : j'étais tombée follement amoureuse – j'étais sans doute incapable de faire les choses à moitié en ce domaine.

Enfin, j'ai trouvé la force de m'arracher à notre conversation, non sans qu'il m'ait invitée à une petite fête qu'il donnait le dimanche suivant. Il me semblait qu'on m'avait frappée sur la tête avec une batte de base-ball. Les scientifiques d'aujourd'hui expliquent l'expression béate des amoureux par une réaction hormonale. Mais, quand j'ai rencontré mon beau guitariste, aucun article de magazine ne disséquait ce que je ressentais. À l'époque, je venais juste d'émerger de l'enfer et de commencer à maîtriser ma propre vie. Il fallait penser à mes fils et m'occuper d'eux... au lieu de quoi je me surprenais à passer trois heures debout à bavarder avec un homme superbe et plus jeune que moi (thème récurrent n° 103 : les hommes plus jeunes), à rêver à lui, à perdre mes clés, à oublier mes achats sur le comptoir des magasins et à prier pour que dimanche arrive vite. Or je ne voulais pas de ce genre de chose dans ma vie...

Le dimanche suivant, j'avais réussi à me raisonner suffisamment pour emmener une amie à la fête de mon guitariste. Je me proposais de les présenter l'un à l'autre et de m'éclipser... et de chasser cette histoire ridicule de mon esprit. Nous sommes allées à la fête, mon amie et le guitariste ont bavardé (ils ne pouvaient guère faire autrement, attendu que je n'arrêtais pas de les pousser l'un vers l'autre), puis j'ai inventé une excuse et je suis rentrée chez moi, bien décidée à oublier mon moment d'égarement. Mon guitariste était superbe, certes, mais je ne voulais plus jamais tomber folle amoureuse de princes charmants. Plus jamais. Ce problème réglé, je comptais reprendre le cours normal de ma vie et de mes projets.

Ce que je fis jusqu'à ma leçon de guitare suivante... car *attention ! danger à bâbord !* mon guitariste se trouvait de nouveau dans le magasin. J'ai cru avoir une crise cardiaque.

Il paraît que je présentais des dispositions pour la guitare et que j'apprenais vite, mais nous ne le saurons jamais avec certitude car je n'ai pris que quatre leçons. Très vite, j'ai en effet disposé d'un professeur particulier, si vous voyez ce que je veux dire. Un jour, sous le prétexte de me faire expliquer un problème musical, je l'ai invité chez moi. Il neigeait (événement rarissime, à Dallas), mes fils passaient la journée chez leur père (événement à peine moins rare), j'avais briqué la maison et m'étais mise sur mon trente et un... Bien sûr, nous comptions parler musique. C'était uniquement pour m'expliquer un accord qu'il avait traversé la ville sous une tempête de neige... Quel homme gentil, non ? Et j'ai succombé.

Six semaines après notre rencontre, il m'a demandée en mariage :

– Tu sais faire la pizza végétarienne ? a-t-il d'abord interrogé.

– La meilleure de la ville.

– Et les lasagnes végétariennes ?

– Oui, mieux encore.

– Veux-tu m'épouser ?

– Oui.
– Demain ?
– D'accord.

Nous nous sommes mariés le lendemain devant un juge de paix choisi au hasard, avec deux témoins pris dans la rue. Nous n'en avons parlé à quiconque et n'avons invité personne.

Vous pouvez imaginer la réaction de sa famille, plutôt conservatrice, quand il les a appelés pour leur annoncer la nouvelle. « Maman, papa, vous vous rappelez la jeune femme que je vous ai présentée, il y a deux semaines ? Oui, celle qui n'a pas de cheveux, qui a deux fils et qui est plus âgée que moi. Eh bien, nous venons de nous marier. »

L'amour est une chose, le mariage en est une autre. Les scientifiques qui ont étudié l'explosion hormonale que nous appelons coup de foudre ont aussi découvert que le sentiment de béatitude qui l'accompagne ne dure que quelques mois. Vraiment, messieurs ? Donnez-moi les millions de dollars dépensés pour en arriver à cette conclusion : j'aurais pu vous le dire d'emblée.

Un second mariage ne ressemble pas au premier : on ne joue plus selon les mêmes règles. Dans mon cas, les épreuves traversées par la princesse avant d'en arriver là l'avaient rendue plus exigeante, en fait, que son nouveau prince.

De ce mariage, je n'attendais que l'essentiel : amour, soutien mutuel et intimité. Une véritable et profonde intimité, faite de confiance réciproque et de sérénité. Ne comptez pas sur moi pour évoquer plus avant ces notions : si je voulais le faire, je m'offrirais un divan en cuir et je me ferais payer cent dollars de l'heure.

En revanche, je connais mieux le problème de la confiance en soi qui va de pair avec les relations intimes, et qui est indissociable de la manière dont nous percevons notre corps.

Une grosse femme ne croule pas sous les soupirants. Avant que tous les groupes de défense des droits des obèses ne brûlent ce livre lors de leur prochaine réunion, laissez-moi vous dire qu'on ne m'invitait pas souvent à sortir quand je pesais 118 kilos. Ma vie sexuelle était inexistante, moins d'ailleurs parce que les hommes ne s'intéressaient pas à moi que parce que je me sentais trop mal pour y penser.

Si vous êtes grosse, fière de votre corps et si vous saisissez toutes les occasions de vous promener nue, vous êtes plus évoluée et plus mûre que je ne l'étais et que je ne le serai jamais, et je vous tire mon chapeau. Bravo. Cela dit, je ne réagissais pas ainsi et, d'après les témoignages que je recueille, la plupart des femmes non plus.

De même, j'affirme haut et fort que mon nouveau corps a transformé ma vie sexuelle car :

1. Elle existe.
2. Je me sens forte, sexy, et j'aime mon corps.
3. J'aime faire l'amour.
4. J'aime mon mari.
5. Notre intimité s'approfondit chaque jour.

Je connais des femmes qui refusent de se déshabiller dès qu'elles prennent 10 kilos, ce qui peut résulter d'un souci de perfection poussé à l'excès (le syndrome « silhouette de Barbie ou rien »). Peser 118 kilos et ne pas se sentir assez présentable pour faire un pas nue n'a pas grand-chose à voir... Le problème vient de ce que l'on ressent : non seulement on se trouve hideuse, mais en plus on se sent mal intérieurement.

J'ai montré à mon nouveau mari une photo de moi « avant », en lui demandant s'il serait sorti avec moi. Il m'a répondu qu'en toute franchise il m'aurait sans doute autant appréciée parce qu'il me trouve intelligente et drôle, et aime passer du temps avec moi, mais que notre relation n'aurait jamais dépassé le stade de l'amitié parce que je ne l'aurais pas attiré physiquement. Vous le blâmez ? Pas moi, mais peut-être sommes-nous tous les deux des pervers. Je préfère être son amie et son amante plutôt que juste son amie, car, chaque fois que je vois son beau visage, j'ai envie de lui, même si je suis en colère contre lui. Je suis folle de son visage.

Mes fils sont beaux, intelligents et adorables. À présent, leur mère est en bonne santé et heureuse. Ne croyez pas que nous discutions en famille des changements intervenus dans mon corps et dans ma vie au cours des dernières années. Ils les acceptent sans se poser de question, comme faisant partie de la vie. Récemment, un journaliste m'a demandé ce que mes fils pensaient du fait que leur mère passait à la télévision. La réponse est :

– Rien du tout, si ce n'est que cela les ennuie que je doive aller à Los Angeles toutes les semaines.

Le reste du temps, ils n'y pensent même pas.

Cela dit, vivre environnée de mâles, un ex-mari, un mari et deux fils, n'a rien d'une sinécure. En fait, j'avoue que, malgré le temps passé auprès d'eux, je ne comprends pas toujours leur comportement...

Mes fils enregistrent mes émissions pour les regarder à leur retour de l'école parce que je leur ai dit que j'y tenais beaucoup. Pas parce que cela leur plaît que leur maman passe à la télévision car cela ne signifie rien pour eux. Je crois qu'un des côtés les plus attachants des enfants est leur indifférence aux honneurs. Mes enfants m'aiment et je les aime, quels que soient mon aspect physique ou mon état de santé... Il n'empêche qu'il est plus agréable pour eux d'avoir une mère énergique, souriante et qui participe à leur vie. C'est « sympa », d'après mes fils, de partir en vacances avec une maman qui monte avec vous sur un boudin gonflable traîné par un bateau (avis à toutes les mères du monde : cela n'a rien de drôle pour nous autres ; j'étais terrifiée et, à l'inverse de mes fils, il ne me viendrait pas à l'idée de qualifier l'expérience de « sympa »). Nous avons aussi fait du VTT et de la plongée ensemble. Encore une fois, une idée des garçons. Moi, je n'adore pas la mer et je m'étonne qu'on éprouve l'envie de se baigner avec des tortues géantes, des longues choses effilées qui paraissent capables de vous piquer, des crabes et autres inconnus de couleurs vives. Mais je suis prête à tout pour mes enfants.

> *Mes enfants, ma mère et mon mari sont mes meilleurs alliés. Maman et mon mari ne cessent de me féliciter pour chaque effort que j'accomplis.*
>
> ***Andra, une cliente***

Je vais vous dire ce que j'aime : repenser à la pauvre chose pesant 118 kilos qui servait de mère à mes fils, et la comparer avec la nouvelle Susan pleine d'énergie, d'amour et d'avenir. Ça, ça me plaît vraiment.

Cela dit, recouvrer la forme physique ne délivre pas des problèmes, dilemmes, craintes et inquiétudes que la vie réserve à chacun d'entre nous. Seulement, maintenant, j'ai un corps mince, sain et vigoureux qui m'aide à lutter contre les problèmes quotidiens : ceux-ci paraissent moins graves quand on a la force de les affronter et de passer au suivant. Voilà ce que mon nouveau corps a changé pour moi et ma famille. D'accord, c'est bien que je parle à la télévision, que j'écrive des livres, que je donne des conférences et que je dirige une entreprise florissante, mais c'est encore mieux que je maîtrise mon destin et puisse faire des choix. Ma devise : « Tout va bien et ira de mieux en mieux. » Cela signifie que je suis forte et gagnerai encore en force, idem pour l'assurance, l'intelligence et le bonheur !

Il est temps de vous reparler un peu du prince.

Désormais, je voyais les choses clairement : mon

prince n'avait pas gâché ma vie ; je l'avais fait toute seule. Il n'était pas non plus responsable de mon obésité : après tout, il ne me nourrissait pas de force au milieu de la nuit, que je sache (il était bien trop occupé avec sa petite amie). J'avais pris les décisions orientant ma vie et, si j'avais accepté de renoncer à mes aspirations pour vivre une vie que je jugeais médiocre, je ne pouvais m'en prendre qu'à moi. À la lumière de cette prise de conscience, il m'a paru logique de faire la paix avec le prince.

Au cours des dernières années, j'ai rencontré des centaines de femmes, très différentes tant sur le plan de l'origine géographique, ethnique et sociale, que sur celui du tempérament. Toutes me racontent leur vie. La timide Leslie s'émerveille de se promener dans New York. Peggy m'annonce qu'elle a enfin trouvé le courage de quitter son mari après vingt ans de violences conjugales. Elle me demande pourquoi une dame du Sud ne doit pas transpirer et pourquoi il lui a fallu une opération au sein pour commencer à se préoccuper de sa santé. Et mon adorable Jill commence à comprendre combien elle est belle, intelligente, séduisante et capable de mener la vie de son choix sans vomir et sans vivre dans la peur.

Quand je les entends, je me dis que, dans le fond, nous sommes toutes pareilles, bourrées de problèmes, angoissées et désorientées, et qu'il n'est pas une femme au monde qui ne rêve de forme physique et de bien-être.

Améliorer sa condition physique constitue donc la première étape d'un processus de guérison qui durera tout au long de la vie. En outre, peu à peu, les problèmes issus du passé, les actuels et ceux qui se présenteront dans l'avenir paraîtront beaucoup plus aisément abordables.

Cela vous apportera bien plus qu'une perte de

poids. En même temps que votre forme physique, vous recouvrerez la sérénité et la santé intérieure.

Ce sont mes propres actions qui m'ont conduite au point de ma vie où je me trouve. Cette position étant inacceptable, je dois cesser d'agir comme par le passé.

Alice Koller, 1982

CHAPITRE 10

La vie sur l'autre rive

Les hommes, leurs droits et rien de plus.
Les femmes, leurs droits et rien de moins.
Susan B. Anthony

Chers amis :

Ma vie actuelle, par Susan Powter.

Jusqu'à une date récente, je me croyais investie du devoir moral de passer le restant de mes jours à torturer le prince pour ce qu'il m'avait fait subir. Depuis, j'ai grandi (mûri, si vous préférez) et, bien qu'il arrive à mes mauvaises habitudes de resurgir, dans l'ensemble, je lui ai accordé mon pardon.

En regardant d'autres femmes guérir, j'ai vu naître chez elles ce même calme, cette même force intérieure, cette paix, appelez cela comme vous voudrez. Nous n'avons pas besoin de nous concentrer pour l'utiliser car elle est présente en permanence. Tout se passe comme si une force mentale émotionnelle se développait parallèlement à la force physique.

Maintenant que j'ai lavé notre linge sale familial devant vous, j'aimerais terminer ce livre (cette saga à épisodes, cette tragi-comédie) en vous racontant comment les choses ont évolué. Commençons par mes enfants (de loin le plus intéressant des sujets).

> *Comparés aux adultes, tous les bébés sont des génies. Il suffit de regarder leur capacité d'apprentissage, ou le tempérament et la volonté d'un bébé d'un mois.*
>
> ***May Sarton, 1965***

Mes enfants sont parfaits.

Ils méritent tout ce qui se fait de mieux en ce monde ; ils méritent aussi un père. Les deux parents d'un enfant sont importants et, même si le prince réussissait mal dans son rôle de prince, il fait un bon père. Ce bon catholique élevé en voyant sa mère avec toujours un enfant à la mamelle et doté de millions de cousins, d'oncles et de tantes, a bien plus le sens de la famille que moi.

Un soir, le prince et moi avons eu une longue discussion, assis sur le trottoir devant chez mon père. Jusqu'à 4 heures du matin, nous avons parlé non pas du passé mais de l'avenir. Je lui ai dit que nous allions devoir nous fréquenter pendant les vingt années à venir, que cela nous plaise ou non, et que la façon dont nos deux fils vivraient notre séparation dépendait exclusivement de notre attitude à nous, adultes a priori responsables.

Le prince et moi avions encore beaucoup de chemin à parcourir avant de pouvoir enseigner la maturité et il nous fallait maîtriser nos conflits avant de pouvoir enseigner l'amour. Il nous reste d'ailleurs quelques points de désaccord, comme les futures études de nos fils, car le prince ne jure que par les diplômes universitaires, alors que je les juge inutiles (à mon sens, rien ne vaut l'apprentissage sur le tas ; une vision des choses très XIXe siècle, mais c'est la mienne). Université signifie pour le prince sécurité de l'emploi. Vous imaginez le conflit ?

Comme nous devions vivre côte à côte fêtes, naissances, décès et succès, il me paraissait ridicule d'agir comme si nous ne formions pas une famille et de faire les choses séparément et mal.

À 4 heures du matin, sur ce trottoir, le prince a accepté que nous nous partagions l'éducation de nos enfants. Je travaillerais. Il s'occuperait de préparer les repas que les enfants emportent à l'école et irait les chercher après leurs cours. Il reprendrait ses études ; depuis toujours, il rêvait de suivre des études de médecine. Ainsi, il aurait un emploi du temps compatible avec celui des garçons (mêmes horaires, mêmes vacances, devoirs l'après-midi à la maison pour tout le monde). Un système parfait, en théorie. Il nous restait à le mettre en pratique.

Je ne voulais pas voir mes enfants errer sans cesse d'une maison à l'autre. Nombre d'entre vous savent combien une telle situation devient vite insupportable. Alors faites comme moi : habitez avec votre ex-mari ! Non, il ne s'agit pas d'un nouveau culte texan (nous en avons eu notre content), mais d'une solution pratique à un problème complexe.

J'ai loué deux appartements de quatre pièces chacun, en duplex, à cent mètres de l'école des garçons, en face d'un parc et d'une piscine publique, avec des commerces à proximité et à dix minutes de mon centre, et nous y avons tous emménagé. Le prince habite en bas, mon mari et moi en haut, et les enfants dans les deux appartements. Ils passent de l'un à l'autre par l'escalier de secours extérieur.

Je paie tout. Je préfère cela, je vous remercie. L'expérience m'a appris qu'accepter de l'argent d'un homme coûte fort cher – bien plus que l'on ne reçoit. D'ailleurs, mon indépendance financière me soulage. Pendant que je tape ces lignes, mes fils dorment dans leur chambre. Il est 5 heures du matin (je suis matinale, non ?). Je les réveillerai à 7 heures ; ils descendront chez leur père et je partirai travailler. Le prince les aide à se préparer et les accompagne à l'école. Chaque matin, nous consultons ensemble le programme de la semaine pour n'oublier ni les rendez-vous chez le dentiste, ni les matches de basket-ball, ni les comptes rendus de lecture à rendre. Si j'ai un doute ou s'il y a un changement, nous nous appelons pour en discuter. Puis chacun d'entre nous vaque à ses occupations du jour.

Le prince récupère les garçons à l'école tous les jours à 3 heures et demie, sauf si je peux me libérer. Je m'efforce de rentrer à temps pour leur goûter et leurs devoirs au moins deux fois par semaine ; sinon, je rentre vers 5, 6 ou, au plus tard, 7 heures. Je m'absente une semaine par mois. Le reste du temps, je tente de ne jamais partir plus de quarante-huit heures d'affilée.

La semaine dernière, le prince et moi avons rencontré les professeurs de nos fils et le directeur de leur école. Nous avons parlé d'une foule de choses et, à la fin de la réunion, le directeur a dit : « Je ne sais pas comment vous et Nick... » Oups ! Voilà que je trahis mon dernier secret : le nom du prince.

Eh bien, oui, il se prénomme Nick. « Je ne sais pas comment vous et Nick vous répartissez l'éducation de vos fils, a donc dit le proviseur, ni comment vous vivez, mais cela convient aux garçons. Ils comptent parmi les plus polis et les plus équilibrés de nos élèves. » Nick m'a regardée, je l'ai regardé et nous nous sommes gonflés d'orgueil. Voir nos efforts pour reconstituer une famille harmonieuse couronnés de succès nous a emplis de fierté.

En toute occasion, maman exhortait ses enfants à « sauter vers le soleil ». Nous n'atterririons peut-être pas sur le soleil, mais au moins nous décollerions du sol.

Zora NEALE HURSTON, 1942

Voilà pour ma relation avec le père de mes enfants. En haut m'attend un autre homme : mon mari.

En fait, je me débrouille assez mal avec tous ces hommes. Je sais de quoi je parle puisque je vis en ce moment avec plus d'hommes que beaucoup de femmes n'en ont en une vie.

Comme je le répète à mon mari chaque jour de notre vie, si nous ne nous soutenions pas mutuellement, ne partagions pas amour et intimité, et ne nous sentions pas unis par un lien très puissant, je ne l'aurais jamais épousé. Je l'ai épousé parce qu'il est l'homme le plus intelligent que j'aie jamais rencontré. Sa présence à mes côtés me stimule. N'allez pas imaginer pour autant que nous passions notre vie à jouer aux échecs. Non, j'entends par là que j'adore sa façon de voir les choses. Certaines personnes qui le connaissent depuis plus longtemps que moi s'inquiètent de ce qu'ils appellent sa vision déformée du monde; moi je la trouve brillante et tout à fait conforme à ma manière de voir. Il est très drôle et nous rions beaucoup.

J'aime l'idée de construire une vie à deux et, quatre-vingts ans plus tard, d'égrener, toujours à deux, des souvenirs sous la véranda.

« Parlez-nous un peu de votre succès, Susan. En quoi a-t-il changé votre vie ? » m'a récemment demandé une journaliste. Je crois que ma réponse l'a surprise, car, outre le fait qu'il me permet de régler mes factures, j'apprécie surtout de vivre comme je l'entends.

Le succès m'a donné la liberté. La liberté d'exprimer mon opinion et de savoir que les magazines l'imprimeront (très agréable). La liberté d'enseigner aussi bien l'aérobic que la nutrition, autant par le biais de la télévision que par celui d'un livre.

Je vis de la manière qui me convient et, en plus,

je peux partager mon expérience. C'est très gratifiant et je m'étonne encore qu'on me paie pour le faire ! On me donne la possibilité de transmettre mon savoir à des millions d'autres femmes et, donc, de les aider à changer de vie. Et pour moi la plus belle des récompenses est de m'entendre dire par une femme qu'elle aime mes cassettes, qu'elle a vu mon émission et appris quelque chose, qu'elle a regardé jusqu'au bout un de mes messages de publi-information ou qu'elle a assisté à un séminaire et en est ressortie nantie des informations qu'elle recherchait. Peut-être suis-je juste une petite fille qui rêve qu'on l'aime... En tout cas, j'ai reçu mon content d'amitié et cela me fait du bien de sentir l'admiration, le respect et la chaleur des femmes que je rencontre.

Il y a plus d'un « avant/après » dans mon existence. J'ai vécu d'autres transformations que celle qui m'a menée de 118 kilos à mon bikini noir : passer de danseuse aux seins nus à présidente de société, un grand pas, surmonter la colère et l'amertume laissées par mon premier mariage, apprendre à affronter les réalités de la vie en couple. Le simple fait de me demander ce que j'attendais de la vie, sans tenir compte ni des coutumes sociales, ni du passé, ni de mes incertitudes, ni de mon mari, mais juste de moi, constituait pour moi une immense nouveauté. Ensuite, il m'a fallu accepter ce que mon cœur me répondait, m'accepter avec mes désirs. J'ai vécu là une de mes premières et cruciales prises de conscience. À présent, je suis réconciliée avec moi-même, même si je sais qu'il me reste encore beaucoup à apprendre sur mon propre compte. Et je n'ai jamais été si heureuse de toute ma vie.

Ma géniale et merveilleuse amie, adjointe et attachée de presse, Rusty Robertson, m'a dit l'autre jour :

– Suse (elle coupe tous les prénoms en deux), tu

t'es échappée de l'enfer. La valeur de tes expériences réside dans ta volonté de les partager avec d'autres femmes et dans ta capacité à en tirer un enseignement positif. Tu vas vivre maintenant les meilleures années de ton existence.

Et elle a raison.

Laissez-moi encore évoquer d'autres « avant/après » de ma vie : l'adolescente qui passe de la timidité à l'assurance, la jeune fille qui passe de la croyance que la vie se résume à la trilogie « sexe, drogues et rock and roll » à la découverte d'autres potions. Ou bien encore la femme qui troque peur de l'avenir, doutes et malaise existentiel contre sérénité (quelle liberté que de ne plus redouter l'avenir) et détermination, et s'éveille désormais chaque matin en paix avec elle-même. Toute ma vie j'avais cherché cette paix.

> *Au bureau, vous pensez à vos enfants restés à la maison. À la maison, vous pensez au travail inachevé laissé au bureau. Un combat terrible se livre en vous et vous déchire le cœur.*
>
> ***Golda Meir, 1973***

Je disais l'autre jour à mon père que j'élevais mes enfants, payais les factures (toutes) et dirigeais une entreprise, tout comme lui, mais qu'on ne me reconnaissait pas les mêmes mérites. Quand papa rentrait d'un voyage d'affaires, nous savions qu'il avait travaillé dur et qu'il fallait lui laisser le temps de se reposer un peu avant de l'assaillir avec les problèmes familiaux.

Mais quand maman rentre de voyage, il lui faut rattraper le temps perdu et réparer les dommages causés par son absence. La maison étant devenue entre-temps un véritable capharnaüm, elle commence par faire le ménage.

À ma grande fierté, je réussis depuis plusieurs

années à faire vivre une famille de cinq personnes tout en maintenant inchangé l'ordre de mes priorités, à savoir : les enfants, moi, mon travail, mon mari.

Ma nouvelle vie m'apporte des joies dont je ne soupçonnais même pas l'existence. Jamais je n'aurais imaginé détenir un jour tant de responsabilités, travailler autant, ni relever autant de défis. Pénétrer dans un magasin et savoir que je rentre dans tous les vêtements me ravit, de même que manger comme dix au restaurant et ne plus m'attirer la commisération des autres convives... mais leur admiration pour mon métabolisme étonnant. Et je ne me lasse pas de voyager à travers le pays pour rencontrer des femmes merveilleuses. Quant à passer à la télévision, c'est fantastique. Je n'en reviens toujours pas du pouvoir de l'image et du poids que prend la moindre phrase prononcée devant les caméras ! Et j'adore qu'on me félicite pour mon travail.

> *Nous possédons trop de mots ronflants et trop peu d'actes en rapport avec eux.*
>
> ***Abigail Adams,***
> ***Lettre au président John Adams, 1774***

Mon amie Ruth m'a appelée ce matin. Nous nous connaissons depuis des années. À l'époque, j'étais grosse, fraîchement divorcée, assez aigrie et mère célibataire de deux bébés. Elle était ravissante, sans enfants et heureusement mariée à un futur pasteur.

À mon départ du château, je me suis installée dans une superbe maison ancienne convertie en cinq appartements.

Le propriétaire, un homme charmant, appartenait à la même église que le mari de Ruth. D'ordinaire, il ne louait ses appartements qu'à des coreligionnaires. Sans doute espérait-il me voir touchée par la grâce... En tout cas, j'étais la seule locataire à ne pas assister aux lectures de la Bible dans le faux jardin d'Éden reconstitué derrière la maison.

Le jour de mon emménagement, je me rappelle que Ruth préparait un repas sudiste traditionnel pour son mari, avec du pain de maïs. M'entendant gravir sans relâche l'escalier avec mes paquets et mes enfants, elle est sortie voir ce qui se passait, qui emménageait, et me proposer une tasse de café. Nous avons bavardé un moment. Elle m'a dit qu'elle souhaitait avoir des enfants. Je lui ai indiqué les livres, cassettes et cours qui m'avaient aidée à choisir mon mode d'accouchement, puis ma nouvelle voisine est repartie chez elle.

Quelques minutes plus tard, j'ai vu apparaître M. Ruth (c'est comme cela que je l'appelais en moi-même), écumant de rage, mes livres sous le bras :

– Je ne veux pas de ce genre de littérature chez moi, ni que ma femme lise ça, m'a-t-il déclaré.

Je suis aussitôt montée sur mes grands chevaux :

– Comment osez-vous décider des lectures d'un autre adulte ? Les individus de votre espèce représentent un danger pour les femmes et pour la société !

Mauvais début... Aujourd'hui, des années plus tard, nous sommes tous très bons amis, nous nous respectons et nous apprécions malgré le temps qui passe... et le temps consacré aux enfants (ils en ont eu trois).

Ruth ne savait rien des bouleversements intervenus dans ma vie au cours des dernières années. À un moment, pourtant, comme souvent entre femmes, nous en sommes venues à parler de nous, pas de nos maris, enfants, activités ni responsabilités, juste de nous.

Et là, elle m'a dit quelque chose d'étonnant :

– Toi, Susan, tu as toujours su ce que tu voulais. La première fois que je t'ai vue, quand nous avons parlé bébés, je t'ai quittée ragaillardie et pleine d'énergie. Tu m'avais motivée et aidée à comprendre ce qu'il fallait que je fasse maintenant. Tu as toujours su enseigner et communiquer tes expériences.

Elle a raison. Je ne fais rien aujourd'hui que je ne fasse depuis des années ; seulement j'ignorais ce que je faisais et, plus encore, que je faisais quelque chose d'utile. Tout cela a changé en même temps que moi.

Parler à Ruth d'accouchement ou vous raconter le parcours qui m'a menée de l'obésité à la forme relève de la même démarche. Je partage mes trente-cinq ans de vie et mes myriades d'erreurs et de découvertes avec vous.

> *On commence par modeler son corps, par le discipliner, puis on l'honore et, un jour, on lui accorde sa confiance.*
>
> ***Martha Graham,***
>
> **Blood Memory, *1991***

Au début, je me consacrais à la forme. Je donnais des cours d'aérobic dans mon centre et je parlais à qui voulait m'écouter de bouger à son propre rythme, de renforcer son tonus cardiaque, de raffermir le haut du corps, le bas, les abdominaux. Partout où j'allais, je voyais des gens qui avaient besoin que je leur apprenne cela.

Betty, Cynthia, Carol, Sheryl, Jane, Jenny, Thema, Lou-Ann, Jill, Debbie et toutes les autres femmes ressuscitées d'entre les morts m'ont appris bien plus de choses que je n'aurais jamais pu leur en enseigner. Le courage de ces femmes renouvelle sans cesse ma foi en l'humanité. De tous âges, tous poids et toutes conditions physiques, elles ont appris à définir leurs objectifs en matière de forme, puis à les atteindre. Et j'ai eu le privilège de les regarder le faire.

Mon premier cours ne comptait que trois élèves. Pendant des mois, nous avons travaillé ensemble :

je leur enseignais tout ce que je savais, elles l'appliquaient et leur graisse fondait. Et cela suffisait à justifier à mes yeux l'existence de mon cours. Hier, j'ai eu affaire à quarante clients qui n'avaient jamais suivi de cours d'aéorobic. Ils disaient d'eux-mêmes qu'ils étaient gros, en mauvaise forme et manquant de coordination. J'aurais aimé que vous les voyiez : mouvements parfaitement exécutés, en résistance, en extension, et maîtrise du concept de modification.

Dans le fond, rien n'a changé : j'ai travaillé comme une forcenée pour faire de mon centre ce qu'il est devenu, mais chaque fois que j'entre dans une salle de cours, je sais que cela en valait la peine.

L'équipe qui me seconde est merveilleuse. D'abord, Rusty Robertson, mon bras droit et mon amie, qui consacre son immense énergie à communiquer au monde entier les informations qu'elle juge importantes pour la santé et le bien-être des femmes. Je lui dois une grande partie de mon succès, car si tant de femmes disposent aujourd'hui des données nécessaires, c'est grâce à Rusty et à son téléphone. Alors si vous nous rencontrez dans un aéroport, un hôtel, un supermarché ou un parking, plutôt qu'à moi, demandez un autographe à la jeune femme rousse pendue au téléphone : c'est elle la star.

Rusty et sa famille ont sacrifié beaucoup à la diffusion de notre message. Les miens aussi ont payé le prix de notre croisade. Le temps et l'énergie consacrés à monter mon centre, à voyager, à écrire et à travailler sur mes projets leur ont été en quelque sorte volés.

Hier, une de mes élèves m'a demandé, à la fin d'un cours d'une heure et demie pendant lequel elle avait parfaitement assimilé les concepts que j'exposais (la lumière s'est faite en elle vers le milieu de la séance), pourquoi on ne lui avait rien dit de tout cela après son opération à cœur ouvert, ni après son cancer du sein. Les larmes aux yeux, elle m'a dit qu'après une heure et demie elle se sentait déjà mieux et qu'enfin elle entrevoyait la possibilité de reprendre le contrôle de sa vie.

– Accomplir un acte positif pour améliorer ma condition physique me donne l'impression de redevenir un être humain, a-t-elle ajouté.

Cette femme a quarante-huit ans, elle est superbe mais se laissait mourir physiquement et moralement. Ses propos expriment ce que ressentent des millions d'autres. Inutile de subir une intervention à cœur ouvert ou d'avoir souffert d'un cancer du sein pour se sentir proche de la mort. Moi, il me semblait l'être, puis j'ai dit non aux principes malsains qui gouvernaient mon existence et je suis revenue à la vie.

Je ne fais pas ce que je fais et je ne continue pas mon œuvre dans le but de me voir reconnaître comme experte en « forme ». Je ne le suis pas et je ne veux pas qu'on me voie sous ce jour, ni sous celui d'une experte en amincissement. D'ailleurs, les médecins, diététiciens et nutritionnistes ne voudraient pas de moi !

Je suis une femme au foyer qui a trouvé la solution à ses problèmes.

Voulez-vous que je vous explique pourquoi je fais ce que je fais ? Parce que je crois que la femme est l'être vivant le plus évolué sur terre. À elle revient la tâche de soigner et de chérir ses semblables.

Nous vivons environnés d'air irrespirable et d'eau polluée. Et partout, dans chaque ville, on tue des enfants dans les rues. Notre monde a besoin d'aide. Il a besoin qu'on le soigne, qu'on le chérisse, qu'on le réorganise et le reconstruise.

Si vous vous levez chaque matin mal oxygénée, comment voulez-vous accomplir vos tâches quotidiennes ? Et si votre corps étouffe sous la graisse, le moindre effort vous épuisera ! Quand on s'affaiblit, on en vient à ne plus pouvoir se traîner, alors pour ce qui est de soigner et de chérir le monde...

Quand je pesais 118 kilos et pleurais tout le temps, je me moquais bien du sort de la couche d'ozone. Qui se soucie d'un trou dans le ciel quand on se demande comment survivre jusqu'au soir ?

Ne croyez pas ce que l'on vous dit (même moi) ; ne croyez qu'en l'énergie qui vous envahit dès que vous oxygénez votre corps, en la force qui renaît dès que vous recommencez à solliciter vos muscles ramollis, en la sensation merveilleuse qui accompagne la fonte progressive de votre graisse excédentaire. Dans le même temps, les préceptes d'une vie saine au quotidien vous rendront idées claires et paix de l'esprit. Vous vous découvrirez apte à contrôler votre destin et à prendre les décisions qui bouleverseront votre vie à jamais. N'oubliez pas de jouir de chaque instant du processus.

Je vous souhaite à tous et à toutes bonheur et santé.

Susan POWTER

P.-S. : Je me suis rendue à New York le mois dernier pour un véritable marathon de réunions. Le troisième jour, j'ai quitté New York en fin d'après-midi pour l'Oklahoma, où j'étais invitée par un centre médical renommé (et fort impressionnant). Passer en quelques heures de New York à l'Oklahoma représente en soi un choc culturel, mais pour une femme au crâne dégarni qui professe des opinions tranchées sur la responsabilité de la communauté médicale dans la mauvaise santé des femmes obèses, c'est un choc encore plus grand.

Si jamais je décidais de changer de métier, j'irais travailler pour l'office du tourisme de l'Oklahoma. J'ai eu chez eux un séjour merveilleux.

Arrivée tard, je suis aussitôt allée me coucher, puis j'ai commencé ma journée du lendemain par un cours d'aérobic dans un centre de remise en forme associé à l'hôpital, dont l'équipe comprenait, outre les professeurs d'aérobic, beaucoup de médecins consultants et de diététiciens. L'activité majeure du Centre médical baptiste de l'Oklahoma étant la cardiologie, le centre de remise en forme mêlait aux élèves simplement soucieux de perdre leur excédent pondéral une forte proportion de cardiaques de tous âges en convalescence.

En attendant de commencer mon cours, j'ai regardé mes futurs élèves, tous inconnus de moi, arriver. Tous les niveaux de forme étaient représentés, des professionnels de l'aérobic venus voir en quoi mon enseignement différait tant des autres (je les repère toujours à leurs soupirs méprisants et à leur expression intolérante) aux obèses en mauvaise forme venus pour les meilleures raisons du monde, en passant par tous les niveaux intermédiaires.

Je commence mes cours avec une musique beaucoup plus lente que dans une salle d'aérobic. Avec moi, on intensifie son effort en intensifiant ses mouvements et non en accélérant pour suivre le rythme de la musique. Vous savez ce que je veux dire, mais le monde de l'aérobic ne l'a pas encore compris.

Donc, j'ai branché ma cassette, et aussitôt les élèves en « super-forme » ont pris l'air excédé et levé les yeux au ciel. Et, raison supplémentaire pour s'ennuyer à mourir dans ce cours stupide, avec moi, pas de chorégraphie compliquée, pas d'enchaînement entre les mouvements ni de poses esthétiques. Pour mettre le comble à leur stupéfaction, je prétends donner un vrai cours, enseigner, apprendre quelque chose à mes élèves, chose plus qu'inhabituelle dans le monde de l'aérobic.

Cela dit, leur désarroi n'a guère duré et ils ont compris en un éclair où je voulais en venir quand je leur ai suggéré d'amplifier leurs mouvements de quelques centimètres, de descendre un peu plus bas ou de pousser un peu plus fort.

En revanche, les débutants et les élèves de niveau moyen qui ne me connaissaient ni d'Ève ni d'Adam se sont illuminés dès les premières minutes. Et dans cette salle de l'Oklahoma, avec ce groupe disparate d'inconnus, nous avons effectué une séance remarquable. Et nous nous sommes bien amusés.

Ce cours a marqué pour moi le début d'une grande journée. Retour à mon hôtel pour un énorme petit déjeuner : deux bols de flocons d'avoine, quatre petits pains avec de la confiture de fraises, une carafe de jus d'orange et, bien entendu, le sacro-saint pot de café. Je voyais le serveur sur le point d'appeler la presse à sensation et j'imaginais le titre : *Ex-obèse se gave dans une chambre d'hôtel de l'Oklahoma.*

Après ce repas reconstituant, j'ai relu le discours que je devais prononcer deux heures plus tard, puis j'ai pris un bon bain chaud, je me suis habillée, maquillée (généreusement, car, après trois jours de voyage, les trajets en avion, le manque de sommeil et la tristesse de ne pas voir mes enfants aidant, sans maquillage, je paraissais au bas mot quatre-vingts ans). Avec quelques tonnes de produits non testés sur les animaux, très chers et très bien présentés, me voilà une autre femme.

Si jamais je suis malade, je ne veux pas être hospitalisée ailleurs qu'au Centre médical baptiste de l'Oklahoma, même s'il me faut pour cela m'y rendre en rampant. Quel hôpital superbe ! Le Dr Woman m'a fait visiter l'aile réservée aux femmes, tout en m'expliquant les efforts accomplis pour répondre aux besoins spécifiquement féminins en matière médicale. Très impressionnant.

Après, on m'a emmenée dans la salle à manger, très agréablement décorée et qui regorgeait de femmes venues écouter mon discours. Je suis montée sur l'estrade prévue à cet effet et j'ai commencé à parler. Mes auditeurs sortaient de l'ordinaire : beaucoup de blouses blanches qui prenaient des notes (s'ils ignoraient vraiment les faits que j'exposais, cela m'effraie un peu), des professionnels de la minceur prêts à me réduire en miettes au moindre faux pas (reconnaissables à leur expression aussi peu amène que celle des professionnels de l'aérobic) et puis beaucoup de femmes attablées devant un déjeuner pauvre en lipides (par respect pour moi ; je vous en remercie).

Il y avait juste en face de moi une femme qui ne paraissait pas du tout contente de me voir. Je me rappelle qu'elle portait des boucles d'oreille en forme de poissons chrétiens. Je n'ai rien contre les poissons, mais je me demande si on devrait en faire des boucles d'oreille (cette opinion n'engage que moi). En tout cas, entre ses poissons, le message négatif en termes de langage corporel que véhiculaient ses bras croisés contre sa poitrine, et son visage fermé et plein d'animosité, je me suis dit qu'elle serait la première à me jeter aux lions.

La présence d'un visage hostile juste en face de soi n'aide pas à prononcer un discours et celle de blouses blanches qui notent fébrilement vos propos ne fait rien pour atténuer votre tension nerveuse. Mais, quand vous voyez ces mêmes blouses blanches hocher la tête d'un air approbateur, quand vous sentez un lien s'établir entre vous et les femmes de l'assistance, quand vous entendez des rires saluer vos commentaires sur les pratiques absurdes des marchands de minceur ou de forme, quand il apparaît que vous vous accordez sur la nécessité de changer les choses, alors tout va bien.

Et devant cet auditoire a priori dubitatif, j'ai compris que nous étions tous pareils et que nous nous débattions tous contre les mêmes problèmes, que nous habitions l'Oklahoma, New York, Dallas, Los Angeles, ou n'importe où ailleurs.

Nous sommes toutes sœurs :

– dans notre recherche du bien-être et de la santé,

– dans notre désir d'améliorer notre aspect et notre condition physiques,

– dans notre désir de changer.

On croirait que je décris une expérience mystique commune. En fait, nous n'en étions pas loin, sauf ma sœur la femme aux poissons qui me fusillait toujours du regard. Mes autres auditeurs communiaient peut-être avec moi, mais pas elle. Campant sur ses positions, elle ne m'accordait pas le plus petit sourire, ni même le moindre indice signifiant qu'elle comprenait ce que je racontais.

J'ai achevé mon discours, ravie de me sentir en si excellente symbiose avec mon auditoire, avec toutes ces femmes prêtes à se consacrer à retrouver le bien-être, sauf, bien sûr, mon amie aux poissons. Et soudain celle-ci a fait une chose inattendue : elle a levé la main.

Cette femme sur les traits de qui j'avais lu de l'antipathie a pris la parole pour un témoignage incroyablement sensible, réfléchi et constructif. Elle a déclaré qu'elle comprenait enfin la nécessité de donner à son corps les nutriments et l'oxygène indispensables à son bon fonctionnement. Depuis dix ans, elle vivait un calvaire et, grâce à moi, elle venait d'entrevoir une lueur d'espoir. Puis, là, devant tout le monde, la femme aux poissons m'a remerciée d'être venue, s'est levée et m'a serrée dans ses bras...

Voyant cela, j'ai failli courir au confessionnal le plus proche, comme dans mon enfance. J'avais honte de mon jugement hâtif.

Et elle, en retour, m'a remerciée, ce qui m'a valu une superbe crise de remords. C'est ce qu'on appelle la justice immanente.

Nous possédons tant de mots pour les états de l'esprit et si peu pour ceux du corps...

Jeanne Moreau, 1976

POSTFACE

Délivrés de la fatigue du Faire,
Entrer dans la sérénité du Fait.
Julia Louise Woodruff, 1910

L'autre jour, j'avais rendez-vous avec l'un des plus importants producteurs d'Hollywood... et le chauffeur de ma limousine de location ignorait où se trouvait son bureau. Bilan : quarante-cinq minutes de retard, précisément pour le genre de rendez-vous auquel on ne voudrait pour rien au monde arriver en retard. Difficile de rejeter la faute sur le chauffeur...

À mon arrivée (tardive) aux studios de la MTM, j'étais aussi énervée qu'autrefois, quand mon prince « oubliait » de m'envoyer le chèque de la pension alimentaire. Quarante-cinq minutes de retard à la réunion la plus importante à laquelle on m'ait jamais conviée, cela m'inspirait la même terreur que la perspective de ne pas pouvoir régler les factures d'électricité du château. Vous savez, ce froid glacial qui vous envahit tout entière.

Je ne m'inquiétais pas, comme une personne saine d'esprit l'eût fait, des gens qui m'attendaient depuis quarante-cinq minutes, mais je redoutais de m'effondrer et de me ridiculiser à cause de mon état de stress. Il me semblait qu'à la première question qu'on me poserait je fondrais en larmes.

Eh bien, tout comme un cœur bien entraîné, je reprends plus vite un rythme normal quand il faut surmonter l'anxiété. En quelques minutes, j'ai pu me composer un visage normal, entrer dans la salle de réunion et accomplir mon travail.

Autrefois, je n'aurais jamais surmonté l'épreuve du stress. Et la plus grande différence réside dans ce à quoi je reviens après ma victoire : ma vie. Grâce à mes efforts, c'est une belle vie, saine et heureuse.

J'ai pesé jusqu'à 118 kilos, puis j'ai peu à peu réussi à recouvrer la santé et la forme. J'adore ce que je fais. Mes enfants, mon mari, mon ex-mari et moi menons une existence saine, riche et heureuse, et nul ne peut m'ôter cela. Plus maintenant.

Annexe

Teneur en lipides des aliments

	Portion	Lipides *(en g)*	Calories
PAIN ET VIENNOISERIES :			
• baguette	1/8	0,2	63
• pain complet	1 tranche	1,6	67
• pain de mie	1 tranche	1,1	65
• croissants	1	11,5	167
• pancakes	3	9,6	312
• pain pita	1 grand	0,8	240
• pain suédois « light »	1 tranche	0,1	25
CÉRÉALES :			
• corn flakes	30 g	0,1	112,5
• müesli	40 g	1,8	140
• riz soufflé	30 g	< 0,1	112,5
• flocons d'avoine	30 g	< 1,7	112
PÂTES ET RIZ *(quantités cuites)* **:**			
• macaronis			
– à la semoule de blé dur	25 cl	0,7	159
– au blé complet	–	0,6	183
• spaghettis aux œufs	–	1,0	159
• riz blanc	12 cl	1,2	111
– complet	–	0,6	116
– + riz sauvage	–	2,1	120
• couscous	100 g	2	360
LAITAGES :			
• lait entier	25 cl	8,0	150
– demi-écrémé	25 cl	4,7	121
– écrémé	25 cl	traces	34,5
• yaourt au lait entier	25 cl	7,4	139
– maigre	25 cl	0,4	127
– allégé aux fruits	25 cl	2,6	225
• pâte à tartiner à 25 % M.G. (« beurre allégé »)	15 g	3,75	40

	Portion	Lipides (en g)	Calories
FROMAGES :			
• brie	40 g	8,3	105
• camembert 45 % M.G.	40 g	8,9	117
• cantal	40 g	12	154,5
• fromage de chèvre (en moyenne)	40 g	6	86
• emmenthal (suisse)	40 g	12,1	162
• fromage blanc entier	50 g	5,7	80
• maigre	50 g	0,15	36,5
• mozzarella	1 = 125 g	25	320
• parmesan râpé	1 cuill.	1,5	23
• roquefort	40 g	12,2	147,6
ŒUF DE POULE :	1 (65 g)	7,5	102
dont blanc		0,1	25
VIANDES :			
• *bœuf :*			
– rosbif/filet	100 g	7,4	152
– hamburger	90 g	19,6	286
– entrecôte persillée	100 g	38,8	440
• *veau :*			
– filet	100 g	1,4	95
– foie	100 g	7,3	154
• *charcuterie :*			
– jambon de Paris	1 tranche = 50 g	6,25	100
– jambon moins de 4 % M.G.	1 tranche = 50 g	1,2	52
– jambon cru type italien	2 tranches = 50 g	6	118
– saucisse de Francfort	1	13,2	145
VOLAILLE ET GIBIER :			
• *poulet :*			
– blancs rôtis avec peau	1 blanc	7,6	193
– blancs rôtis sans peau	1 blanc	3,1	142
– blancs frits avec peau	1 blanc	10,7	236
– blancs frits sans peau	1 blanc	6,1	179
– beignets avec peau	100 g	17,4	289

	Portion	Lipides (*en g*)	Calories
• *dinde :*			
– blancs au barbecue	100 g	5,0	135
– blancs au four	100 g	3,0	115
– autres morceaux rôtis			
avec peau	id.	11,5	221
sans peau	id.	7,2	187
• lapin domestique	100 g	8	154
• faisan	100 g	2	108
• perdrix, perdreau	100 g	1,4	115
POISSONS :			
• cabillaud	100 g	0,7	76
• maquereau	–	16,3	223
• merlan	–	3	100
• saumon frais	–	14	206
– en conserve	–	12,2	191
– fumé	–	9,3	185
• sole	–	1,4	81
• thon frais	–	13	225
– en conserve au naturel	–	1,2	111
– en conserve à l'huile	–	20	271
CRUSTACÉS :			
• coquilles Saint-Jacques	100 g	0,5	82
• crabe en conserve	–	3	101
• crevettes cuites	–	0,8	80
• huîtres	–	1,8	70
• moules	–	1,4	63
LÉGUMES :			
• artichaut, bouilli	1 moyen	0,2	53
• asperge	100 g	0,2	25
• aubergine	100 g	0,2	27
• avocat	1 (170 g)	30	306
• brocoli	100 g	0,3	40
• carotte	100 g	0,2	41
• champignons de Paris	100 g	0,24	29
• cèpes	100 g	0,4	39
• maïs			
– en conserve	1/2 tasse	0,4	93
– épi cuit	1 moyen	0,9	83

	Portion	Lipides *(en g)*	Calories
• pommes de terre			
– en robe de chambre	1 moyenne	0,2	220
– frites	1 portion	8,3	158
• radis	100 g	0,1	21
• pousses de soja	1/2 tasse	7,7	149
• tofu (pâte de soja)	115 g	5,4	86
• tomate	100 g	0,1	23
FRUITS :			
• ananas frais	100 g	0,2	51
– en conserve au naturel	–	0,1	51
• banane	–	0,4	94
• châtaigne fraîche	–	2,3	207
• datte fraîche	–	1	165
• fraise	–	0,3	50
• kiwi frais	–	0,6	45
• orange	–	0,1	50
• pomme	–	0,4	61
FAST-FOODS :			
• hamburger (125 g)	1	11	272
• cheeseburger (125 g)	1	12,7	297
• beignets de poulet	portion de 6	17,9	352
• beignets de poisson	1	24,6	415
• hamburger (250 g)	1	21,6	442
• cheeseburger (250 g)	1	30,6	551
PRÉPARATIONS DIVERSES :			
• pizza (fromage)	150 g	13	330
• salade de thon mayonnaise			
– thon au naturel	1/2 tasse	10,5	170
– thon à l'huile	1/2 tasse	16,3	226
• sorbet aux fruits	100 g	traces	126
• crème chantilly	10 g	3	30

Table

INTRODUCTION 9

CHAPITRE 1 : Images corporelles 19
CHAPITRE 2 : Être gros 35
CHAPITRE 3 : J'abandonne ! 69
CHAPITRE 4 : Manger mieux 99
CHAPITRE 5 : Respirer à pleins poumons 165
CHAPITRE 6 : Savoir bouger 213
CHAPITRE 7 : Jouir de chaque étape 253
CHAPITRE 8 : Questions et réponses 277
CHAPITRE 9 : L'aube d'une nouvelle vie 293
CHAPITRE 10 : La vie sur l'autre rive 321

POSTFACE 339

ANNEXE : Teneur en lipides des aliments 341

Composition réalisée par COMPOFAC - PARIS

IMPRIMÉ EN FRANCE PAR BRODARD ET TAUPIN
Usine de La Flèche (Sarthe)
LIBRAIRIE GÉNÉRALE FRANÇAISE - 43, quai de Grenelle - 75015 Paris.

ISBN : 2 - 253 - 08163 - 9

30/8163/5